Beginning
Readings
in French

THE MACMILLAN COMPANY
NEW YORK • CHICAGO
DALLAS • ATLANTA • SAN FRANCISCO
LONDON • MANILA

THE MACMILLAN COMPANY
OF CANADA, LIMITED
TORONTO

Beginning
Readings
in French

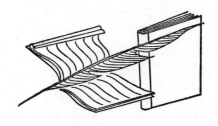

E. E. MILLIGAN
University of Wisconsin

THE MACMILLAN COMPANY · New York

Acknowledgment

This textbook was done with the valuable editorial and critical assistance of my colleague, Professor Alfred M. Galpin

Introduction

The editor of a French reader for the first two years of high school or the first year of college should be fully aware of certain limitations if he is to produce a satisfying text. The small amount of time available in the course, the difficulty of training the student from zero knowledge to the point where, at the intermediate level, he can handle original material with a fair degree of competence, and the desire to impart some appreciation of the cultural contribution of France are so many interdependent considerations that somehow must all be dealt with satisfactorily within the covers of one book.

Linguistically, readings should not increase in difficulty too quickly. The scientifically graded reader, entirely arranged on the basis of word counts, has not always been entirely successful. Perhaps it has been too difficult at the beginning; perhaps also its editor's absorption in the scientific aspect of his work has meant a sacrifice of reading interest. This book does have a gradation of linguistic difficulty, but one based largely on the experience of the compiler. Approximately the first quarter of the text has only the present indicative, with scattered past indefinites which offer no real difficulty. Plentiful notes are provided to take care of anything unusual in verbal or other language matters.

No book of this kind can offer many unaltered texts. Apart from the pages from Saint Exupéry's *Le Petit Prince* and, of course, the parables from the Bible, all the original selections have undergone more or less extensive abridgments and some linguistic change. There is little if any real loss in this procedure. With an author like Balzac, whose prolixity of language is downright confusing even to fairly advanced students, one may claim genuine improvement on the story as written.

Culturally, a book on this level may present civilization material as its main purpose, or it may do so incidentally to the prime consideration of interesting readings. This volume is of the second kind. The beginning student should have the privilege of reading some of the great writers whose names have been the glory of France. The selections from La Fontaine, Voltaire, Fabre, Molière, Maurois, Saint Exupéry, Balzac, Mérimée, and the Holy Scriptures may be thought of as ample. It should be noted that some of the authors are contemporary: Saint Exupéry and André Maurois, among others, did all their writing in the twentieth century. The introductions to the stories and full annotation will add to the student's appreciation of France. Three selections, under the headings *L'Esprit américain* and *L'Esprit français* are cultural material in their purest form and three others are from the fields of science in recognition of the many students of French whose interests are in this direction.

There is a good measure of the light-hearted in this book, and it is hoped that this will leave with the student some pleasant memories of his first acquaintance with French.

These stories have been used in college classes beginning with the second week of the first semester and continuing throughout the first year. For those classes which do a small amount of reading in the beginning semesters, some of the selections can be used for outside reading.

E. E. M.

Table of Contents

(With the exception of the selections from Saint Exupéry and the Bible all the readings have been adapted to the level of this text.)

Comment Apprendre Le Français	1
Le Duel	4
Le Meunier, son fils et l'âne (La Fontaine)	9
Le Fermier et ses enfants (La Fontaine)	13
La Lettre de cachet	16
Deux Habitants planétaires visitent la Terre (Voltaire)	20
La Beauté éternelle	26
Les Trois Etats de la matière (Fabre)	31
Le Jongleur qui va en enfer	38
Au Clair de la lune	46
Le Petit Malade (Courteline)	49
Le Vin (Fabre)	53
Le Médecin malgré lui (Molière)	59
L'Esprit américain (Maurois; de Tocqueville)	68
L'Esprit français (Maurois)	86
Le Nouveau Riche (Molière)	91
Le Voleur (Mille)	99
La Conversion du soldat Brommit (Maurois)	105
La Métamorphose (Fabre)	113
Le Petit Prince (Saint Exupéry)	123
Fumée de cigare (Bariatinsky)	142
Le Billet de loterie (Bouvier)	151
Deux Paraboles de la Sainte Bible	158
I Le Bon Samaritain	159
II L'Enfant prodigue	160
Un Episode sous la Terreur (Balzac)	163
Carmen (Mérimée)	190
Vocabulary	267

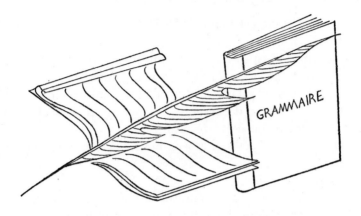

Comment Apprendre Le Français

Deux officiers français entrent dans un café et s'asseyent à une table, pas loin de la table d'un étranger qui a l'air très sérieux et qui fume un cigare en regardant attentivement autour de lui.

Les deux Français commandent du vin et commencent à causer. Un des officiers dit: 5

—Croyez-vous que notre ami arrive bientôt?

A ces mots, l'étranger sérieux ouvre la bouche, et dit avec un accent anglais:

—J'arrive, tu arrives, il arrive, nous arrivons, vous arrivez, 10 ils arrivent.

L'officier, étonné, s'approche de l'étranger et lui dit:

—Est-ce à moi que vous parlez, monsieur?

—Je parle, répond l'étranger, tu parles, il parle, nous parlons, vous parlez, ils parlent. 15

1

—Laissez donc cet homme, dit l'autre officier à son ami, il est fou.

—Je suis fou, tu es fou, il est fou, nous sommes fous, vous êtes fous, ils sont fous. Ah! un verbe irrégulier!

5   —C'est trop! crie l'officier hors de lui. Vous ne pouvez pas ainsi vous moquer d'un soldat. J'espère que vous allez me donner satisfaction de votre insulte.

—J'espère, tu espères, il espère, nous espérons, vous espérez, ils espèrent . . .

10 —Sortez, monsieur!

—Je sors, tu sors, il sort, nous sortons, vous sortez, ils sortent, dit l'étranger toujours imperturbable, et en se levant.

Les trois hommes sortent du café. Dans la rue, l'officier insulté prend son épée et son ami donne son épée à l'étranger.

15 Ils commencent à se battre.

—Parez ce coup, crie l'officier, de plus en plus exaspéré du calme de son adversaire.

—Je pare, répond l'étranger, tu pares, il pare, nous parons, vous parez, ils parent.

20 —Je vais vous tuer, hurle l'officier.

—Je vais, tu vas, il va, nous allons, vous allez, ils vont. Ah! encore un verbe irrégulier! dit l'étranger.

Et en disant ces mots, il réussit à désarmer son adversaire. Puis il prend un cigare et l'allume tranquillement.

25 L'officier désarmé reste bouche ouverte. Son ami dit à l'étranger:

—Je vois que vous êtes un gentleman, et . . .

—Je suis, tu es, il est, nous sommes, vous êtes, ils sont . . . ah! le même verbe irrégulier!

30 —Mais, enfin, pouvez-vous expliquer? . . .

—J'explique, tu expliques, il explique, nous expliquons, vous expliquez, ils expliquent.

Puis, il dit en anglais:

—Comprenez-vous la langue de Shakespeare?

—Mais oui, répond dans cette langue l'officier.

—Eh bien, messieurs, dit-il en anglais, j'étudie le français, et mon professeur me conseille, comme exercice très utile, de conjuguer les verbes. Par conséquent, je n'entends jamais un verbe français sans le conjuguer. 5

—Et c'est pour cela que . . .

—Oui, c'est pour cela . . .

Et les trois hommes se quittent de très bons amis.

EXPRESSIONS FOR STUDY

1. Un étranger qui a l'air très sérieux.
2. Croyez-vous que notre ami arrive bientôt?
3. Laissez donc cet homme.
4. C'est trop! crie l'officier hors de lui.
5. Vous ne pouvez pas ainsi vous moquer d'un soldat.
6. Ils commencent à se battre.
7. Les trois hommes se quittent de très bons amis.

QUESTIONNAIRE

1. Que font les deux officiers français?
2. Que fait l'étranger?
3. Pourquoi l'officier s'approche-t-il de l'étranger pour lui parler?
4. Qu'est-ce que l'officier espère?
5. Pourquoi les trois hommes sortent-ils du café?
6. Qui est désarmé?
7. Comment l'étranger explique-t-il sa manière de parler?
8. Comment les trois hommes se quittent-ils?

Le Duel [1]

Il y a quelques années,[2] un avocat se trouve dans la nécessité de se battre en duel [3] avec un honorable et très pacifique propriétaire et pour un motif insignifiant. Il ne sait absolument rien de l'art du duel, et ne voulant pas être tué par son adversaire qu'il croit très bon duelliste, il va demander les conseils d'un maître d'armes.

—Etes-vous de bonne santé? demande le maître d'armes.

—Mais je suis assez solide, Dieu merci, répond l'avocat.

—Très bien! Je suppose que vous avez du courage. Donc je vous conseille de tenir ferme votre épée, la pointe à la hauteur de l'oeil de votre adversaire. N'attaquez jamais. Ne touchez

---

1. While duels are illegal in France they occasionally still occur clandestinely.
2. **Il y a quelques années,** *Some years ago.*
3. **se battre en duel,** *fighting a duel.*

pas son épée. Attendez que, impatient de votre immobilité, votre adversaire se précipite de lui-même sur votre épée.

—Vous croyez qu'il va le faire? demande l'avocat.

—C'est probable, dit le maître d'armes. Dans tous les cas, vous ne risquez pas grand'chose [4] dans cette position ex- 5 pectante.

—Mais si mon adversaire, qui est un véritable lion, avance?

—S'il avance, reculez.

—Très bien, mais s'il recule?

—S'il recule, n'avancez pas. 10

L'avocat sort et va mettre ordre à ses affaires, en vue d'un dénouement fatal.

Une heure après la visite de l'avocat, le même maître d'armes reçoit la visite de l'adversaire de l'avocat.

—Mon Dieu! monsieur, dit le propriétaire, moi qui suis 15 l'homme le plus pacifique du monde, je me bats demain avec un des duellistes les plus experts de cette région, à [5] ce qu'on me dit.

Le maître d'armes fait de son mieux [6] pour dissimuler un rire; puis, s'adressant à son visiteur, il dit: 20

—Qu'y a-t-il pour votre service,[7] monsieur?

—Je viens, monsieur, vous prier de m'indiquer les secrets du duel. Je ne sais rien de cet art. Je ne veux pas devenir un assassin, mais il est juste que j'égalise autant que possible les chances d'un combat inégal avec ce duelliste expert. 25

—Les secrets de mon art ne sont pas sans danger quand ils sont mis en pratique par un homme comme vous qui n'en sait rien.[8] Je ne vais donc vous apprendre aucun de ces

---

4. **grand'chose,** *much.*
5. **à,** *according to.*
6. **fait de son mieux,** *does his best.*
7. **Qu'y a-t-il pour votre service,** *What may I do for you.*
8. **qui n'en sait rien,** *who knows nothing about them.*

secrets. Mais si vous suivez mon conseil vous pouvez vous protéger.

—Bon, monsieur.

—Mettez-vous en garde à une certaine distance de votre
5 adversaire. Tenez ferme votre épée, la pointe à la hauteur de l'oeil de votre adversaire. N'attaquez jamais. Ne touchez pas son épée. Attendez que, impatient de votre immobilité, votre adversaire se précipite de lui-même sur votre épée.

—Mais s'il avance?

10 —S'il avance, reculez.

—Et s'il recule?

—S'il recule, n'avancez pas.

Le lendemain le duel a lieu.

Chacun des adversaires amène les deux témoins d'usage et
15 un chirurgien.[9] Suivant les conseils du maître d'armes, l'avocat et le propriétaire se mettent en garde à une distance respectueuse l'un de l'autre. Ils se regardent d'un air de défi, mais ni l'un ni l'autre ne fait le plus léger mouvement.

Chacun des combattants attend que, impatient, son ad-
20 versaire se précipite sur son épée.

Cinq minutes se passent ainsi, et rien dans l'attitude des duellistes ne change.

L'avocat et le propriétaire se regardent toujours d'un air de défi. Les deux combattants semblent pétrifiés.

25 —Quelle patience! pense l'avocat . . . Il veut me fatiguer et me forcer d'attaquer. Mais je ne suis pas si stupide! Je vais garder cette attitude jusqu'au dernier moment . . . Cependant, cette épée est lourde! Quand va-t-il se précipiter sur mon épée? Il attend longtemps . . .

30 —Quel calme! pense le propriétaire . . . Ces duellistes ont

---

9. **chirurgien,** *surgeon.* Brought to the duel in case one of the antagonists is wounded.

un admirable courage . . . Il attend que je l'attaque . . . Il
va attendre longtemps! . . . Mais toute chose a une fin, et il
est probable que sa patience . . . J'espère seulement que le
rhumatisme dont je souffre ne me force pas à laisser tomber
l'épée juste au moment où mon adversaire se précipite . . .   5

On ne sait de quelle énergie passive l'homme est capable
dans certaines circonstances. Les deux combattants ne bougent
pas, sans autre signe de fatigue qu'une certaine altération
dans le visage,[10] pendant treize minutes, immobiles comme des
statues.   10

—Messieurs, dit alors un des témoins, moins patient que les
combattants, voilà près d'un quart d'heure que vous combattez:[11] l'honneur est satisfait. Abaissez donc vos épées et
donnez-vous la main.[12]

—Ah! dit l'avocat, que le duel est fatigant![13] Je préfère 15
plaider trois heures que de me battre dix minutes.

EXPRESSIONS FOR STUDY

1. Il y a quelques années, un avocat se trouve dans la nécessité de
se battre en duel.

2. Attendez que votre adversaire se précipite de lui-même sur votre
épée.

3. Vous ne risquez pas grand'chose.

4. Il va mettre ordre à ses affaires.

5. Je me bats demain avec un des duellistes les plus experts de
cette région, à ce qu'on me dit.

6. Il fait de son mieux pour dissimuler un rire.

7. Qu'y a-t-il pour votre service?

---

10. **une certaine altération dans le visage,** *a somewhat changed
look.*

11. **voilà près d'un quart d'heure que vous combattez,** *you have
been fighting for nearly a quarter of an hour.*

12. **donnez-vous la main,** *shake hands.*

13. **que le duel est fatigant!,** *how tiring duelling is!*

8. Je ne vais donc vous apprendre aucun de ces secrets.
9. Mettez-vous en garde.
10. Le lendemain le duel a lieu.
11. Chacun amène les deux témoins d'usage.
12. Ils se regardent d'un air de défi.
13. Rien dans l'attitude des duellistes ne change.
14. Voilà près d'un quart d'heure que vous combattez.
15. Donnez-vous la main.
16. Que le duel est fatigant!
17. Je préfère plaider trois heures que de me battre dix minutes.

QUESTIONNAIRE

1. Qui sont les adversaires dans le duel?
2. Qu'est-ce que chaque adversaire croit de l'autre?
3. Où vont-ils tous deux?
4. Que conseille le maître d'armes?
5. Qui chaque adversaire amène-t-il au champ de bataille?
6. Qu'est-ce que chacun attend?
7. Combien de temps restent-ils ainsi?
8. Que dit un des témoins?
9. Qu'est-ce que l'avocat pense du duel?

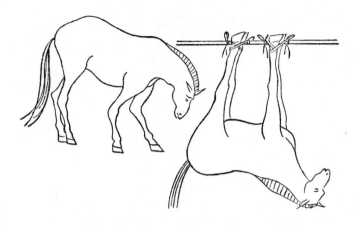

Le Meunier, son fils et l'âne

A fable is a short tale with an implied or expressed moral. It is perhaps the oldest of literary forms, its origins being lost in antiquity. The French fabulist Jean de La Fontaine (1621–1695) drew heavily on the Latin fables of Phaedrus, who in turn took many of his stories from the Greek Aesop. Although the fable is usually a commentary on human conduct and meant for the education of the young, La Fontaine in writing his verse fables was not interested in the edification of the youth of his period. A worldly man, he saw in the fable an expressive medium for the analysis of human weaknesses.

Usually animals are the principal personages of La Fontaine's fables, but the prose adaptations of this selection and the next are from fables most of whose characters are human.

———

Un meunier est le propriétaire d'un âne. Accompagné de son fils, âgé de quinze ans, il va au marché pour vendre l'âne. Mais l'âne, très vieux, se fatigue facilement et ne peut guère

marcher.[1] Le meunier voit très bien que personne ne va acheter un âne qui a l'air vieux et décrépit. Puisqu'il veut que l'âne semble bien portant,[2] le père et le fils décident de porter la bête. Ils la suspendent d'une perche qu'ils portent sur leur
5 épaule.

Le premier passant qui les voit éclate de rire[3] et leur dit:

—Pauvres idiots, couple ignorant et rustre. Quelle farce! Le plus bête[4] des trois n'est pas l'âne!

A ces mots le meunier reconnaît son erreur. Il met l'âne sur
10 pieds et le fait marcher. Après un peu de temps son fils se déclare fatigué et le père lui donne la permission de monter sur l'âne!

Ensuite trois marchands passent. La vue du jeune homme monté sur l'âne, tandis que le vieux père est à pied, les outrage.
15 Le plus vieux des marchands crie au garçon:

—Jeune homme, descendez de l'âne! Il est inconcevable qu'un jeune homme se repose tandis que son vieux père marche. Descendez!

Le meunier dit:
20 . —Messieurs, vous avez raison. Je vais monter moi-même sur l'âne.

L'enfant descend et le vieillard monte.

Puis, trois jeunes filles passent et l'une dit:

—Quelle honte! Ce beau garçon est si fatigué et son père le
25 fait marcher. Regardez ce père, assis comme un roi sur l'âne! Il se croit très important!

---

1. **ne peut guère marcher,** *can hardly walk.*

2. **il veut que l'âne semble bien portant,** *he wants the donkey to look healthy.*

3. **éclate de rire,** *bursts into laughter.*

4. **Le plus bête,** *The stupidest.* **bête** is an adjective here. As a noun, later, it means *beast* or *animal.*

—Passez votre chemin, jeunes filles! [5] leur dit sévérement le père.

Mais plus il y pense, plus [6] il croit que les jeunes filles ont raison. Et le meunier fait monter son fils derrière lui.

Un peu plus loin, le père et le garçon rencontrent un autre groupe qui commence à les critiquer:

—Quels fous! L'âne est vieux et fatigué et va mourir sous le poids du vieillard et du garçon. N'ont-ils pas pitié de leur vieux domestique?

—Mon dieu! dit le père. L'homme qui prétend contenter tout le monde est fou. Cependant je vais essayer.

Le meunier et son fils descendent. L'âne, soulagé du grand poids, marche joyeusement en avant. Un autre passant les rencontre et leur dit:

—Est-ce maintenant la mode que l'âne ne travaille pas et que le meunier se fatigue? Qui est fait pour se fatiguer, l'âne ou le maître? Vous usez [7] vos souliers et conservez votre âne.

—Je suis bête, il est vrai, je l'admets. Si je parle, on me critique; si je ne dis rien, on me critique. Se je fais une chose, on la critique; si je ne fais rien—c'est toujours la même histoire et j'en ai assez. A partir d' [8] aujourd'hui, on peut me blâmer, on peut être tout à fait satisfait de moi, on peut me critiquer ou non, cela ne me fait rien.[9] Je vais faire comme je veux. Je suis le maître de mes propres affaires. Viens, mon fils, nous allons nous remettre à porter cette pauvre bête au marché, et nous allons rire de tous les conseils que nous offrent les

---

5. **Passez votre chemin, jeunes filles!**, *On your way, girls!*

6. **plus il y pense, plus . . .**, *the more he thinks about it, the more . . .*

7. **usez**, *wear out.*

8. **A partir d'**, *Beginning.*

9. **Cela ne me fait rien**, *It makes no difference to me.*

ignorants [10] qui ne savent rien de nos affaires. Qui veut plaire à tout le monde, ne plaît à personne.

Et le meunier et son fils passent leur chemin en portant l'âne comme au commencement de cette histoire.

EXPRESSIONS FOR STUDY

1. L'âne ne peut guère marcher.
2. Personne ne va acheter un âne qui a l'air vieux.
3. Il veut que l'âne semble bien portant.
4. Le premier passant éclate de rire.
5. Le plus bête des trois n'est pas l'âne.
6. Il met l'âne sur pieds et le fait marcher.
7. Messieurs, vous avez raison.
8. Passez votre chemin, jeunes filles!
9. Plus il y pense, plus il croit que les jeunes filles ont raison.
10. Le meunier fait monter son fils derrière lui.
11. Vous usez vos souliers.
12. Je suis bête, il est vrai.
13. A partir d'aujourd'hui, on peut me blâmer, cela ne me fait rien.
14. Qui veut plaire à tout le monde, ne plaît à personne.
15. Le meunier et son fils passent leur chemin.

QUESTIONNAIRE

1. Quel âge a le fils du meunier?
2. Pourquoi va-t-on au marché?
3. Pourquoi le meunier décide-t-il de porter l'âne?
4. Comment le portent-ils?
5. Qui monte le premier sur l'âne?
6. Pourquoi en descend-il ensuite?
7. Que disent les jeunes filles?
8. Que fait alors le père?
9. Que fait-il à la fin?
10. Peut-on contenter tout le monde?

---

10. **ignorants** is the subject of **offrent.** Such inversions of subject and verb are common in French.

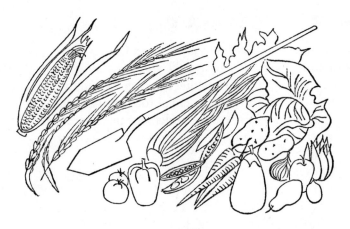

Le Fermier et ses enfants

Un vieux fermier, sentant l'approche de la mort, pense à l'héritage qu'il va laisser à ses trois fils. Pendant une longue vie de travail assidu, il a accumulé une grande fortune. Il ne veut pas simplement partager son argent entre ses trois fils, croyant, avec la Bible, que l'amour de l'argent est la source de tous les [5] maux.[1] Il veut leur apprendre à travailler, et il est persuadé que sans cette leçon, la fortune ne peut leur porter aucun bonheur durable.

Finalement, il se décide à ce qu'il doit faire[2] et fait venir ses fils auprès de lui.[3] [10]

—Je vais mourir bientôt, leur dit-il, et vous allez hériter de ma grande fortune. Mais il y a une autre fortune, plus grande

---

1. **l'amour de l'argent est la source de tous les maux,** *the love of money is the source of all evil.*
2. **à ce qu'il doit faire,** *on what he should do.*
3. **fait venir ses fils auprès de lui,** *calls his sons into his presence.*

que la mienne, que je vous laisse aussi. Ces terres que je possède sont historiques et on dit qu'il y a un trésor immense caché dessous. C'est une histoire que mon père m'a souvent racontée Pendant toute ma longue vie, j'ai toujours cherché à découvri
5 ce trésor mais j'en ai trouvé seulement une toute petite partie Maintenant c'est à vous,[4] mes trois fils, de découvrir le gros de la fortune.

Après la mort du père les enfants pensent longuement à son conseil et à la meilleure façon de trouver le trésor. Evidemment
10 il n'y a qu'à creuser [5] et à bêcher partout la terre. Pour ce travail si ardu, ils divisent la terre en trois parties égales et chacun s'applique à creuser et à bêcher sa parcelle de terrain. Mais chacun finit son travail sans rien trouver. Les fils perdent peu à peu leur foi dans la fortune promise par leur père.
15   Cependant les fils continuent à cultiver et à planter leurs terres comme avant la mort de leur père. A leur grande surprise ils remarquent que leur première moisson est plus abondante que toutes les moissons précédentes. Et ils comprennent que c'est en creusant et en bêchant la terre qu'ils l'ont rendue plus
20 fertile. Ils comprennent aussi la sagesse de leur père et le vrai héritage qu'il leur laisse. L'histoire de trésor caché n'est pas un mensonge, c'est la vérité. Le plus grand trésor, le seul capital [6] qui ne manque jamais, c'est le travail.

EXPRESSIONS FOR STUDY

1. L'amour de l'argent est la source de tous les maux.
2. Ses fils doivent apprendre la distinction.
3. Il se décide à ce qu'il doit faire.
4. Il fait venir ses fils auprès de lui.

---

4. **c'est à vous,** *it is up to you.*
5. **il n'y a qu'à creuser,** *there is nothing to do but dig.*
6. **capital,** *source of wealth.*

5. C'est à vous de découvrir le gros de la fortune.
6. Il n'y a qu'à creuser et à bêcher partout la terre.

QUESTIONNAIRE

 1. A quoi pense le vieux fermier?
 2. Qu'est-ce qu'il a accumulé?
 3. Qu'est-ce que ses fils doivent apprendre?
 4. Combien en a-t-il de fils?
 5. L'argent est-il la source de tous les maux?
 6. Quelle histoire le père raconte-t-il à ses fils?
 7. L'histoire est-elle vraie ou fausse?
 8. Que font les fils après la mort de leur père?
 9. Comment trouvent-ils la fortune cachée?
10. Qu'est-ce qu'ils ont appris?

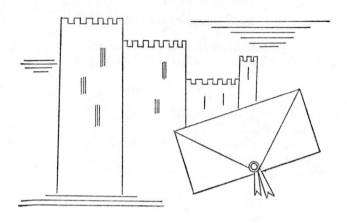

La Lettre de cachet [1]

L'époque qui précède la Révolution française [2] s'appelle en France l'Ancien Régime. [3] C'est un temps de monarchie absolue et, malgré toute la grandeur et la gloire de la France pendant cette ère, c'est une période caracterisée de beaucoup 5 d'abus sociaux et d'injustices.

Parmi ces abus, un des plus injustes est la lettre de cachet. C'est une lettre qui porte le cachet du roi et qui contient un ordre de sa part d'exil ou d'emprisonnement. Une fois emprisonnée, la victime peut sortir de sa prison seulement à la 10 volonté du souverain. Il est facile de voir que les gens favorisés

---

1. **lettre de cachet,** this expression is not usually translated into English. Its meaning is made clear in the second paragraph.

2. The French Revolution began in 1789.

3. **Ancien Régime,** another expression generally left untranslated. It refers to the political and social system of France before the Revolution.

du roi ou de ses ministres principaux peuvent employer leur influence pour faire emprisonner leurs ennemis personnels et souvent pour des raisons injustes.

Voltaire,[4] l'illustre écrivain et le grand réformateur des abus sociaux, est, en 1725, la victime d'une lettre de cachet.[5] Cette lettre de cachet a pour résultat d'abord son emprisonnement pendant quelques jours à la Bastille, prison d'Etat à Paris, et ensuite son exil en Angleterre pendant trois ans. En voici l'histoire en peu de mots.

En 1725 Voltaire est presque au commencement d'une longue carrière littéraire mais il est déjà connu et accepté partout. Il n'est pas de l'aristocratie mais ses talents sont si grands que la société aristocratique le reçoit avec plaisir. Un soir il dîne chez le duc de Sully, le premier ministre de Louis XV, en compagnie du chevalier[6] de Rohan-Chabot. Le chevalier est de famille très ancienne; son influence est considérable. Mais il n'aime pas les gens de lettres et croit que les écrivains sont bons seulement à amuser les grands seigneurs qui daignent les admettre à leur table.

Le chevalier laisse tomber quelques mots de mauvais ton sur Voltaire qui répond par une épigramme spirituelle.

—Quel est donc ce jeune homme qui parle si haut? demande le chevalier.

---

4. Voltaire lived from 1694 until 1778. Voltaire was a pen name. He was born François Marie Arouet.

5. This was not Voltaire's first experience with the **lettre de cachet** and imprisonment in the Bastille. In 1717 he had spent eleven months in the famous prison because of certain irreverent lines directed against the Regent who ruled during the minority of Louis XV. Voltaire denied that he wrote them.

6. **chevalier,** this title, when pertaining to the nobility, was of the lowest order. It was often held by the younger sons of nobles of high rank. Do not translate.

—Un homme, répond Voltaire, qui honore le nom qu'il porte tandis que tant d'autres traînent le leur dans la boue.

Insulté de cette réponse, le chevalier donne des ordres à ses laquais, et quelques jours après, comme Voltaire dîne
5 encore une fois chez le duc de Sully, il est attiré, sous quelque prétexte, à la porte de l'hôtel [7] du duc. Là, les laquais déguisés du chevalier le saisissent, et le frappent à coups de bâton. Leur maître, qui regarde ce spectacle sauvage, leur fait signe enfin que cela suffit. Ils se sauvent alors, laissant l'écrivain à demi-
10 mort.

Le duc de Sully est le premier ministre de Louis XV et c'est à sa porte et sur un de ses invités qu'on fait cet acte barbare et lâche. Mais, à cause du grand nom du chevalier de Rohan-Chabot, le duc ne fait rien.

15 Voltaire veut se venger. D'abord, malade de honte et de rage, il s'enferme chez lui pendant plusieurs semaines pour apprendre l'escrime et l'anglais, l'un pour sa vengeance, l'autre pour l'exil [8] qu'il prévoit. Puis, par l'intermédiaire d'un garçon de café, il envoie un défi au chevalier, qui accepte de se battre
20 en duel pour le lendemain.

Cependant, pendant la nuit, le chevalier obtient une lettre de cachet et fait enfermer Voltaire à la Bastille. Voltaire passe seize jours en prison. Il est libéré en promettant de s'exiler en Angleterre.

25 C'est ainsi que l'influence d'un noble puissant oblige Voltaire de passer trois ans en exil.

---

7. **hôtel**, *mansion.* The meaning *hotel* is relatively modern.

8. Until the French Revolution England was the most advanced, in its political and parliamentary institutions, of European nations and hence a convenient place of exile for nonconformists like Voltaire. Voltaire's personal wealth, even at this early date in his career, made possible his long stay in England. He returned to France with a first-hand knowledge of English literature, philosophy, and politics, all of which strongly influenced his subsequent writings.

EXPRESSIONS FOR STUDY

1. Il est déjà connu et accepté partout.
2. Un soir il dîne chez le duc de Sully.
3. Le chevalier laisse tomber quelques mots de mauvais ton sur Voltaire.
4. Un homme qui honore le nom qu'il porte, tandis que tant d'autres traînent le leur dans la boue.
5. Il est attiré, sous quelque prétexte, à la porte de l'hôtel du duc.
6. Les laquais le frappent à coups de bâton.
7. Leur maître leur fait signe enfin que cela suffit.
8. Ils se sauvent alors, laissant l'écrivain à demi-mort.
9. C'est sur un de ses invités qu'on fait cet acte lâche.
10. D'abord, malade de honte, il s'enferme pour apprendre l'escrime.
11. Il envoie un défi au chevalier.
12. Le chevalier accepte de se battre en duel pour le lendemain.
13. Le chevalier fait enfermer Voltaire à la Bastille.

QUESTIONNAIRE

1. Quelle époque est terminée par la Révolution de 1789?
2. Quel est le régime politique à cette époque?
3. Qu'est-ce qu'une lettre de cachet?
4. Expliquez l'injustice des lettres de cachet.
5. En quelle année est né Voltaire?
6. Est-il de l'aristocratie?
7. Quel est son vrai nom?
8. Pourquoi est-il reçu dans les maisons de l'aristocratie?
9. Qui est Sully?
10. Quel est le caractère du chevalier de Rohan?
11. Comment Voltaire l'a-t-il insulté?
12. Comment le chevalier se venge-t-il?
13. Comment cette vengeance insulte-t-elle le duc de Sully?
14. Pourquoi le duc ne fait-il rien?
15. Pourquoi Voltaire s'enferme-t-il chez lui?
16. En quelle manière envoie-t-il son défi au chevalier de Rohan?
17. Que fait le chevalier?
18. Quel est le résultat de cette lettre de cachet?

Deux Habitants planétaires

visitent la Terre

In this tale, adapted from Voltaire, an inhabitant of the star Sirius goes travelling among the planets. The Sirian is of such giant stature that when he stops on Saturn the inhabitants of that planet seem to him astonishingly small: they are only six thousand feet tall. With one of these "midgets," the Sirian continues his interplanetary tour, stopping off by chance on our planet Earth.

It is interesting to note that this early type of science-space fiction was not the product of an unbridled imagination, but rather a pleasant form of popularizing the latest in scientific knowledge. However, the real purpose of the tale, soon evident, is to express some favorite themes of the author: The frailty of human judgment, the lack of final truths, and the relativity of all things.

Nos deux hommes curieux partent; ils sautent d'abord sur l'anneau de la planète de Saturne et le trouvent assez plat. De là ils vont facilement de lune en lune. Une comète passe auprès. Ils sautent sur elle avec leurs domestiques et leurs instruments. Après une grande distance, ils rencontrent les satellites de Jupiter. Ils passent dans Jupiter et y restent une année. En sortant de Jupiter, ils traversent un espace de cent 5 million de lieues et ils longent la planète de Mars, qui, comme on sait, est cinq fois plus petit que notre globe. Nos voyageurs trouvent Mars si petit qu'ils ont peur de ne pas trouver sur cette planète un bon lit, et ils passent leur chemin comme deux voyageurs qui dédaignent un mauvais cabaret de village. Mais 10 le Sirien et son compagnon se repentent bientôt, car en quittant Mars, ils voyagent longtemps, et sans rien trouver. Enfin ils remarquent une petite lumière, c'est la Terre. La Terre est très petite, mais ils ont peur de se repentir une seconde fois et décident de débarquer. Ils passent sur la queue de la comète 15 et, trouvant une aurore boréale, ils se mettent dedans, et arrivent à terre.

Ils mangent à leur déjeuner deux montagnes, que leurs gens [1] préparent. Puis ils désirent voir le pays où ils sont. Ils vont d'abord du nord au sud. Les pas ordinaires du Sirien sont de 20 trente mille pieds. Les pas de l'habitant de Saturne sont seulement de trois mille pieds; par conséquent, il est très fatigué.

Comme ils vont très vite, ils font le tour du globe en trente-six heures. Ils traversent la mer qu'on nomme *la Médi-* 25 *terranée*, presque imperceptible, et aussi *le grand Océan*, et presque sans se mouiller. Ils font tout pour découvrir si ce globe est habité ou non. Mais leurs yeux et leurs mains ne sont pas proportionnés aux habitants de ce monde et ils n'ont pas la moindre sensation qui leur assure que nous, les habitants de 30 ce monde, avons l'honneur d'exister.

---

1. **gens,** *servants.*

L'habitant de Saturne a l'habitude de juger un peu trop vite et décide qu'il n'y a personne sur la Terre. Le Sirien lui dit poliment: "Vous raisonnez mal. Vous ne voyez pas avec vos petits yeux certaines planètes que je vois très distinctement; 5 concluez-vous de là que ces planètes n'existent pas?

L'habitant de Saturne répond:

—Mais ce globe est si mal construit, cela est si irrégulier et d'une forme qui me semble ridicule! tout est dans le chaos. Voyez-vous ces petites rivières qui ne vont pas droit, ces lacs 10 qui ne sont ni ronds, ni carrés, ni ovales, ni sous une forme régulière. Remarquez la forme de tout le globe, comme il est plat aux pôles, comme il tourne autour du soleil d'une manière gauche. Vraiment, je pense qu'il n'y a personne ici parce que les gens de bon sens ne désirent pas demeurer ici.

15   Le Sirien dit:

—Eh bien! peut-être que les gens qui habitent cette planète n'ont pas de bon sens.

Ils commencent un long dêbat sur la nature de la Terre. En parlant, le Sirien casse le fil de son collier de diamants. Les 20 diamants tombent. Le plus grand est de quatre cent livres,[2] et le plus petit de cinquante livres. Le Saturnien en ramasse un et remarque que c'est un excellent microscope. Le Sirien l'imite. D'abord on ne voit rien mais enfin l'habitant de Saturne voit quelque chose d'imperceptible dans une mer. C'est une 25 baleine. Il la prend avec le petit doigt et la montre au Sirien, qui commence à rire de la petitesse des habitants de notre monde. Le Saturnien, convaincu que notre monde est habité, s'imagine bien vite qu'il y a seulement des baleines. Après avoir examiné patiemment l'animal, les voyageurs concluent 30 qu'il n'y a pas d'intelligence sur la Terre. Mais bientôt, à l'aide

---

2. **livres,** *pounds.* **livre** differs in meaning according to gender. It is here feminine.

du microscope, ils remarquent quelque chose d'aussi grand
que la baleine qui flotte sur la mer. Le Sirien avance deux
doigts. Il saisit un vaisseau qui porte des messieurs et le met
dans sa main.

—Voici un animal très différent du premier, dit le Saturnien. 5

Les passagers et les marins se croient sur un rocher et descendent tous sur les doigts du Sirien. Il prend un plus grand
microscope, donne un autre à son compagnon et puis, avec
grand enthousiasme, dit:

—Je les vois! ne les voyez-vous pas qui portent des fardeaux? 10

Sa main tremble à cause du plaisir de voir des objets si
nouveaux, et aussi à cause de la peur de les perdre. Il voit
clairement que les atomes se parlent, mais son compagnon ne
croit pas que ces atomes se communiquent des idées. Puisqu'il
n'entend pas parler les atomes, il suppose qu'ils ne parlent pas. 15
Et comment ces atomes imperceptibles ont-ils les organes de
la voix, et qu'ont-ils à se dire? Pour parler, il faut penser; s'ils
pensent, ils ont une intelligence. Mais attribuer une intelligence à ces atomes, cela semble absurde.

—Il faut examiner ces insectes, dit le Saturnien.   20

Le Sirien fait tout de suite une grande trompette parlante;[3]
la circonférence de la trompette enveloppe le vaisseau et tous
les passagers. La voix la plus faible est amplifiée dans la trompette et les voyageurs entendent les voix confuses des atomes.
Après quelque temps, le Sirien distingue les paroles, et enfin 25
entend le français. Le Sirien et le Saturnien ont, tous les deux,
le don des langues. La surprise des voyageurs redouble à
chaque instant. Ils entendent des atomes parler d'assez bon
sens; naturellement, ils sont impatients de parler avec les
atomes. Mais ils ont peur de l'effet de leur voix de tonnerre. 30

• 3. **trompette parlante,** *megaphone.*

Il faut en diminuer la force. Avec beaucoup de précautions, le Sirien commence à parler très bas:

—Insectes invisibles, je remercie le bon Dieu de me révéler des secrets nouveaux de la création. Je vous offre ma protection.

5   La surprise des atomes est sans bornes. Le prêtre du vaisseau récite des prières; les marins jurent. Le Saturnien, qui a la voix plus douce que le Sirien raconte alors en peu de mots qui ils sont. Il dit qu'il a pitié de les voir si petits, demande ce qu'ils font dans un globe qui semble être habité par des baleines, 10 s'ils sont heureux, s'ils multiplient, s'ils ont une intelligence, et cent autres questions de cette nature.

Un géomètre parmi les atomes, plus brave que les autres, observe avec ses instruments le Saturnien pendant quelques minutes et puis dit:

15   —Vous croyez, monsieur, parce que vous avez six mille pieds depuis la tête jusqu'aux pieds que vous êtes un . . .

—Six mille pieds! dit le Saturnien. Comment sait-il ma hauteur? Six mille pieds! Il ne se trompe pas d'un pied. Comment! cet atome me mesure! Et moi, je ne connais pas encore 20 sa grandeur!

—Oui, dit le géomètre, et je vais mesurer maintenant votre grand compagnon.

Alors le Sirien prononce ces paroles:

—Je vois plus que jamais qu'il ne faut jamais [4] juger sur la 25 grandeur apparente. O Dieu! qui donnez une intelligence à des substances si petites, je vois maintenant que l'infiniment petit est aussi important que l'infiniment grand. Peut-être qu'il y a des créatures encore plus petites que ces atomes et qui ont une intelligence supérieure à l'intelligence des géants de 30 ma planète.

---

4. **il ne faut jamais,** *one must never.*

EXPRESSIONS FOR STUDY

1. Ils sautent d'abord sur l'anneau de la planète de Saturne et le trouvent assez plat.
2. Mars est cinq fois plus petit que notre globe.
3. Ils passent leur chemin.
4. Ils traversent la mer presque sans se mouiller.
5. Remarquez comme il tourne autour du soleil d'une manière gauche.
6. Les marins se croient sur un rocher.
7. Il faut en diminuer la force.
8. La surprise des atomes est sans bornes.
9. Il demande ce qu'ils font.
10. Il ne se trompe pas d'un pied.
11. Il ne faut jamais juger sur la grandeur apparente.

QUESTIONNAIRE

1. De quelles planètes sont les deux voyageurs?
2. Lequel est le plus grand?
3. Comment trouvent-ils l'anneau de Saturne?
4. Comment voyagent-ils?
5. Combien de temps passent-ils dans Jupiter?
6. Pourquoi se repentent-ils de passer Mars sans le visiter?
7. Pourquoi décident-ils de débarquer sur la Terre?
8. Comment font-ils pour y débarquer?
9. Que mangent-ils à leur déjeuner?
10. Pourquoi le Saturnien est-il très fatigué?
11. En combien de temps font-ils le tour de notre globe?
12. Qu'est-ce que l'habitant de Saturne décide?
13. Quelles raisons en donne-t-il?
14. Quelle est la réponse du Sirien?
15. Comment examinent-ils la baleine?
16. Qu'est-ce qu'ils trouvent après?
17. Comment comprennent-ils ce que disent les passagers?
18. Que fait le géomètre?
19. Quelle est la hauteur du Saturnien?
20. Quelle est la conclusion du Sirien?

La Beauté éternelle

Ninon de Lenclos (1620–1705), born under the reign of Louis XIII and his famous prime minister Richelieu, lived through the most brilliant years of the Golden Age of the French monarchy under Louis XIV. She has always been celebrated for her beauty, her wit, and her salon, which was frequented by the most distinguished people of her time. But she was especially famous for preserving her beauty until the end of her long life. The following version of how she acquired this miraculous gift is based on the legend of selling one's soul to the devil in exchange for worldly power or success. The most famous literary works deriving from the legend are the *Dr. Faustus* of Christopher Marlowe (1563–93) and the *Faust* of the greatest of German writers, Goethe (1749–1832).

Au dix-septième siècle une des femmes les plus célèbres par leur beauté et par leur esprit est Ninon de Lenclos. Jusqu'à un âge très avancé, son salon est fréquenté par les écrivains et les grands seigneurs les plus considérables de l'époque.

Un jour, à l'âge de dix-huit ans, elle est seule dans sa chambre quand on vient lui annoncer un inconnu qui demande à lui parler mais qui ne veut pas dire son nom. D'abord elle répond 5 qu'elle est en compagnie et qu'elle ne peut pas le voir.

—Je sais, dit l'inconnu au domestique, que Mademoiselle est seule; c'est pour cela je choisis ce moment pour lui rendre visite. Retournez lui dire que j'ai des choses de la dernière importance à lui communiquer et qu'il faut absolument que 10 je lui parle.

Cette réponse singulière donne une sorte de curiosité à Mademoiselle de Lenclos. Elle consent à le recevoir.

C'est un petit homme âgé, habillé de noir, et d'assez mauvais air. Il a des cheveux blancs, et une petite canne très légère à 15 la main. Ses yeux sont pleins de feu.

—Mademoiselle, lui dit-il en entrant, voulez-vous renvoyer votre femme de chambre, car ce que j'ai à vous révéler est confidentiel.

A ces mots, Mademoiselle de Lenclos a un moment de 20 frayeur. Mais en réfléchissant qu'elle n'a devant elle qu'un petit vieillard décrépit, elle se rassure, et fait sortir sa femme de chambre.

—Ma visite ne doit pas vous effrayer, Mademoiselle, dit-il. Il est vrai que je n'ai pas coutume de faire cet honneur à tout 25 le monde; mais vous n'avez rien à craindre. Ecoutez-moi avec attention. Vous voyez devant vous une personne à qui toute la terre obéit, et qui possède tous les secrets de la nature. J'ai présidé à votre naissance. Je dispose de la fortune de tous les humains. Je viens savoir de vous de quelle manière vous voulez 30 que je dispose de votre vie. Je vous apporte la grandeur suprême, des richesses immenses, et une beauté éternelle. Choisissez, de ces trois choses, la chose qui vous touche le plus. Je suis le seul mortel sur la terre avec le pouvoir de vous offrir autant.

—Vraiment, monsieur, lui répond-elle en riant, je suis persuadée de cela, et la magnificence de votre offre est si 5 grande . . .

—Mademoiselle, lui dit-il en l'interrompant, vous avez trop d'esprit pour vous moquer d'un homme que vous ne connaissez pas. Choisissez, je vous dis, ce que vous aimez le mieux des grandeurs, des richesses, ou de la beauté éternelle; mais déter-10 minez-vous promptement. Je ne vous accorde qu'un instant pour vous décider.

—Ah! monsieur, lui dit-elle, il n'y a pas à hésiter sur ce que vous avez la bonté de m'offrir. Puisque vous me laissez le choix, je choisis la beauté éternelle. Mais dites-moi, que faut-il faire 15 pour obtenir une chose aussi précieuse?

—Mademoiselle, lui dit-il, il faut me jurer un secret [1] inviolable. Je ne vous demande rien de plus.

Mademoiselle de Lenclos le lui promet.

—C'en est assez, dit-il. Comptez sur une beauté éternelle et 20 sur la conquête de tous les coeurs. Je vous donne le pouvoir de tout charmer. C'est le plus beau privilège de ce monde. Je parcours l'univers d'un bout à l'autre depuis dix mille ans et il n'y a que quatre mortelles dignes de ce privilège, Sémiramis, Hélène, Cléopâtre et Diane de Poitiers; [2] vous êtes la cin-25 quième et aussi la dernière à recevoir ce don. Vous allez être toujours charmante et toujours adorée. Aucun homme ne va vous voir sans devenir amoureux de vous. Vous allez être aimée de tous les hommes que vous voulez aimer. Vous allez

---

1. **secret,** *secrecy.*

2. **Sémiramis,** a legendary queen of Assyria and Babylonia; **Hélène,** Helen of Troy, a legendary Greek princess of great beauty; **Cléopâtre,** *Cleopatra,* queen of Egypt and famous beauty who died in 30 B.C.; **Diane de Poitiers** (1499–1566), favorite of King Henry II of France.

avoir une santé inaltérable, vivre longtemps, ne jamais vieillir. Vous allez inspirer de l'amour dans un âge où les autres femmes ne sont environnées que des horreurs de la décrépitude. Ne me faites pas de questions. Je n'ai rien à vous répondre. Pendant tout le reste de votre vie vous n'allez me 5 voir qu'une seule fois, trois jours avant votre mort. Je vous dis seulement mon nom: *Noctambule*.[3]

Il disparaît à ces mots et laisse Mademoiselle de Lenclos dans une frayeur mortelle.

Pendant toute une longue vie qui dure quatre-vingt-cinq 10 ans, Mademoiselle de Lenclos a une santé inaltérable. Elle semble toujours jeune. Elle est toujours adorée des hommes.

La petit homme revient chez elle trois jours avant sa mort. Malgré ses domestiques, il pénètre dans sa chambre, s'approche du pied de son lit, et en ouvre les rideaux. 15

Mademoiselle de Lenclos le reconnaît, pâlit et jette un grand cri. Le petit homme lui rappelle qu'elle n'a que trois jours à vivre, et disparaît, en prononçant ces mots d'une voix terrible: "Tremble parce que vous allez tomber dans la puissance de Lucifer." 20

EXPRESSIONS FOR STUDY

1. Jusqu'à un âge très advancé, son salon est fréquenté par les grands seigneurs les plus considérables de l'époque.
2. Elle répond qu'elle est en compagnie.
3. Il faut absolument que je lui parle.
4. C'est un petit homme d'assez mauvais air.
5. Je n'ai pas coutume de faire cet honneur à tout le monde.
6. Choisissez la chose qui vous touche le plus.
7. Vous avez trop d'esprit pour vous moquer d'un homme que vous ne connaissez pas.
8. Je ne vous accorde qu'un instant pour vous décider.

---

3. *Noctambule,* the word means *One who walks at night.*

9. Il n'y a pas à hésiter.
10. Il faut me jurer un secret inviolable.
11. Je ne vous demande rien de plus.
12. C'en est assez.
13. Vous n'allez me voir qu'une seule fois.

QUESTIONNAIRE

1. Qui est Ninon de Lenclos?
2. Par quoi est-elle célèbre?
3. Qui vient la voir un jour?
4. Quel âge a-t-elle alors?
5. Est-elle en compagnie?
6. Pourquoi consent-elle à recevoir l'inconnu?
7. Pourquoi a-t-elle un moment de frayeur?
8. Qu'est-ce que l'inconnu veut savoir d'elle?
9. Que lui offre-t-il?
10. Lui accorde-t-il longtemps pour se décider?
11. Que faut-il faire pour obtenir la beauté éternelle?
12. Y consent-elle?
13. Depuis quand l'inconnu parcourt-il l'univers?
14. Quelles sont les quatre plus belles mortelles avant Ninon?
15. Avec la beauté éternelle, quels autres avantages est-ce que l'inconnu promet à Mlle Ninon?
16. Quand va-t-elle le revoir?
17. Combien d'années dure la vie de Mlle de Lenclos?
18. Pourquoi doit-elle trembler?

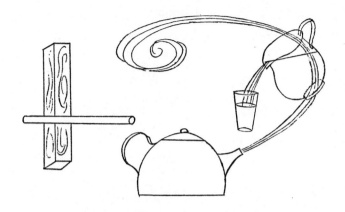

Les Trois Etats de la matière

Many students of elementary French will specialize in one of the sciences and should become acquainted with French scientific writing. It is fortunate that an outstanding French scientist, Jean Henri Fabre, the famous entomologist, wrote widely on general science topics for elementary students in France, and it is from these works that the following selection, *Le Vin* on page 53 and *La Métamorphose* on page 113 have been taken.

Much of the long life of Fabre was given to the study of insects. One of the world's most distinguished entomologists, he was born in 1823 into a poor peasant family of southern France. He acquired his doctorate and taught in various lycées until he retired to a small southern town in 1871. Henceforth his sole study was the lives and habits of insects, to which he devoted most of forty-five years until his death in 1915 at the age of ninety-one. The story of his scientific life has been made into a film in France. The fruit of his findings appeared in the ten-volume *Souvenirs entomologiques* (***Entomological Reminiscences***). This work, which is still authoritative, attracted world-wide attention. Parts have been translated into English and other languages.

Because of the nature of his study, Fabre's research was based upon observation rather than experiment, observation that sometimes had to be continued almost indefinitely to reveal the simplest facts of insect life. Nor did he limit himself to the purely scientific, for he fitted his observations into a general philosophy of life. In an age when Darwin's *Origin of Species*, first published in England in 1859, was the dominating scientific influence, Fabre rejected the theory of evolution and saw the insect world as a manifestation of a God-ordered universe. To him insects were not creatures of fixed habits; they possessed a form of intelligence. The skill of the wasp in paralyzing its prey in the region of the nervous ganglia was to Fabre proof of an ability superior to a mere mechanistic reaction.

Fabre also wrote a series of books for children on various scientific topics. Most of them consist of conversations between an imaginary Uncle Paul and his two nephews Émile and Jules. It is from two such books, *L'Industrie* and *Les Ravageurs* (*The Destroyers*) that come the selections based respectively on physics (immediately following), chemistry (p. 53), and entomology (p. 113). Fabre writes with the graces of an accomplished literary craftsman. It is the combination of scientific fact, literary style, and philosophical speculation which gives his writings their unusual attractiveness.

———————

Une pierre, un morceau de bois, une barre de fer, sont des objets plus ou moins durs, qui résistent sous les doigts, et qu'on peut saisir et manier. On peut leur donner la forme qu'on veut; et cette forme, ils la conservent. Ces propriétés font dire [1]
5 de la pierre, du bois, du fer et des autres substances qui leur ressemblent, que ce sont des substances *solides*.

Dans le langage qui nous est familier, cette expression de solide s'emploie pour tout [2] objet qui présente une grande résistance à la rupture, à la déformation. [3] On dit, par exemple:
10 Cette pièce de bois est solide. Ce n'est pas ainsi que le mot doit

———————

1. **font dire,** *make it possible to say, cause it to be said.*
2. **tout,** *any.*
3. **déformation,** *change of shape.*

être entendu dans le cas actuel.[4] J'appelle solide toute matière qui peut se saisir et se manier, toute matière enfin conservant d'elle-même la forme qu'on lui donne. Ainsi le beurre, la graisse, sont des matières sans résistance. Mais on peut très bien les saisir et les manier, on peut les façonner. Ce sont des 5 substances solides, comme le marbre et le fer.

—C'est clair, dit Jules. Toute matière pouvant se manier est matière solide. Alors l'eau n'est pas solide, car il est impossible d'en saisir entre les doigts. On ne peut pas davantage[5] la façonner.   10

—Non, mon ami, l'eau n'est pas solide. Elle glisse dans la main qui essaie de la saisir. Par elle-même, elle n'a pas de forme, et il est impossible de lui en donner une de déterminée. L'eau et les autres substances susceptibles de couler sont *liquides*. Le lait, l'huile, le vin, le vinaigre, les métaux en 15 fusion,[6] sont des matières liquides.

—Considérons maintenant la vapeur qui s'échappe d'un pot en ébullition,[7] ou, si vous voulez, de la cheminée d'une locomotive en marche sur un chemin de fer. Eh bien, ces fumées blanches sont de la vapeur de l'eau. Cette vapeur fait mouvoir 20 la locomotive, et, après, s'échappe dans l'air. Voilà encore une substance[8] insaisissable. Il est impossible de la manier. De plus, elle gagne en volume. Au sortir de[9] la cheminée de la machine, la vapeur a un certain volume. Dans la machine elle-même, elle a un volume moindre encore. Une fois dehors, elle 25 prend un volume de plus en plus considérable. A la fin elle est disséminée au point d'être invisible.

---

4. **doit être entendu dans le cas actuel,** *is to be taken (understood) in the present instance.*

5. **davantage,** *furthermore.*

6. **métaux en fusion,** *melted metals.*

7. **pot en ébullition,** *pot of boiling water.*

8. **encore une substance,** *another substance.*

9. **Au sortir de,** *Upon leaving.*

Tout invisible qu'elle est [10] alors, il est clair que cette vapeur existe toujours et qu'elle constitue une substance matérielle spéciale. L'air lui-même n'est-il pas insaisissable, invisible, et peut-on douter de sa matérialité quand il entre en mouvement 5 tumultueux et devient le vent, qui secoue les arbres avec tant de violence? Il y a donc des substances douées d'une extrême subtilité,[11] de la subtilité de l'air. Elles ne conservent pas une forme déterminée, comme le font les solides; [12] elles n'ont pas un volume fixe comme les liquides; elles occupent, si rien ne 10 les arrête, un espace de plus en plus grand. Ces substances se désignent par les noms de *gaz* et de *vapeur*. L'air est un gaz. La fumée invisible de l'eau est encore une espèce de gaz, ou bien [13] de la vapeur, car gaz et vapeur sont au fond [14] la même chose.

15   Ainsi toutes les substances, ou, comme on dit encore,[15] tous les corps affectent soit [16] l'une, soit l'autre de trois manières d'être différentes,[17] que l'on nomme les trois états de la matière: *l'état solide, l'état liquide* et *l'état gazeux*.

La même substance peut, sans changer de nature, devenir 20 ou [18] solide, ou liquide, ou gazeuse, suivant les circonstances. La chaleur principalement amène ce résultat. Avec plus de chaleur, la matière solide devient liquide; avec plus de chaleur encore, de liquide, elle devient gazeuse. En perdant de la

---

10. **Tout invisible qu'elle est,** *Completely invisible though it is.*

11. **subtilité,** *subtleness, rarefaction.*

12. **comme le font les solides,** *as solids do.* **le** completes the idea but needs no translation.

13. **ou bien,** *or rather.*

14. **au fond,** *basically.*

15. **comme on dit encore,** *as may also be said.*

16. **affectent soit . . . soit,** *assume either . . . or.*

17. **trois manières d'être différentes,** *three different manners of being.*

18. **ou . . . ou,** *either . . . or.*

chaleur, elle passe successivement, au contraire, de l'état gazeux à l'état liquide, puis de l'état liquide à l'état solide.

La glace est un corps solide. Mettons-la sur un vase sur le feu. Elle devient une substance liquide, de l'eau. Si cette eau est chauffée davantage, elle commence à bouillir et s'exhale en 5 vapeurs, c'est-à-dire qu'elle prend l'état gazeux. L'eau passe donc de l'état solide à l'état liquide, puis de l'état liquide à l'état gazeux.

—Est-ce que le fer et les autres métaux peuvent devenir des vapeurs? demande Jules.　　　　10

—Oui, mon ami, si la chaleur est assez forte, les métaux se dissipent en vapeurs.

—Il y a cependant des matières qui ne se fondent [19] pas. Par exemple, le bois n'entre pas en fusion.[20]

—Les exceptions proviennent de la présence de l'air. L'air 15 brûle le bois, c'est-à-dire le change en des gaz invisibles. Mais à l'abri de [21] l'air et à une chaleur très forte, la fusion du bois est parfaitement possible. Ainsi, avec un degré de difficulté moindre pour les uns, plus grand pour les autres, tous les corps suivent cette commune loi; la chaleur les fond d'abord, c'est- 20 à-dire les fait devenir liquides; puis elle les volatalise, c'est-à-dire les réduit en vapeurs.

A son tour, le froid, que fait-il? Et d'abord remarquez que le froid n'a pas d'existence propre,[22] que ce n'est pas quelque chose d'opposé à la chaleur. Tous les corps, sans exception, 25 renferment de la chaleur, plus ou moins; et nous les qualifions de [23] chauds ou de froids suivant qu'ils sont plus chauds ou

---

19. **qui ne se fondent pas,** *which do not melt.* **fondent** is, in this case, from **fondre,** not from **fonder,** *to found.*
20. **n'entre pas en fusion,** *does not melt.*
21. **à l'abri de,** *sheltered from.*
22. **existence propre,** *independent existence.*
23. **nous les qualifions de,** *we call them.*

moins chauds que nous. La chaleur est donc partout, et le froid n'est qu'un mot servant à désigner les degrés inférieurs de chaleur.

Eh bien, le refroidissement, c'est-à-dire la diminution de
5 chaleur, ramène les vapeurs à l'état de substances liquides, et enfin à l'état de substances solides. Ainsi la vapeur de la marmite bouillante,[24] au contact du courvercle froid, perd de sa chaleur et redevient de l'eau. A son tour l'eau, par une diminution suffisante de chaleur, devient de la glace, c'est-à-dire
10 redevient solide. Ainsi se comportent[25] les autres substances: une diminution de chaleur les ramène de l'état gazeux à l'état liquide, puis de l'état liquide à l'état solide.

EXPRESSIONS FOR STUDY

1. Ces propriétés font dire de la pierre, du bois, du fer que ce sont des substances solides.

2. Cette expression s'emploie pour tout objet qui présente une grande résistance à la déformation.

3. Ce n'est pas ainsi que le mot doit être entendu dans le cas actuel.

4. J'appelle solide toute matière qui peut se saisir et se manier.

5. Toute matière pouvant se manier est matière solide.

6. On ne peut pas davantage la façonner.

7. Elle n'a pas de forme, et il est impossible de lui en donner une de déterminée.

8. Les métaux en fusion sont des matières liquides.

9. Considérons la vapeur qui s'échappe de la cheminée d'une locomotive en marche sur un chemin de fer.

10. Voilà encore une substance insaisissable.

11. De plus, elle gagne en volume.

12. Au sortir de la cheminée de la machine, la vapeur a un certain volume.

13. Tout invisible qu'elle est alors, elle constitue une substance matérielle.

---

24. **marmite bouillante,** *boiling kettle* (*of water*).
25. **se comportent,** *act.*

14. Il y a donc des substances douées d'une extrême subtilité.

15. Elles ne conservent pas une forme déterminée comme le font les solides.

16. Elles occupent, si rien ne les arrête, un espace de plus en plus grand.

17. La fumée invisible de l'eau est encore une espèce de gaz, ou bien de la vapeur.

18. Gaz et vapeur sont au fond la même chose.

19. Ainsi toutes les substances affectent soit l'une, soit l'autre de trois manières d'être différentes.

20. La même substance peut devenir ou solide ou liquide ou gazeuse, suivant les circonstances.

21. Avec plus de chaleur encore, de liquide, elle devient gazeuse.

22. Il y a cependant des matières qui ne se fondent pas.

23. Le bois n'entre pas en fusion.

24. A l'abri de l'air, la fusion du bois est possible.

25. Le froid n'a pas d'existence propre.

26. Nous les qualifions de chauds et de froids suivant qu'ils sont plus chauds ou moins chauds que nous.

27. Ainsi se comportent les autres substances.

QUESTIONNAIRE

1. Quelle est la définition que donne l'auteur du terme solide?

2. Pourquoi l'eau n'est-elle pas solide?

3. Pourquoi le beurre est-il solide?

4. Nommez des substances liquides.

5. Le volume d'une substance gazeuse est-il stable?

6. Quels sont les trois états de la matière?

7. La même substance peut-elle changer d'état sans changer de nature?

8. Qu'est-ce qui détermine le changement de solide en liquide, ou de liquide en gaz?

9. Qu'est-ce que la glace?

10. La fusion du bois est-elle possible? sous quelles conditions?

11. Pourquoi faut-il dire que le froid n'a pas d'existence propre?

12. Qu'est-ce ramène de l'état gazeux à l'état liquide, ou du liquide au solide?

Le Jongleur qui va en enfer

During the middle ages, before reading became general through the printer's art, much entertainment was found in the telling of tales (*contes*). These could be legends, fables, fairy stories, tales of thieves and ghosts, adventures of chivalry. They became part of the popular tradition and were passed on from generation to generation, either by word of mouth or by the professional story tellers who travelled from place to place. *Le Jongleur qui va en enfer* and *Au Clair de la lune* (which follows) are such tales. They are simple in thought and language, have good humor, and pleasing naïveness.

Un jongleur, le meilleur garçon de la terre, et qui ne cherche jamais querelle, mais très dérangé,[1] passe sa vie au jeu ou à la taverne. Gagne-t-il quelque argent? vite il secoue le cornet à dés?[2] N'a-t-il rien? il met son violon en gage.[3] Toujours sans le

---

1. dérangé, *disorderly, wild.*
2. le cornet à dés, *the dice box.*
3. met son violon en gage, *pawns his violin.*

sou, souvent nu-pieds, il fait pitié.[4] Malgré cela, gai, content, il chante sans cesse.

Il meurt enfin. Un jeune diable, novice encore, qui depuis un mois cherche et court [5] partout pour prendre quelque âme, sans réussir malgré toutes ses peines, se trouve là par hasard 5 quand notre jongleur meurt. Il le prend sur son dos et tout [6] joyeux l'emporte en enfer. C'est l'heure précisément où les démons reviennent de leur chasse.[7] Lucifer est assis sur son trône pour les voir arriver. Comme ils entrent, chacun vient jeter à ses pieds ce que dans le jour il a pris; celui-ci un juge, 10 celui-là un voleur, les uns des gentilhommes,[8] les autres des marchands. Le noir monarque arrête un instant ses captifs pour les examiner, et d'un signal,[9] aussitôt il les fait jeter [10] dans sa chaudière. Enfin, il ordonne de fermer les portes et demande si tout le monde est rentré.   15

—Oui, répond quelqu'un, tout le monde, excepté ce jeune diable. C'est un pauvre idiot, très simple, et qui est absent depuis un mois. Il ne va pas rentrer aujourd'hui probablement parce qu'il n'a rien à rapporter.

Précisément à ce moment le jeune diable arrive, chargé [11] 20 de son jongleur qu'il présente humblement à son souverain.

—Approche, dit Lucifer au jongleur. Qui es-tu? voleur? espion?

—Non, Sire, je suis jongleur, et je possède toute la science [12]

---

4. **il fait pitié,** *he is pitiful.*

5. **depuis un mois cherche et court,** *for a month has been seeking and running.*

6. **tout,** *very.*

7. **chasse,** *hunt* (*for souls*).

8. **gentilhommes,** *noblemen.*

9. **d'un signal,** *with a sign* (*of his hand*).

10. **il les fait jeter,** *he has them thrown.*

11. **chargé de,** *loaded down with.*

12. **science,** *knowledge.*

qu'un homme sur la terre peut avoir de la musique. Puisque
vous [13] voulez vous charger de [14] mon logement, je peux
chanter si cela vous amuse.

—Des chansons! ce n'est pas de chansons que j'ai besoin ici!
5 Ecoute, tu vois cette chaudière. Je te charge de la faire chauffer.[15]

—Volontiers, Sire; au moins je vais être sûr de n'avoir plus
froid.

Notre homme aussitôt va à son poste, et pendant quelque
10 temps il s'acquitte exactement de sa fonction.

Un jour Lucifer convoque tout son monde [16] pour aller faire
sur la terre une chasse générale. Avant de sortir, il appelle le
jongleur.

—Je vais partir, lui dit-il, et je laisse ici sous ta garde tous
15 mes prisonniers. Si à mon retour il en manque un seul . . .[17]

—Sire, partez en paix. Vous allez trouver les choses en ordre
à votre retour. Il n'est plus [18] fidèle serviteur que moi.

—Encore une fois, prends bien garde. S'il en manque un seul,
je te fais rôtir vif.

20   Ces précautions prises, l'armée infernale part.

C'est là le moment qu'attend saint Pierre.[19] Du haut du
ciel [20] il entend ce discours et veut en profiter. Les démons

---

13. **vous,** the devil and later Saint Peter address the minstrel by the
familiar **tu** form whereas he speaks to them in the more respectful
vous.

14. **vous charger de,** *to take care of.*

15. **Je te charge de la faire chauffer,** *I give you the task of keeping
it hot.*

16. **monde,** *followers.*

17. **il en manque un seul,** *a single one is missing.*

18. **Il n'est plus,** *There is no more.*

19. Note that the subject follows the verb.

20. **Du haut du ciel,** *From the highest heavens.*

partis, il se déguise, prend une longue barbe noire avec des moustaches, descend en enfer, et accoste le jongleur:

—Mon ami, veux-tu faire une partie? [21] Voilà un cornet à dés, et de bon argent à gagner.

En même temps, il lui montre une longue et large bourse 5 remplie d'argent.

—Sire, répond l'autre. C'est inutilement que vous venez ici me tenter, car je vous jure que je n'ai rien au monde.

—Eh bien! si tu n'as pas d'argent, mets en place[22] quelques âmes, je veux bien me contenter de cette monnaie.[23] 10

—Ah! non! je sais trop [24] ce que Lucifer a dit en partant. Trouvez-moi quelque autre expédient.

—Imbécile! Sur une telle multitude, qu'est-ce que cinq ou six âmes de plus ou de moins. Profite de l'occasion! Allons! [25]

Le malheureux jongleur dévore des yeux les dés. Il les prend 15 en main, les quitte, puis les reprend de nouveau. Enfin il ne peut pas résister à la tentation et consent à jouer, mais une âme seulement à la fois.

—Bon! répond saint Pierre. Blonde ou brune, mâle ou femelle, peu m'importe,[26] je t'en laisse le choix. 20

Le jongleur va donc chercher quelques damnés. Ils commencent leur partie. Mais le saint gagne constamment. Le jongleur, pour rattraper ce qu'il perd, double, triple les paris, il perd toujours.

Il soupçonne enfin de la tricherie dans le jeu de son adver- 25 saire, se fâche, déclare qu'il ne va pas payer, et traite saint

---

21. **partie,** *game.*
22. **mets en place,** *bet, put up as stakes.*
23. **je veux bien . . . monnaie,** *I am willing . . . coinage.*
24. **je sais trop,** *I know only too well.*
25. **Allons!** *Let's get started!*
26. **peu m'importe,** *it makes little difference to me.*

Pierre de fripon.[27] Celui-ci lui donne un démenti.[28] Ils se
battent. Heureusement le saint se trouve le plus fort et l'autre
se voit obligé de demander grâce. Le jongleur propose donc de
recommencer la partie, si l'on veut tenir la première pour
5 nulle,[29] promettant de payer très fidèlement. Ils se remettent
au jeu.

Le jongleur, à cette partie, n'est pas plus heureux qu'à la
première. Il joue cent âmes, mille âmes à la fois, change de
dés, change de place, et perd toujours. Enfin, de désespoir, il se
10 lève et quitte le jeu, maudissant les dés et sa mauvaise fortune.
Pierre alors s'approche de la chaudière pour y choisir et en tirer
ceux qu'il a gagnés. Chacun implore sa pitié afin d'être l'un
des heureux. Le jongleur furieux décide de s'acquitter [30] ou de
tout perdre. Il propose de jouer tout ce qui lui reste.

15   Le saint ne demande pas mieux. Il n'est pas nécessaire de
dire la grande appréhension des damnés. Leur sort, heureusement, se trouve entre les mains d'un homme à miracles.[31] In
gagne encore, et part bien vite avec eux pour le paradis.

Quelques heures plus tard Lucifer rentre avec sa troupe. In
20 voit sa chaudière vide. Il appelle le jongleur.

—Scélérat, où sont mes prisonniers?

—Ah! Sire, je me jette à vos pieds, ayez pitié de moi, je vais
tout vous dire.

Alors il conte son aventure.

---

27. **traite saint Pierre de fripon,** *calls Saint Peter a cheat.*

28. **lui donne un démenti,** *denies the accusation* (literally, *gives
him a denial*).

29. **si l'on veut tenir la première pour nulle,** *if he* (Saint Peter) *is
willing to consider the first* (*game*) *void.* The l' is not translated, being
the definite article used to separate two vowel sounds.

30. **s'acquitter,** *to get out of his fix.*

31. **à miracles,** *capable of miracles.*

—Quel est le diable responsable de ce jongleur? dit le prince de l'enfer très irrité. Donnez-lui le fouet.

Aussitôt on saisit le petit diable et on le fouette tant qu'il promet de ne plus jamais prendre de jongleur.

—Chassez d'ici ce marchand de musique, dit le monarque. 5 Dieu peut le recevoir dans son paradis. Moi, je ne veux plus jamais entendre parler de lui.

Le jongleur ne demande pas davantage. Il se sauve promptement et vient tout courant [32] au paradis où saint Pierre le reçoit à [33] bras ouverts et le fait entrer avec les autres. 10

EXPRESSIONS FOR STUDY

1. Un jongleur, très dérangé, passe sa vie au jeu.
2. Il secoue le cornet à dés.
3. Il met son violon en gage.
4. Toujours sans le sou, il fait pitié.
5. Un jeune diable depuis un mois cherche et court partout.
6. Tout joyeux il l'emporte en enfer.
7. Aussitôt il fait jeter dans sa chaudière.
8. C'est un pauvre idiot qui est absent depuis un mois.
9. Il n'a rien à rapporter.
10. Le jeune diable arrive, chargé de son jongleur.
11. Je possède tout la science qu'un homme sur la terre peut avoir de la musique.
12. Puisque vous voulez vous charger de mon logement, je peux chanter.
13. Je te charge de la faire chauffer.
14. Si à mon retour il en manque un seul . . .
15. Il n'est plus fidèle serviteur que moi.
16. Encore une fois, prends bien garde.
17. Je te fais rôtir vif.
18. C'est là le moment qu'attend saint Pierre.

---

32. **tout courant,** *running his fastest.*
33. **à,** *with.*

19. Du haut du ciel, il entend ce discours et veut en profiter.
20. Veux-tu faire une partie?
21. Mets en place quelques âmes.
22. Je veux bien me contenter de cette monnaie.
23. Je sais trop ce que Lucifer a dit.
24. Qu'est-ce que cinq ou six âmes de plus ou de moins.
25. Profite de l'occasion! Allons!
26. Il les reprend de nouveau.
27. Il consent à jouer, mais une âme seulement à la fois.
28. Peu m'importe, je te laisse le choix.
29. Le jongleur traite saint Pierre de fripon.
30. Ils se battent.
31. L'autre se voit obligé de demander grâce.
32. Le jongleur propose donc de recommencer la partie, si l'on veut tenir la première pour nulle.
33. Ils se remettent au jeu.
34. Il joue mille âmes à la fois.
35. Le jongleur décide de s'acquitter.
36. Il propose de jouer tout ce qui lui reste.
37. Leur sort se trouve entre les mains d'un homme à miracles.
38. On le fouette tant qu'il promet de ne plus jamais prendre de jongleur.
39. Je ne veux plus jamais entendre parler de lui.
40. Il se sauve promptement.
41. Saint Pierre le reçoit à bras ouverts.
42. Il le fait entrer avec les autres.

QUESTIONNAIRE

1. A quoi le jongleur passe-t-il sa vie?
2. Quelles sont ses bonnes qualités?
3. Qui se trouve là par hasard quand le jongleur meurt?
4. Que fait chaque démon quand il entre devant Lucifer?
5. Qui n'est pas encore rentré?
6. Quelle science possède le jongleur?
7. De quoi Lucifer le charge-t-il?
8. Pourquoi Lucifer convoque-t-il un jour tout son monde?
9. Qui va garder tous les prisonniers?
10. Quel moment Saint Pierre attend-il?

11. Comment se déguise-t-il?
12. Que propose-t-il au jongleur?
13. Qu'est-ce que le jongleur peut mettre en place, s'il n'a pas d'argent?
14. Pourquoi soupçonne-t-il Saint Pierre de tricherie?
15. Pourquoi se voit-il obligé de lui demander grâce?
16. Que trouve Lucifer à son retour?
17. Qui punit-il, et comment?
18. Que promet le petit diable?
19. Où va le jongleur?
20. Lucifer aime-t-il les marchands de musique?

Au Clair de la lune

Un voleur forme le projet de voler un bourgeois de sa ville, homme très riche. Pour cela, il va le soir chez le bourgeois et monte sur le toit de sa grande maison. Là il attend le moment où il peut sans danger entrer dans la maison par une fenêtre.

5 Mais le bourgeois ne dort pas. Il fait clair de lune.[1] De son lit, à la clarté de la lune, le bourgeois voit le voleur qui attend sur le toit.

Le bourgeois décide de lui jouer un tour [2] et le faire arrêter.

—Ecoute, dit-il tout bas à sa femme, demande-moi d'où 10 vient la fortune que je possède. Insiste et ne me laisse pas reposer avant d'apprendre mon secret. Mais parle haut, très haut.

Après quelques moments la femme demande à haute voix à son mari: "D'où vient la fortune que tu possèdes?"

---

1. **Il fait clair de lune,** *It is moonlight.*
2. **lui jouer un tour,** *play a trick on him.*

Le bourgeois répond avec un ton de mystère, mais à haute voix aussi, que c'est là son secret et qu'il ne va pas l'avouer. Mais la femme insiste et ne laisse pas reposer son mari. Et le mari refuse toujours d'avouer son secret. Enfin la femme insiste tant qu'il avoue qu'il est voleur et c'est ainsi qu'il se fait une 5 fortune considérable.

—Quoi, dit la femme, tu es voleur? Et moi, je ne te soupçonne pas d'être voleur. Je ne te crois pas. Comment peux-tu garder ce secret?

—C'est que je garde un autre secret. Je ne vole que la nuit;[3] 10 mais au moyen d'un mot magique je peux voler sans risque. Si je veux entrer dans une maison, je prononce sept fois devant la lune le mot magique. A ce moment-là un rayon descend de la lune et me transporte sur le toit de la maison et j'entre par la fenêtre. Si je veux descendre, je prononce le mot magique sept 15 fois et le rayon de la lune me transporte à terre. C'est ainsi que j'amasse ma fortune.

—Je te crois puisque tu es très riche, dit la femme. Mais quel est ce mot magique que tu prononces pour faire descendre le rayon de la lune? 20

—Je ne vais pas te l'avouer, répond-il. Mais la femme insiste et ne laisse pas reposer son mari. Et le mari refuse toujours d'avouer son secret. Enfin elle insiste tant qu'il avoue que le mot magique est *seïl*.[4] Après cela, d'une voix très forte, il souhaite une bonne nuit à sa femme et fait semblant de dormir. 25

Le voleur sur le toit entend tout ce que le bourgeois dit à sa femme. Il ne perd pas un mot de toute cette conversation. Il ne peut pas résister à l'envie d'éprouver le mot magique. Il prononce le mot *seïl* sept fois devant la lune. Il croit voir le rayon qui descend de la lune. Il ouvre les bras et commence à 30

---

3. **Je ne vole que la nuit,** *I steal only at night.*
4. *seïl,* meaningless word.

descendre du toit sur le rayon de la lune. Mais il tombe à terre et se casse les jambes.

Au bruit que fait le voleur [5] en tombant du toit, le bourgeois ouvre la fenêtre et commence à crier à haute voix: "Qui est 5 là?"

—Ah! monsieur, répond le voleur, c'est un homme que le mot *seïl* ne sert pas aussi bien que vous.

Au bruit que fait le bourgeois [5] en criant à haute voix, les gendarmes arrivent. Ils saisissent le voleur et l'emmènent en 10 prison.

EXPRESSIONS FOR STUDY

1. Il va le soir chez le bourgeois.
2. Il fait clair de lune.
3. Le bourgeois va lui jouer un tour, et le faire arrêter.
4. C'est ainsi qu'il se fait une fortune considérable.
5. Je ne vole que la nuit.
6. Il ne peut pas résister à l'envie d'éprouver le mot magique.
7. Il tombe à terre et se casse les jambes.
8. Au bruit que fait le voleur, le bourgeois ouvre la fenêtre.
9. Au bruit que fait le bourgeois, les gendarmes arrivent.

QUESTIONNAIRE

1. Que fait le voleur le soir?
2. Que voit le bourgeois?
3. Que demande-t-il à sa femme?
4. Qu'est-ce qu'il avoue à sa femme?
5. Comment peut-il voler sans risque?
6. Quel est son mot magique?
7. Ce mot a-t-il un sens?
8. Qu'est-ce que le bourgeois fait semblant de faire?
9. À quoi le voleur ne peut-il pas résister?
10. Comment se casse-t-il les jambes?
11. Que font les gendarmes?

---

5. Notice the inversion of subject and verb.

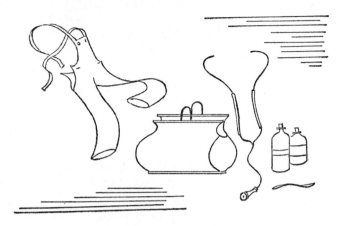

Le Petit Malade

George Courteline, the author of *Le Petit Malade*, is a novelist and dramatist of repute whose works appeared around the turn of the century. The following dramatic skit is a far cry from the worldiness and sophistication which mark most of his writings. It might be called domestic comedy at its most elementary level.

Le Médecin, le chapeau à la main: C'est ici, madame, qu'il y a un petit malade?

Madame: C'est ici, docteur; entrez donc. Docteur, c'est pour mon petit garçon. Imaginez-vous, depuis ce matin tout le temps il tombe.[1]

Le Médecin: Il tombe!

Madame: Tout le temps; oui, docteur.

---

1. **depuis ce matin tout le temps il tombe,** *he has kept falling all the time since this morning.*

Le Médecin: Par terre? [2]

Madame: Par terre.

Le Médecin: C'est étrange, cela. Quel âge a-t-il?

Madame: Quatre ans et demi.

5　*Le Médecin:* On tient sur ses jambes à cet âge-là! —Et comment ça lui a-t-il pris? [3]

Madame: Je n'y comprends rien, je vous dis. Il était très bien [4] hier soir et il trottait comme un lapin à travers l'appartement. Ce matin, je vais pour le lever, comme j'ai l'habitude de
10 faire. Je lui mets son pantalon, et je le place sur ses jambes. Pouf! [5] il tombe!

Le Médecin: Un faux pas, peut-être.

Madame: Attendez! . . . Je me précipite; je le relève . . . Pouf! il tombe une seconde fois. Etonée, je le relève encore
15 . . . Pouf! par terre! et comme ça sept ou huit fois de suite.[6] Bref, docteur, je vous le répète, depuis ce matin, tout le temps il tombe.

Le Médecin: Je peux voir le petit malade?

Madame: Sans doute.[7] (*Elle sort, puis revient tenant dans*
20 *ses bras le garçon qui a sur ses joues les couleurs d'une extravagante bonne santé.*)

Le Médecin: Il est superbe, cet enfant-là . . . Mettez-le à terre, je vous prie. (*La mère obéit, l'enfant tombe.*) Encore une fois, s'il vous plaît. (*L'enfant tombe.*)

25　*Madame:* Encore! (*Troisième mise sur pieds, immédiatement suivie de chute du petit malade qui tombe tout le temps.*)

---

2. **par terre?** *On the floor?*

3. **comment ça lui a-t-il pris?** *how did it start?*

4. **Il était très bien,** *He was very well.* Most often **bien** used after **être** refers to comfort rather than to a state of health.

5. **Pouf!** *Boom!*

6. **de suite,** *in succession.*

7. **Sans doute,** *Of course.* A very common meaning of this phrase.

Le Médecin: C'est extraordinaire. (*Au petit malade que sa mère supporte.*) Dis-moi,[8] mon petit ami, tu as du bobo [9] quelque part?

Le Petit Malade: Non, monsieur.

Le Médecin: Tu n'as pas mal à la tête?   5

Le Petit Malade: Non, monsieur.

Le Médecin: Cette nuit,[10] tu as bien dormi?

Le Petit Malade: Oui, monsieur.

Le Médecin: Et tu as bon appétit, ce matin?

Le Petit Malade: Oui, monsieur.   10

Le Médecin: Parfaitement. C'est de la paralysie.

Madame: De la para . . .! Ah Dieu! (*Elle lève les bras au ciel.[11] L'enfant tombe.*)

Le Médecin: Hélas! oui, madame. Paralysie complète des membres inférieurs. D'ailleurs, vous allez voir vous-même que 15 les chairs du petit malade sont frappées d'insensibilité absolue. (*Tout en parlant, il s'approche du garçon et il se prépare à faire l'expérience indiquée,[12] mais tout à coup:*) Ah! mais . . . Ah! mais . . . (*Puis furieux.*) Eh, madame, qu'est-ce que vous venez me raconter,[13] avec votre paralysie?   20

Madame: Mais, docteur . . .

Le Médecin: Je crois bien qu'il ne peut [14] tenir sur ses pieds

---

8. In talking to the child the doctor uses, of course, the familiar second singular pronoun and verb forms.

9. **bobo,** *pain* or *hurt.* This is purely children's language.

10. **Cette nuit,** *Last night.*

11. **Elle lève les bras au ciel,** *She throws up her arms.*

12. **à faire l'expérience indiquée,** *to make the experiment called for,* i.e., to pinch the skin of the boy.

13. **qu'est-ce que vous venez me raconter, avec votre paralysie?** *what is this story you're telling me, about paralysis?* The doctor is angry because of his own inability to diagnose the sickness.

14. Forms of **pouvoir** do not require **pas** to form a negative when followed by an infinitive.

. . . Vous lui avez mis les deux jambes dans la même jambe du pantalon!

EXPRESSIONS FOR STUDY

1. Imaginez-vous, depuis ce matin tout le temps il tombe.
2. On tient sur ses jambes à cet âge-là!
3. Et comment ça lui a-t-il pris?
4. Je n'y comprends rien.
5. Et comme ça sept ou huit fois de suite.
6. Je peux voir le petit malade? —Sans doute.
7. Mettez-le à terre.
8. Cette nuit, tu as bien dormi?
9. Elle lève les bras au ciel.
10. Il se prépare à faire l'expérience indiquée, mais tout à coup:
11. Qu'est-ce que vous venez me raconter?
12. Je crois bien qu'il ne peut tenir sur ses pieds.

QUESTIONNAIRE

1. Pourquoi Madame appelle-t-elle le docteur?
2. Quel âge a le petit malade?
3. Que fait sa mère le matin?
4. Quand tombe-t-il la première fois?
5. Comment dit-on aux petits enfants "Avez-vout mal quelque part?"
6. Le petit malade a-t-il bien dormi?
7. A-t-il bon appétit?
8. Quel est le diagnostic du médecin?
9. Pourquoi est-il tout à coup furieux?
10. Pourquoi l'enfant ne peut-il pas tenir sur ses pieds?

Le Vin

(As in *Les Trois Etats de la matière* (p. 31) the dialogue is between Uncle Paul, the main speaker, and his two nephews, Emile
and Jules.)

Le vin se fait avec le jus des raisins.[1] Ce jus, tel qu'on l'extrait
de la grappe pressée, n'a nullement l'odeur et la saveur vineuses,
car il ne renferme pas encore de l'alcool;[2] mais il possède un
goût agréablement sucré. Cette saveur douce, les raisins la

---

1. Note the false cognates or words similar to English in form but
different in meaning: **raisins,** *grapes;* in the next line, **grappe,** *bunch*
(*cluster*) *of grapes;* two sentences later, **raisins secs,** *raisins,* i.e., *dried
grapes.*
2. Although the partitive article is usually omitted after a negative,
it is retained when a contrast is expressed or implied, as here. The total
idea is "The juice does not yet contain alcohol (it still has only
sugar)."

doivent[3] à une espèce de sucre. Examinez avec attention les raisins secs que l'on vend dans les magasins d'épicerie: vous reconnaissez à[4] leur surface de petits grains blancs qui sont de saveur très douce. Ces grains sont du sucre qui a transpiré
5 dehors[5] pendant la dessication de la grappe. Il y a donc du sucre dans les raisins.

Eh bien, ce sucre est précisément la matière qui fait l'alcool. Ce qui est sucre dans le jus récent des raisins est alcool dans le même jus fermenté et devenu vin. Examinons de quelle
10 manière les choses se passent.

La vendange est d'abord soumise au *foulage*[6] par des hommes qui la piétinent dans de grands cuviers; puis le mélange de jus et de pulpe est abandonné à son propre travail.[7] Bientôt ce liquide[8] s'échauffe toute seule et commence à
15 bouillonner en dégageant de grosses bulles gazeuses. Le travail qui se fait[9] alors se nomme *fermentation;* il s'effectue dans la substance même[10] du sucre qui, petit à petit, se décompose en deux choses très différentes. De ces deux choses, l'une est l'alcool; l'autre est une espèce de gaz invisible comme l'air.
20 L'alcool reste dans le liquide, qui perd ainsi peu à peu sa saveur

3. **doivent,** *owe.*
4. **à,** *on.*
5. **a transpiré dehors,** *has come to the outside.*
6. *foulage,* *trampling.* In this process the grapes, placed in huge vats, are crushed by the bare feet of the workman. Foot trampling does not extract the tannic acid from the skins or the alkaloids from the seeds and while this result can be achieved mechanically, custom and economic considerations affecting small producers have helped maintain extraction by foot.
7. **abandonné à son propre travail,** *left to its own "working,"* i.e., *left to ferment.*
8. **liquide,** *liquor,* in the laboratory sense of *solution.*
9. **Le travail qui se fait,** *The process which goes on.*
10. **la substance même,** *the very substance.*

douce primitive [11] et prend le goût vineux. Le gaz, au contraire, monte en agitant la masse d'un mouvement tumultueux et se dissipe dans l'atmosphère.

Ce gaz se nomme *gaz carbonique*.[12] Il est proche voisin de l'oxyde de carbone.[13] Comme lui, il contient du charbon en 5 dissolution,[14] mais en quantité moindre. C'est toutefois un gaz mortel,[15] qui tue rapidement s'il est respiré en abondance. Il n'a pas de couleur, il n'a pas d'odeur. C'est vous dire combien il est dangereux de pénétrer dans une cuve [16] en pleine fermentation. On ne doit le faire qu' [17] en portant devant soi 10 une bougie allumée attachée à un long bâton. Tant que la bougie brûle comme à l'ordinaire, on peut avancer sans crainte: le gaz carbonique n'est pas là. Mais si la flamme pâlit, puis s'éteint, il faut rétrograder, car l'extinction de la bougie est la preuve de la présence du gaz carbonique, et c'est s'exposer à 15 une mort imminente que d' [18] aller plus loin.

—Alors, dit Jules, la bougie s'éteint toute seule quand elle est enveloppée de gaz carbonique?

—Elle s'éteint dans le gaz carbonique aussi promptement que dans l'eau.

20

Mais revenons au vin. Par la fermentation, le sucre qui donne sa saveur douce au *moût*,[19] c'est-à-dire au jus exprimé de la grappe, change de nature et se divise en deux parts: l'alcool,

---

11. **primitive,** *original.*

12. *gaz carbonique, carbon dioxide.*

13. **oxyde de carbone,** *carbon monoxide.*

14. **dissolution,** *solution.*

15. **mortel,** *lethal, deadly.*

16. **pénétrer dans une cuve,** *look into a vat.*

17. **On ne doit le faire qu',** *One shouldn't do it (It shouldn't be done) except.*

18. **que d',** do not translate.

19. *moût, must,* a technical term.

qui reste dans le liquide; et le gaz carbonique, qui se dissipe au
dehors. Lorsque ce travail est achevé, on soutire le vin pour le
séparer du *marc*,[20] formé des peaux et des pépins. Le liquide
est alors composé d'une grande quantité d'eau provenant des
5 raisins eux-mêmes, d'une petite proportion d'alcool provenant
du sucre détruit,[21] enfin d'une matière colorante fournie par
la peau des raisins noirs.[22]

Le vin blanc se fait avec des raisins blancs, dont la peau [23]
est dépourvue de matière colorante; mais on peut très bien le
10 faire aussi avec des raisins noirs. Tout le secret consiste en
ceci: les raisins écrasés sont d'abord pressés avant d'être soumis
à la fermentation. On sépare ainsi le jus des peaux. Ces peaux
enlevées, le vin est blanc, même avec des raisins noirs. La raison
en est toute simple.[24] La matière colorante des raisins, cause
15 de la couleur des vins rouges, est contenue uniquement dans
les peaux; de plus, elle n'est pas soluble dans l'eau,[25] mais elle
se dissout aisément dans l'alcool. C'est donc quand la fermentation est avancée que le liquide se colore en dissolvant la
matière colorante au moyen de l'alcool formé. Mais si les peaux
20 sont enlevées avant la formation de l'alcool, le vin reste blanc,
puisqu'il n'y a plus de matière colorante à dissoudre.

—C'est clair, dit Jules. Le moût ou jus de raisins noirs
fermenté avec les peaux donne du vin rouge; fermenté sans ces
peaux, il donne du vin blanc.

25 —Et les vins mousseux?[26] demande Emile. Il y en a qui font

---

20. **marc** (silent **c**), *marc* or *residue*.

21. **détruit**, *decomposed, broken down*.

22. **noirs**, *dark*.

23. **dont la peau**, *whose skin*.

24. **La raison en est toute simple**, *The reason for this is very simple*.

25. However, the color is soluble in boiling water as in the making
of grape juices.

26. **mousseux**, *sparkling*. Not all sparkling wines are bottled before

sauter le bouchon [27] des bouteilles et se couvrent d'écume quand on les verse dans un verre.

—Pour être mousseux, répond l'oncle, le vin doit [28] être mis en bouteille avant la fin de la fermentation. Le gaz carbonique, continuant à se former et ne trouvant pas d'issue à cause du 5 solide bouchon qui lui ferme le passage, se dissout dans le liquide et s'y accumule, mais en faisant toujours effort pour s'échapper. C'est lui qui fait sauter les bouchons avec explosion quand on coupe la ficelle qui les maintient solidement en place; c'est lui qui entraîne le liquide en flots mousseux hors 10 de la bouteille débouchée; c'est lui enfin qui recouvre le vin versé dans un verre d'une couche d'écume.

Le vin mousseux a quelque chose de piquant, mais d'agréable au goût, causé par la présence du gaz carbonique. Nous buvons, dissous dans le vin mousseux, le même gaz qui tue s'il est 15 respiré avec quelque abondance. Mais si le gaz carbonique entre dans nos boissons, il leur communique une légère saveur inoffensive et même salubre, car elle favorise la digestion. Il y a du gaz carbonique dissous dans presque toutes les eaux [29] que nous buvons. 20

EXPRESSIONS FOR STUDY

   1. Le vin se fait avec le jus de raisins.

   2. Ce jus, tel qu'on l'extrait de la grappe pressée, n'a nullement l'odeur et la saveur vineuses.

---

fermentation has ceased. The quantity of carbon dioxide, which causes the sparkling, is more easily controlled by adding wine that still contains the gas to some that is "finished."

   27. **Il y en a qui font sauter le bouchon,** *There are some which "pop" the cork.*

   28. **doit,** *must.*

   29. **eaux,** (*mineral*) *waters,* of which the commonest are **Vitelloise** and **Perrier** and the best known **Vichy.**

3. Cette saveur douce, les raisins la doivent à une espéce de sucre.
4. Vous reconnaissez à leur surface de petits grains blancs.
5. Ces grains sont du sucre qui a transpiré dehors.
6. Examinons de quelle manière les choses se passent.
7. Le travail qui se fait se nomme *fermentation.*
8. Il s'effectue dans la substance même du sucre.
9. Le liquide perd sa saveur douce primitive.
10. C'est toutefois un gaz mortel.
11. Il est dangereux de pénétrer dans une cuve en pleine fermentation.
12. On ne doit le faire qu'en portant devant soi une bougie allumée.
13. C'est s'exposer à une mort imminente que d'aller plus loin.
14. La raison en est toute simple.
15. De plus, elle n'est pas soluble dans l'eau.
16. Il y en a qui font sauter le bouchon des bouteilles.
17. Le vin doit être mis en bouteille avant la fin de la fermentation.

QUESTIONNAIRE

1. Avec quoi se fait le vin?
2. A quoi les raisins doivent-ils leur saveur douce?
3. Que devient le sucre dans le jus?
4. En quelles deux choses se décompose-t-il?
5. Pourquoi est-il dangereux de pénétrer dans une cuve en pleine fermentation?
6. Que doit-on porter pour se protéger?
7. Qu'est-ce qui forme le marc?
8. Faut-il des raisins blancs pour faire le vin blanc?
9. Où se trouve la matière colorante du vin?
10. Qu'est-ce que le vin mousseux?
11. Quel est le plus célèbre des vins mousseux?
12. Comment se fait le vin mousseux?
13. Quel est l'avantage du gaz carbonique dans les eaux de table?

Le Médecin malgré lui

Le Médecin malgré lui (*The Doctor in Spite of Himself*) is the title of a play by Molière, the greatest name in French comedy. He lived from 1622 to 1673 and produced some thirty works, including the comedy of character, outright farce, the comedy of manners, *divertissements* to be produced with music and dancing for the court of Louis XIV, and one tragedy. It was the failure of this last, early in his dramatic career, which turned him completely to the various fields of comedy.

Le Médecin malgré lui, of which an adaptation is given in this text, was first performed in 1666. It is pure farce, and was added to the presentation of his most serious comedy Le Misanthrope in order to attract an audience. As producer and director, as well as actor and playwright, Molière often had to cater to public tastes in order to support his troupe of players.

Six of Molière's plays contain satire against the medical profession. In Le Médecin malgré lui a peasant with no knowledge of medicine practices as successfully as those trained in it. It is generally stated that Molière's own incurable sickness influenced him to write these satires. True or not, the profession did not find them

59

agreeable, and considered his death, brought on while acting the main role in his last play, *Le Malade imaginaire* (*The Hypochondriac*), as just retribution. But there were other reasons for Molière's satire of the doctors. In the seventeenth century their profession did not have a truly scientific basis and did not enjoy the standing it has today. Further, the satire of the doctor was traditional, and in the theater could always be depended upon to draw an audience. It should also be mentioned that Molière satirizes many other classes of society, and that these fared no better than the doctors did.

In English translation many of Molière's plays are favorite stage and radio vehicles. Excerpts from this play are available on a French record produced by *La Comédie française*, the national theater of France.

I

Il y avait une fois une paysanne appelée Martine, très maltraitée de son mari Sganarelle, un bûcheron. Il était toujours ivre et battait fort sa femme. Enfin, incapable d'endurer plus longtemps les coups qu'il lui donnait, elle cherchait un 5 moyen de le punir de sa brutalité.

Un jour un messager est venu à la ville que Sganarelle et sa femme habitaient. Ce messager avait l'ordre de chercher un médecin très savant; la fille de son maître était malade, attaquée d'une maladie qui lui avait ôté l'usage de sa langue. 10 Plusieurs médecins avait déjà employé toute leur science mais sans succès. En entendant cette nouvelle Martine croit avoir trouvé l'occasion de se venger. Elle va trouver le messager.

Martine. Monsieur, nous avons ici un homme, le plus merveilleux homme du monde pour les maladies désespérées.
15 **Le messager.** Où pouvons-nous le rencontrer?
Martine. Il est dans la forêt. Il s'amuse à couper du bois.
Le messager. Un médecin qui coupe du bois!
Martine. C'est un homme bizarre qui aime cela. Mais ce qui

est extraordinaire c'est qu'il n'aime pas du tout exercer les merveilleux talents qu'il a pour la médecine.

Le messager. C'est vrai que tous les grands hommes ont toujours quelque petit grain de folie mêlée à leur science.[1]

Martine. La folie de cet homme est fantastique. Il ne veut 5 jamais admettre qu'il est médecin. Il faut prendre un bâton et le battre pour le faire confesser sa grande capacité.

Le messager. Mais est-il vraiment aussi habile que vous le dites? [2]

Martine. Comment! C'est un homme qui fait des miracles. 10 Il y a trois semaines [3] un enfant de douze ans est tombé du clocher de l'église et s'est brisé sur le pavé la tête, les bras et les jambes. Notre homme est venu et l'a frotté par tout le corps d'un certain remède qu'il sait faire et l'enfant s'est levé aussitôt sur ses pieds et a couru jouer à la balle. 15

Le messager. Ah! Voilà justement l'homme qu'il nous faut.[4] Je vais vite le chercher.

Le messager va tout de suite à la forêt où il trouve Sganarelle qui est, comme d'ordinaire, assez ivre.

Le messager. N'est-ce pas vous qui vous appelez Sganarelle? 20

Sganarelle. Oui et non. Cela dépend.

Le messager. Je ne veux que lui faire toutes les civilités du monde.

Sganarelle. Eh bien, alors, c'est moi qui s'appelle Sganarelle.

Le messager. Monsieur, je suis charmé de vous voir. Je viens 25 chercher votre aide. Je suis très instruit de [5] votre grande capacité.

---

1. **science,** *knowledge* or *great learning.*

2. **que vous le dites,** *as you say.*

3. **Il y a trois semaines,** *Three weeks ago.*

4. **Voilà justement l'homme qu'il nous faut,** *There is exactly the man we need.*

5. **très instruit de,** *very well informed about.*

Sganarelle. Il est vrai, monsieur, que je suis le premier homme du monde pour couper du bois.

Le messager. Ne parlons pas de cela, s'il vous plaît. Je sais les choses. Pourquoi, monsieur, un homme comme vous
5 s'amuse-t-il de la sorte [6] à cacher les beaux talents qu'il a?

Sganarelle. (*A part.*) Il est fou. (*Haut.*) Pour qui me prenez-vous?

Le messager. Pour ce que vous êtes, pour un grand médecin.

Sganarelle. Médecin vous-même! Je ne le suis pas, et je ne
10 l'ai jamais été.

Le messager. (*Bas.*) Voilà sa folie qui le tient. (*Haut.*) Ne venons pas, s'il vous plaît, à des extrémités déplorables.

Sganarelle. Je vous dis que je ne suis point médecin.

Le messager. (*Bas.*) Je vois bien qu'il faut employer le
15 remède. (*Il prend un bâton et le bat.*)

Sganarelle. Ah! ah! ah! monsieur, je suis médecin puisque vous le voulez. Je préfère consentir à tout que d'endurer ces coups.

II

Le père de la jeune fille qui avait perdu l'usage de sa langue
20 était enchanté de voir venir un médecin d'une si grande réputation. En réalité, la jeune fille, nommée Lucinde, n'était pas muette. Seulement elle feignait de l'être pour éviter un mariage très désagréable proposé par son père. Pour profiter du diagnostic du grand médecin le père fait venir sa fille.

25 **Sganarelle.** Eh bien; de quoi est-il question? qu'avez-vous? quelle est votre maladie?

Lucinde. (*Répond par signes, en portant sa main à sa bouche, à sa tête, et sous son menton.*) Han, hi, hom, han.[7]

---

6. **de la sorte,** *in this way.*
7. These are mere sounds, having no meaning.

Sganarelle. Eh! que dites-vous?

Lucinde. Han, hi, hom, hon, han, hi, hom.

Sganarelle. Han, hi, hom, hon, ha: je ne vous comprends pas. Quel langage est-ce là?

Le père. Monsieur, c'est là sa maladie. Elle est muette. C'est 5 un événement qui retarde son mariage.

Sganarelle. Et pourquoi?

Le père. L'homme qu'elle va épouser attend sa guérison complète.

Sganarelle. Et qui est ce sot qui ne veut pas une femme 10 muette? (*Se tournant vers la malade.*) Donnez-moi votre bras. (*Au père.*) Voilà un pouls qui indique que votre fille est muette.

Le père. Eh! oui, monsieur, c'est là sa maladie; vous l'avez trouvée tout de suite. Mais quelle est la cause, je vous prie? 15

Sganarelle. La cause? Cela est facile à dire. C'est parce qu'elle a perdu la parole.

Le père. Très bien. Mais, la cause, s'il vous plaît?

Sganarelle. La cause? Moi, je dis que cet obstacle à l'action de sa langue est causé par . . . de certaines vapeurs . . . 20 qui . . . par . . . des influences . . . par . . . comprenez-vous le latin?

Le père. Pas du tout.

Sganarelle. Vous ne comprenez pas le latin?

Le père. Non. 25

Sganarelle. *Bonus, bona, bonum. Deus sanctus, est-ne oratio latinas? Adjectivum concordat in generi et numerum.*[8]

Le père. Quel habile homme!

Sganarelle. Ces influences dont je vous parle, passant du côté gauche où est le foie au côté droit où est le coeur, le 30

---

8. A haphazard selection of Latin, good and bad, approximately meaning *Good* (masc., fem., and neuter), *Holy God, is this* (*ever*) *talking Latin? The adjective agrees in gender and number.*

poumon que nous appelons en hébreu *cubile* [9] rencontre les
vapeurs mentionnées et . . . écoutez bien ceci, je vous prie
. . . *quipsa milus*.[10] Voilà pourquoi votre fille est muette.

Le père.   On ne peut pas mieux raisonner, sans doute. Il n'y
5 a qu'une chose qui m'a choqué: c'est l'endroit du foie et du
coeur. Vous ne les placez pas comme ils sont. Le coeur est
du côté gauche et le foie du côté droit.

Sganarelle.   Oui, cela était vrai autrefois; mais nous avons
changé tout cela,[11] et nous faisons maintenant la médecine
10 d'une méthode toute nouvelle.

Le père.   Je ne le savais pas, et je vous demande pardon de
mon ignorance.

Sganarelle.   Ne parlez pas de cela. Vous n'êtes pas obligé
d'être aussi habile que moi.

15 **Le père.**   Assurément. Mais quel remède faut-il?

Sganarelle.   Quel remède? Mon sentiment est qu'elle mange
du pain et du vin mêlés ensemble. Ne voyez-vous pas qu'on
donne cela aux perroquets et qu'ils apprennent à parler.

Le père.   C'est vrai. Ah! le grand homme! Vite, du pain et du
20 vin.

III

Le vrai ami de Lucinde s'appelait Léandre. Le père avait
défendu ses visites. Mais en payant à Sganarelle une somme
d'argent, Léandre obtient son aide. Déguisé en [12] apothicaire,
il réussit à s'introduire auprès de Lucinde et de son père. En
25 voyant Léandre, Lucinde recouvre la parole.

---

9. This word is Latin, not Hebrew, and means *bed*.

10. This is from no language.

11. The whole sentence up to this point has become proverbial, as
have many of Molière's lines.

12. **en,** *as a.*

Le père. Voilà ma fille qui parle! O grande vertu du remède! O admirable médecin! Que je vous suis obligé, monsieur, de cette guérison merveilleuse!

Lucinde. Oui, mon père, j'ai recouvré la parole; mais je l'ai recouvrée pour vous dire que je n'aurai jamais d'autre 5 mari que Léandre.

Le père. Mais . . .

Lucinde. Vous m'opposerez en vain de belles raisons.

Le père. Si . . .

Lucinde. Tous vos discours ne serviront de rien.   10

Le père. Je . . .

Lucinde. C'est une chose où je suis déterminée.

Le père. Mais . . .

Lucinde. Je ne me soumettrai pas à cette tyrannie.

Le père. Il . . .   15

Lucinde. (*Parlant de plus en plus fort.*) Je n'épouserai pas un homme que je n'aime point.

Le père. Ah! Quelle impétuosité de paroles! Il n'y a pas moyen d'y résister. (A *Sganarelle.*) Monsieur, je vous prie de la faire redevenir muette.   20

Sganarelle. C'est une chose qui m'est impossible. Tout ce que je peux faire pour votre service est de vous rendre sourd, si vous voulez.

Le père. Merci, non!

IV

Le père a enfin consenti au mariage que sa fille désirait. 25 Quant à Sganarelle il aime tellement la dignité de la profession de médecin qu'il décide de rester médecin toute sa vie. Car, comme il dit: "Si l'on fait bien ou mal, on est toujours payé."

EXPRESSIONS FOR STUDY

1. Il n'aime pas du tout exercer les merveilleux talents qu'il a pour la médecine.
2. Il faut prendre un bâton et le battre.
3. Il y a trois semaines un enfant de douze ans est tombé du clocher de l'église.
4. L'enfant s'est levé aussitôt.
5. Voilà justement l'homme qu'il nous faut.
6. Je ne veux que lui faire toutes les civilités du monde.
7. Pourquoi un homme comme vous s'amuse-t-il de la sorte?
8. Voilà sa folie qui le tient.
9. Le père fait venir sa fille.
10. Il n'y a qu'une chose qui m'a choqué.
11. Déguisé en apothicaire il réussit à s'introduire auprès de Lucinde.
12. Je n'aurai jamais d'autre mari que Léandre.
13. Tous vos discours ne serviront de rien.
14. Tout ce que je peux faire pour votre service est de vous rendre sourd.

QUESTIONNAIRE

1. Qui était Sganarelle?
2. Comment traitait-il sa femme?
3. Qu'est-ce qu'elle cherchait?
4. Que cherchait le messager?
5. De quelle sorte de maladie la jeune fille est-elle attaquée?
6. Où va Martine?
7. A quoi s'amuse Sganarelle?
8. Quelle est sa "folie fantastique"?
9. Que faut-il faire pour le faire confesser sa capacité?
10. Dans quel état le messager trouve-t-il Sganarelle?
11. Quel est le "remède" employé par le messager?
12. Comment s'appelle la fille malade?
13. Est-elle vraiment muette?
14. Pourquoi feint-elle de l'être?
15. Qui aime-t-elle vraiment?
16. Quelle erreur d'anatomie commet Sganarelle?

17. Comment l'explique-t-il?
18. Quel remède recommande-t-il?
19. Pourquoi?
20. Comment Léandre s'est-il déguisé?
21. Que dit Lucinde?
22. Son père en est-il content?
23. Qu'est-ce qu'il prie Sganarelle de faire?
24. Que peut faire Sganarelle?

L'Esprit américain

The inhabitants of all countries have preconceived and usually quite inaccurate ideas about the people of foreign lands. How does a Frenchman view America, and how correct in his view? In a short book entitled *Conseils à un jeune Français partant pour les Etats-Unis*, André Maurois, one of the outstanding men of letters in France today, has endeavored to clear up some of the misconceptions a young Frenchman is likely to have concerning the United States. The selections offered here are almost completely in their original form. The American student will not agree with all the evaluations contained therein. This should serve to emphasize the great difficulty in making valid generalizations about any foreign culture, for Maurois has been perhaps the most competent French observer of the American—and English—scene. He has spent long periods of residence in both countries. His scholarly works and literary production reflect both his English and his American interests.

Two of his other works, *L'Esprit français* (immediately following and a counterpart to the present piece) and *La Conversion du soldat Brommit* are used in this book.

Maurois' observations are given in the first part of *L'Esprit américain* of which the second part is far from contemporary. It was written by Alexis de Tocqueville, and is from *La Démocratie en Amérique,* which was published in four volumes between 1835 and 1840. This study, still authoritative in spite of its date, was the product of a trip De Tocqueville made to the United States in 1831–1832. Primarily his intention was to study the American penitentiary system, but he became more interested in the functioning of American democracy. His travels took him as far west as Michigan and as far south as New Orleans. Most of his remarks about the United States still ring true.

Since 1945 two translations of *La Démocratie en Amérique* have been published in the United States. In France there has been a revival of interest in this work, coinciding with the new prominence of the United States in world affairs.

I MAUROIS

Des [1] Idées préconcues

Peu de pays sont plus méconnus que les Etats-Unis. On t' [2] aura dit sans doute que tu trouveras là-bas un grand confort matériel, mais peu ou point de vie spirituelle. [3] Autant d'erreurs. Bien que les Américains possèdent un grand nombre de mécaniques [4] ingénieuses: frigidaires, cuisinières automatiques, 5

---

1. Each of the subheadings begins with the preposition **de.** This is a stylized manner of titling an essay or short composition. It may be translated *Considerations on* or, more simply, *On.*

2. Notice that throughout these selections the familiar **tu** and **te** forms are used, to give the feeling of the author talking paternally to a young person.

3. **point de vie spirituelle,** *no intellectual life at all.*

4. **mécaniques,** *mechanical devices (gadgets).* Many foreigners consider the Americans to be gadget-ridden; however, they soon acquire a fondness for gadgets themselves.

machines à laver, machine à nettoyer la vaisselle, plats et
assiettes, le confort réel y est moindre qu'en France avant cette
guerre. Pourquoi? Parce que les maisons y sont petites, les
chambres minuscules, les serviteurs introuvables, la cuisine (à
5 part quelques exceptions honorables) sans art savant et
véritable; parce que rien ne semble fait pour durer.

En revanche le confort intellectuel y est grand, parce que la
moindre petite ville possède une excellente bibliothèque et le
droit de faire venir de Washington [5] tout [6] livre dont un lecteur
10 a besoin; parce que les musées sont riches et bien organisés;
parce que les grandes villes ont des orchestres symphoniques,
les meilleurs chefs d'orchestre, et que la radio transmet des
concerts admirables . . .

Les Américains n'ont aucun préjugé à l'égard du travail
15 manuel. Entre le type de vie du fermier, de l'ouvrier qualifié
et celui de l'avocat, du médecin ou de l'industriel, la différence
est moindre qu'en Europe.[7]

De L'Egalité

En Amérique, on parle moins qu'en Europe de l'égalité parce
qu'elle y est plus naturelle. Ce n'est pas seulement l'égalité
20 devant la loi, laquelle existe en droit [8] dans de nombreux pays;
c'est une égalité de fait, d'esprit et de cœur. Une hiérarchie
sociale s'est formée, ici comme partout; on y trouve des
employeurs et des employés. Mais l'employé, hors du service,[9]
ne reconnaît plus de rangs et dans le service même,[10] il garde

---

5. The reference is to the loan of books from the Library of Con-
gress in Washington.

6. **tout,** *any.*

7. This statement leads up to the next selection, *De L'Egalité.*

8. **en droit,** *legally.*

9. **hors du service,** *when off duty.*

10. **dans le service même,** *even when on duty.*

un ton libre et dégagé qui efface les distances. Les chauffeurs de taxi, les garçons d'ascenseur te parleront tout spontanément [11] de la situation politique, de leur vie de famille, et tu ne pourras jamais déceler, dans leur ton, défiance ni servilité.

L'Amérique est l'un des pays les plus disciplinés du monde, [5] mais tout bon Américain reste de coeur [12] un rebelle. Cette combinaison fait sa force.

Des Partis et de la politique

Etant Français, tu n'auras pas à prendre parti [13] dans la vie politique américaine, mais tu souhaiteras la comprendre. Or elle te surprendra. Tu constateras que presque tous les Améri- [10] cains sont démocrates ou républicains. Tu chercheras à définir la différence entre les deux partis. On te racontera qu'un journal, ayant choisi cette question pour sujet d'un concours, le prix fut donné à un jeune lecteur qui avait répondu: *Il n'y en a pas.* Et en effet tu trouveras, dans chacun des deux partis, [15] l'arc-en-ciel complet des nuances politiques, de l'extrême-droite à l'extrême-gauche. Certains te diront que le parti démocrate est plus "progressiste," [14] plus avancé, et que le parti républicain est celui des hommes d'affaires. D'autres le nieront et te prouveront d'irréfutable manière qu'il y a aussi des [20] hommes d'affaires dans le parti démocrate, surtout quand il est au pouvoir.

Que représentent alors les deux partis? Des traditions historiques et des positions géographiques. Tel [15] est républicain parce que son père et son grand-père l'étaient; tel autre est [25]

---

11. **tout spontanément,** *quite spontaneously.*
12. **de coeur,** *at heart.*
13. **à prendre parti,** *to take sides* (not *to take part*).
14. **"progressiste,"** *progressive.*
15. **Tel,** A *certain person.*

démocrate parce qu'il est né dans le Sud . . . Les partis ne
sont pas aux Etats-Unis, comme en France, des blocs que
sépare un profond fossé,[16] ni comme en Angleterre, des partis
de clan ou de doctrine, conservateurs et travaillistes.[17] Ce sont
5 des organisations, des "machines" . . .

De La Publicité

Parce que l'Amérique est un pays où l'opinion publique
gouverne, la publicité, qui est l'art de porter les faits à la
connaissance du public, y joue un rôle essentiel. Tu la trouveras
partout: dans les magazines où il y a beaucoup plus d'annonces
10 que de texte;[18] dans les journaux, à la radio où elle prendra la
forme de refrains ou de *slogans;* dans la rue où des annonces
lumineuses, mobiles et folles, clignoteront toute la nuit autour
de toi. Bientôt tu te rendras compte que les gens et les groupes
les plus inattendus font, aux Etats-Unis, de la publicité. Non
15 seulement les industriels, mais les théâtres, les éditeurs,[19] les
partis, les universités, les églises, les *glamor girls* ont leur agent
de publicité et cherchent des manières originales, parfois
extravagantes, d'accrocher l'attention du public. Des gouverne-
ments étrangers eux-mêmes, et les agences du gouvernement
20 fédéral, ont leur *public relations man.*

Des Femmes

Les femmes, en Amérique, sont plus puissantes encore que
chez nous.[20] D'abord parce qu'elles sont mieux organisées. En

---

16. **que sépare un profond fossé,** *which a deep ditch separates.* Note
how frequently inversion of subject and verb occurs in French, especially after the relative pronoun **que.**

17. **travailliste,** *Labour (party).*

18. **plus d'annonces que de texte,** *more advertisements than articles.*

19. **éditeurs,** *publishers.*

20. Maurois makes this statement against the background of the
traditional power of women in France.

politique, la Ligue des Femmes électrices,[21] non partisane, veille sur les intérêts des femmes et s'efforce d'assurer le respect des principes auxquels elles sont attachées. Les clubs féminins, très nombreux, organisent des conférences,[22] des discussions, où se forme pour une grande part l'opinion publique. Les femmes américaines sont puissantes aussi parce que la tradition et la loi les protègent. Au temps des pionniers les femmes étaient rares, convoitées, menacées. D'où,[23] autour d'elles, un cercle de feu . . .

Tu seras frappé par la beauté des femmes américaines. Le mélange des races, l'abondance des vitamines, la vie au grand air,[24] les produits de beauté[25] ont ici transformé l'espèce humaine. Mais ces belles personnes te paraîtront exigeantes. Elles jouent de la concurrence contre les mâles[26] et demandent beaucoup pour accorder peu. Les jeunes filles cherchent le mariage, ce qui est naturel; si tu ne les souhaites pas, sois prudent. *Règles secondaires:* tu dois pousser leurs chaises sous elles au moment où elles se mettent à table, te lever dès que l'une d'elles se lève, et sortir de ta voiture[27] du mauvais côté,[28] au risque de ta vie, pour leur ouvrir la portière.

De Hollywood et de sa philosophie

Hollywood ne cherche pas à donner du monde une image vraie, mais à procurer à des millions de spectateurs l'évasion[29]

---

21. la **Ligue des Femmes électrices,** *the League of Women Voters.*
22. **conférences,** *lectures.*
23. **D'où,** *Hence, Whence.*
24. **au grand air,** *in the open air.*
25. **les produits de beauté,** *cosmetics.*
26. **Elles jouent de la concurrence contre les mâles,** (Freely) *They take advantage of their sex in business competition with men.*
27. **voiture,** *automobile.*
28. **du mauvais côté,** *on the wrong side,* i.e., on the left, where the street traffic is. 29. **évasion,** *escapism.*

qu'ils souhaitent. L'écran ne reflète pas la vie américaine, il en est le complément.[30] L'Américain a besoin de croire deux choses: (a) que tout peut être amélioré par le travail et la bonne volonté,[31] qu'au delà d'[32] une voiture il y a toujours une
5 meilleure voiture, au delà d'une glace à la crème[33] une meilleure glace à la crème; (b) que tout peut s'apprendre[34] et qu'un expert vous enseignera comment faire d'un amour un meilleur amour. Hollywood a sa responsabilité dans un certain manque de réalisme à l'égard du mariage. La lune de miel de l'écran,
10 passée parmi les palmiers, les hôtels parfaits et les sourires ininterrompus, apparaît comme un bonheur si continu que toute lune de miel réelle, malgré ses très authentiques bonheurs, devient par contraste manquée,[35] car il arrive[36] que les avions ne partent pas, que les hôtels n'aient[37] pas de chambres
15 luxueuses, et que les jeunes époux soient[38] malades. Tout s'arrange dans la vie, mais plus ou moins mal; Hollywood, en suggérant que tout s'arrangera toujours pour le mieux dans le meilleur des mondes, rend l'ajustement plus difficile.

---

30. **il en est le complément,** *it completes it.*

31. **tout peut être amélioré par le travail et la bonne volonté,** *everything can be improved through hard work and good will.* This belief seems to some Europeans the dominant trait of Americans.

32. **au delà d',** *beyond.*

33. **glace à la crème,** *ice cream.* In the next section this appears as **crèmes glacées.**

34. **tout peut s'apprendre,** *anything can be learned.* Another basic characteristic of the American in the eyes of the foreigner.

35. **manquée,** *disappointing.*

36. **il arrive.** *it happens.*

37. **aient,** *have* (pres. subj. of **avoir**).

38. **soient,** *are* (pres. subj. of **être**).

De La Nourriture

La nourriture, en Amérique, est saine. Les produits sont soumis à un contrôle gouvernemental. La cuisine est honorable [39] quand elle est simple. Tu n'aimeras pas leurs sauces,[40] ni certains de leurs mélanges,[41] mais la viande rouge, le poisson, les crustacés [42] sont excellents. Les jambons de Virginie et du 5 Kentucky t'apporteront les senteurs [43] des bois d'essence rare qui ont servi à les fumer. Les poulets sont tués trop jeunes et coupés en deux, sauvagement. Méfie-toi [44] de leurs salades. Ce qu'ils appellent *French dressing* n'a rien de français. La coutume d'accommoder des fruits sucrés à l'huile [45] et au 10 vinaigre devrait [46] être punie de mort. En revanche les crèmes glacées américaines sont des mets [47] dignes de la table des dieux et le lait américain une sorte d'ambroisie.[48]

Si tu as peu d'argent, n'hésite pas à prendre tes repas dans les *drug stores* et cafeterias. Les *drug stores* sont des pharma- 15 cies, mais en Amérique celles-ci vendent de tout. Même si tu as de l'argent, va de temps à autre t'asseoir à leurs comptoirs, sur ces hauts tabourets, parmi des hommes de toutes classes, races et métiers. Avec un sandwich et un verre de lait, tu seras confortablement nourri; tu auras économisé une heure, deux 20

---

39. **honorable,** *worthy of mention.*
40. **sauces,** *gravies.*
41. **mélanges,** *mixtures,* such as mentioned a few lines later, a mixture of fruit and oil in salads.
42. **crustacés,** *shellfish.*
43. **senteur,** *savor.*
44. **Méfie-toi,** *Distrust.*
45. **à l'huile,** *with oil.*
46. **devrait,** *ought.*
47. **mets,** *dishes (foods).*
48. **ambroisie,** *ambrosia* (legendary food of the Gods).

ou trois dollars et tu auras joui de [49] la parfaite égalité de ces lieux . . .

Les *cocktails* sont l'une des plaies [50] de l'Amérique. Ces mélanges forts, dangereux pour l'estomac, sont mortels pour
5 la conversation. Ils rendent le palais [51] inapte à goûter le bouquet [52] délicat des vins.

Des Voyages

Tu devras, aux Etats-Unis, voyager beaucoup. Telle est la coutume du pays, et ce pays mérite d'être vu. Tu ne le connaîtras jamais si tu restes sur la côte Est. New-York est New-
10 York et ce n'est pas peu de chose,[53] mais on a raison de dire que New-York n'est pas l'Amérique. Si tu veux étudier l'opinion publique américaine, il te faudra parcourir [54] des milliers de kilomètres. Car les distances ici ne comptent guère, et un voyage aussi long que celui de Paris à Constantinople
15 est de ceux que l'[55] on fait volontiers en Amérique pour assister à [56] un déjeuner d'affaires [57] ou pour prononcer un discours.

Certains [58] te diront: "Toutes les villes américaines se ressemblent. Chacune possède sa belle école de briques rouges,
20 son *Woolworth*, son marché *Atlantic et Pacific*, sa banque

---

49. **tu auras joui de,** *you will have enjoyed.*
50. **plaies,** *sore spots.*
51. **palais,** *palate.*
52. **bouquet,** *aroma.*
53. **peu de chose,** *something insignificant.*
54. **il te faudra parcourir,** *you will have to travel.*
55. **l'.** The definite article is used often before **on** to keep vowel sounds apart. Do not translate.
56. **assister à,** *to attend.*
57. **déjeuner d'affaires,** *business luncheon.*
58. **Certains,** *Certain people.*

locale à [59] colonnades grecques." C'est vrai, mais ces analogies sont superficielles. Rien n'est plus différent d'une communauté anglo-saxonne, comme Boston ou Concord, qu'une ville mexicaine comme San-Antonio, ou qu'une ville suédoise comme Minneapolis. Les vieilles villes du Sud, Richmond, Charleston, 5 ne ressemblent ni à Chicago, ni à Detroit, et San-Francisco ne ressemble à aucune autre ville au monde. Et ce qui est vrai des cités l'est aussi des paysages. Qu'y a-t-il de commun entre un désert de l'Arizona, les forêts géantes de la Californie, les lacs du Nord et les forêts tropicales de Floride? L'Amérique 10 est un continent; une vie [60] ne suffit pas pour la visiter.

Des Universités

Si tu vas passer une ou plusieurs années dans quelque université américaine, je t'envie. La jeunesse goûte là quatre années de bonheur. Chez nous, elle ne continue guère ses études après le lycée [61] que pour se préparer à une carrière et 15 pour acquérir une culture. Tel est aussi le but de l'étudiant américain, mais il veut surtout passer de beaux jours dans un décor agreste,[62] souvent dans la société permanente de belles jeunes filles. Le *campus*, ce terrain planté d'arbres sur lequel sont construits les bâtiments, gothiques ou coloniaux,[63] de 20

---

59. à, *with.*

60. vie, *lifetime.*

61. **lycée.** Do not translate the word. The French **lycée,** which prepares for the baccalaureate degree, usually earned by the age of eighteen or nineteen, is roughly equivalent to our high school and the freshman and sophomore years of college or university.

62. **décor agreste,** *rustic setting.* Maurois has in mind that French universities are situated in the heart of large cities.

63. **gothiques ou coloniaux.** Maurois is more familiar with the universities on the Eastern seaboard than with those in other parts of the United States.

l'université est presque toujours un parc admirable. Quoi de plus parfait que Princeton, sinon Oxford et Cambridge.[64]

Qu'y apprendras-tu? L'anglais, ou plus exactement l'américain; la vie sociale; et des techniques. L'apprentissage de la 5 vie en démocratie est plus important, dans les universités américaines, que les études proprement dites.[65] Tu y verras les étudiants organisés en société,[66] préparant des élections, discutant des projets et s'administrant eux-mêmes suivant les règles de la méthode parlementaire. Tu sortiras de là ayant 10 compris pourquoi, en Amérique, la démocratie fonctionne bien. Dès l'école,[67] ils en ont les institutions dans le sang. Si tu manques d'argent, travaille de tes mains dans tes heures libres et gagne ta vie.[68] Tu n'en seras que plus respecté de tes camarades.

De Leur Sens du tragique

15   On a soutenu [69] que l'Europe aurait le sens du tragique alors que l'Amérique garderait dans le progrès une foi trop assurée pour comprendre la tragédie du monde moderne. Le sens du tragique est fondé sur la terreur de l'homme devant le destin. L'Américain croit encore (dit-on) [70] que la bonne volonté 20 triomphe de [71] tout; aussi ne connaît-il pas de grandes tragédies.[72]

---

64. Oxford and Cambridge are the famous English universities.
65. **proprement dites,** *properly speaking.*
66. **organisés en société,** *formally organized.*
67. **Dès l'ècole,** *From elementary school days.*
68. **gagne ta vie,** *earn your living.*
69. **On a soutenu,** *It has been maintained.*
70. **dit-on,** *it is said.*
71. **de,** *over.*
72. **aussi ne connaît-il pas de grandes tragédies,** *so he does not know great tragedy.* The inversion of subject and verb occurs because the adverb introduces the clause.

C'est un fait que l'Américain est plus optimiste que le Français. Comment ne le serait-il pas? Appartenant à un peuple jeune, longtemps protégé par un océan, disposant de ressources illimitées, il n'a connu ni nos dangers, ni nos misères.[73] Nous disons, nous, que notre pessimisme est plus réaliste que son optimisme. A la vérité deux réalités différentes justifient deux doctrines opposées.

Des Américains et des Anglais

Ne crois pas connaître les Américains parce que tu as vécu en Angleterre. L'Amérique est plus différente de l'Angleterre que de la France. La langue des deux peuples n'est pas la même. Un jour, ayant fait une conférence [74] dans le Middle-West, je demandai à un auditeur:

—Mon accent ne vous a-t-il pas gêné?

—Un peu, dit-il, mais moins que celui d'un Anglais.

L'américain [75] est une langue fluide, en pleine période d'invention et de formation.[76]

Pourquoi Tu aimeras l'Amérique

L'Amérique est si vaste, si multiple,[77] que tu y trouveras tout, du très bon et du très mauvais, des raisons de l'aimer, et des raisons de ne la pas aimer. Ton compte fait,[78] je crois que tu l'aimeras. Tu l'aimeras parce qu'elle a été, et demeure, la plus merveilleuse aventure de l'espèce humaine. Là, pour la

---

73. **misères,** *misfortunes.*
74. **conférence,** *lecture.*
75. **américain,** *American language.*
76. **en pleine période d'invention et de formation,** *in the very midst of its creative and formative period.*
77. **multiple,** *varied.*
78. **Ton compte fait,** *All your experiences considered.*

première fois dans leur histoire, des hommes déjà civilisés ont trouvé un continent vierge. Là, pendant trois siècles, ils ont vécu un conte des *Mille et Une Nuits.*[79]

Pourquoi tu aimeras l'Amérique? Parce que, dans l'héritage 5 du pionnier, elle a trouvé la bonne volonté et la notion de bon voisinage. Hobbes [80] a dit que l'homme est un loup pour l'homme.[81] C'est vrai, mais pas en Amérique. Aux Etats-Unis, l'homme est un homme pour l'homme. La terre est si abondante que le voisin n'est pas un rival.

II DE TOCQUEVILLE

10 Je pense, qu'il n'y a pas, dans le monde civilisé, de pays où l'on s'occupe moins de philosophie qu'aux Etats-Unis.

Les Américains n'ont point d'école philosophique qui leur soit propre,[1] et ils s'inquiètent fort peu de toutes celles qui divisent l'Europe; ils en savent à peine [2] les noms.

15 Il est facile de voir cependant que presque tous les habitants des Etats-Unis dirigent leur esprit [3] de la même manière, et le conduisent d'après [4] les mêmes règles; c'est-à-dire qu'ils possè-

---

79. *Mille et Une Nuits, Thousand And One Nights,* a collection of Arabian tales.

80. **Hobbes,** Thomas Hobbes, the seventeenth century English philosopher whose *Leviathan* helped found materialism.

81. **l'homme est un loup pour l'homme,** *man is a wolf for (his fellow-) man,* i.e., constantly preys upon him.

1. **n'ont point d'école philosophique qui leur soit propre,** *have in no sense a philosophical school of their own.* ne . . . point is a more emphatic negative than ne . . . pas. soit is the present subjunctive of être. The more literal translation of the latter part of the expression is *which is peculiar to them.*

2. **à peine,** *scarcely.*

3. **dirigent leur esprit,** *govern their minds.*

4. **le conduisent d'après,** *guide them (their minds) according to.*

dent une certaine méthode philosophique qui leur est commune à tous.

Echapper aux opinions de classe,[5] et, jusqu'à un certain point, aux préjugés de nation;[6] ne prendre les faits présents que comme une utile étude pour faire autrement et mieux;[7] chercher par soi-même et en soi seul la raison des choses: tels sont les principaux traits qui caractérisent ce que j'appellerai la méthode philosophique des Américains.

L'Amérique est l'un des pays du monde où l'on étudie le moins les préceptes de Descartes[8] et où on les suit le mieux. Cela ne doit pas surprendre.[9]

Les Américains ne lisent point les ouvrages de Descartes, parce que leur état social les détourne des études spéculatives, et ils suivent ses maximes[10] parce que ce même état social dispose naturellement leur esprit à les adopter.

Au milieu du mouvement continuel qui règne dans cette société démocratique, le lien qui unit les générations entre elles se relâche ou se brise; chacun y perd aisément la trace des idées de ses ancêtres.

Les hommes qui vivent dans une semblable société ne sauraient non plus[11] puiser leurs croyances dans les opinions

---

5. **opinions de classe,** *class prejudices.*

6. **préjugés de nation,** *national prejudices.*

7. **pour faire autrement et mieux,** compare this with Maurois' statement on page 74.

8. **les préceptes de Descartes,** *the teachings of Descartes.* Descartes (1596–1650), philosopher, physicist, and mathematician is the founder of the modern scientific method based on analytical reason. In what follows De Tocqueville implies that although the Americans are ignorant of the philosophy of Descartes, their love of the practical is an application of Descartes' principles.

9. **Cela ne doit pas surprendre,** *That should not be surprising.*

10. **maximes,** *teachings.*

11. **ne sauraient non plus,** *cannot either.* **savoir** does not require

de la classe à laquelle ils appartiennent, car il n'y a, pour ainsi dire,[12] plus de classes.

Comme ils voient qu'ils résolvent sans aide toutes les petites difficultés que présente leur vie pratique,[13] ils en concluent
5 aisément que tout dans le monde est explicable, et que rien n'y dépasse les limites de l'intelligence.

Ainsi, ils nient volontiers[14] ce qu'ils ne peuvent pas comprendre: cela leur donne peu de foi pour l'extraordinaire, et un dégoût presque invincible pour le surnaturel.

10 Ils aiment à voir très clairement l'objet dont ils s'occupent.[15] Cette disposition de leur esprit les conduit bientôt à mépriser les formes,[16] qu'ils considèrent comme des voiles inutiles et incommodes placés entre eux et la vérité.

Les Américains n'ont donc pas eu besoin de trouver leur
15 méthode philosophique dans les livres, ils l'ont trouvée en eux-mêmes.

EXPRESSIONS FOR STUDY

I

1. On t'aura dit que tu trouveras là-bas peu ou point de vie spirituelle. Autant d'erreurs.
2. Rien ne semble fait pour durer.

---

pas to form a negative; the conditional of this verb in the negative means *cannot*.

12. **pour ainsi dire,** *so to say.*

13. **que présente leur vie pratique,** note that the subject follows the verb.

14. **volontiers,** *readily.*

15. **l'objet dont ils s'occupent,** *the matter with which they are concerned.*

16. **à mépriser les formes,** *to scorn form.* The European gives as much attention to form as to content or substance. The American tends to give great importance to the latter and little importance to the first.

3. La moindre petite ville possède le droit de faire venir de Washington tout livre dont un lecteur a besoin.

4. Les Américains n'ont aucun préjugé à l'égard du travail manuel.

5. L'employé, hors du service, ne reconnaît plus de rangs.

6. Tout bon Américain reste de coeur un rebelle.

7. Tu n'auras pas à prendre parti dans la vie politique.

8. Les partis ne sont pas des blocs que sépare un profond fossé.

9. Bientôt tu te rendras compte que les groupes les plus inattendus font de la publicité.

10. Les femmes sont plus puissantes encore que chez nous.

11. D'où, autour d'elles, un cercle de feu.

12. Le mélange des races, la vie au grand air, les produits de beauté ont ici transformé l'espèce humaine.

13. Elles jouent de la concurrence contre les mâles.

14. Tu dois te lever dès que l'une d'elles se lève, et sortir de ta voiture du mauvais côté pour leur ouvrir la portière.

15. L'Américain a besoin de croire qu'au delà d'une voiture il y a toujours une meilleure voiture.

16. Un certain manque de réalisme à l'égard du mariage.

17. Tout s'arrange dans la vie, mais plus ou moins mal.

18. La cuisine est honorable quand elle est simple.

19. Méfie-toi de leurs salades.

20. La coutume . . . devrait être punie de mort.

21. En revanche les crèmes glacées américaines sont des mets dignes.

22. Celles-ci vendent de tout.

23. Tu auras joui de la parfaite égalité de ces lieux.

24. Les cocktails rendent le palais inapte à goûter le bouquet délicat des vins.

25. Tu devras voyager beaucoup.

26. On a raison de dire que New-York n'est pas l'Amérique.

27. Il te faudra parcourir des milliers de kilomètres.

28. Les distances ici ne comptent guère.

29. Un voyage que l'on fait volontiers pour assister à un déjeuner d'affaires.

30. San-Francisco ne ressemble à aucune autre ville du monde.

31. La jeunesse goûte là quatre années de bonheur.

32. Dès l'école, ils ont les institutions de la démocratie dans le sang.

33. L'Américain croit encore que la bonne volonté triomphe de tout.

34. Aussi ne connaît-il pas de grandes tragédies.

35. L'Américain est plus optimiste que le Français. Comment ne le serait-il pas?

36. Il n'a connu ni nos dangers, ni nos misères.

37. L'Amérique est si multiple que tu y trouveras tout.

38. Ton compte fait, je crois que tu l'aimeras.

39. Ils ont vécu un conte des *Mille et Une Nuits*.

II

1. Il n'y a pas de pays où l'on s'occupe moins de philosophie qu'aux Etats-Unis.

2. Les Américains n'ont point d'école philosophique qui leur soit propre.

3. Ils s'inquiètent fort peu de toutes celles qui divisent l'Europe.

4. Ils en savent à peine les noms.

5. Cela ne doit pas surprendre.

6. Les hommes ne sauraient non plus puiser leurs croyances dans les opinions de la classe à laquelle ils appartiennent.

7. Il n'y a, pour ainsi dire, plus de classes.

8. Ils résolvent sans difficulté les petites difficultés que leur présente la vie pratique.

9. Rien n'y dépasse les limites de l'intelligence.

10. Ils nient volontiers ce qu'ils ne peuvent pas comprendre.

11. Ils aiment à voir très clairement l'objet dont ils s'occupent.

QUESTIONNAIRE

I

1. Qui est l'auteur du premier passage?

2. Est-il mort ou vivant?

3. A-t-il beaucoup voyagé aux Etats-Unis?

4. Comprend-il bien notre pays?

5. Que pense-t-il du confort matériel chez nous? Du "confort intellectuel"?

6. Comment critique-t-il nos maisons? notre cuisine?

7. Quelle est la différence entre l'attitude d'un Américain à l'égard du travail manuel, et celle d'un Européen?

8. Pourquoi parlons-nous relativement peu de l'égalité?

9. Qu'est-ce qui fait la force de l'Amérique?

10. Est-ce que M. Maurois trouve des différences intelligibles entre les partis Démocrate et Républicain? En trouvez-vous?

11. Que dit-il de nos "magazines"?

12. Les femmes sont-elles puissantes en France?

13. Quels avantages ont les femmes américaines?

14. Qu'est-ce que M. Maurois critique en elles?

15. Quelles règles de la politesse américaine trouve-t-il un peu drôles?

16. Qu'est-ce que Hollywood cherche à faire?

17. Qu'est-ce que chaque Américain a besoin de croire?

18. Quelle est la responsabilité de Hollywood à l'égard du mariage?

19. Que vendent les pharmacies américaines?

20. Que pense M. Maurois des cocktails?

21. Etes-vous de son avis?

22. Pourquoi faut-il voyager beaucoup aux Etats-Unis?

23. Quelle ville ne ressemble à nulle autre du monde?

24. Pourquoi les Français vont-ils à l'université?

25. Qu'est-ce qu'on peut apprendre à une université américaine selon M. Maurois?

26. Pourquoi l'Américain comprend-il moins bien la tragédie que l'Européen?

27. L'optimisme américain manque-t-il de réalisme?

28. En Amérique, est-ce que "l'homme est un loup pour l'homme"?

II

1. Qui est l'auteur du second passage?

2. Quand l'a-t-il écrit?

3. Trouve-t-il des "constantes" dans l'esprit ou le caractère américains?

4. Les Américains connaissent-ils bien Descartes?

5. Suivent-ils bien sa philosophie rationelle?

6. Qu'est-ce qu'ils nient volontiers?

7. Qu'est-ce qu'ils méprisent?

8. En considérant la différence de date, de Tocqueville nous comprend-il mieux, ou moins bien, que Maurois? Pourquoi?

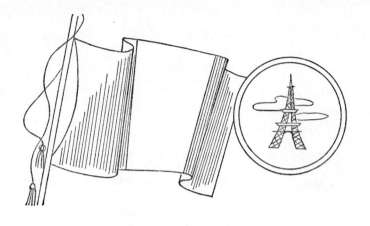

L'Esprit français

Just as the preceding selections describe characteristics of Americans not generally shared by other nationalities, so the following passage (once again by André Maurois) seeks to answer the question: What is exclusively French? The observer of national traits can only deal in generalities and always risks superficiality, yet he provides at least a partial explanation of the differences that exist between countries because of dissimilar history, traditions, and cultures.

On désire montrer ici que les traits qui sont ceux du génie [1] de la France en littérature, en peinture, en musique se retrouvent dans les produits des artisans; [2] en d'autres termes, qu'il y a des constantes françaises [3] et que celles-ci permettent, dans

---

1. **génie,** *essence, spirit.*
2. **artisans,** *craftsmen.*
3. **des constantes françaises,** *permanent French characteristics.*

un musée, dans une exposition, dans une vitrine, de reconnaître
les objets qui viennent de France. Ce sont ces traits constants
que je voudrais définir.

Le premier, c'est la simplicité. Dans un tableau ou un roman,
une robe ou un monument, le Français aime ce qui est in- 5
telligible. Il a besoin de sentir, sous la richesse du détail,
l'harmonie d'un plan qui est l'oeuvre d'un esprit clair. C'est
vrai, par exemple, de Paris, ville la mieux ordonnée [4] du monde.
Observez les ensembles architecturaux [5] qui entourent la Place
de la Concorde, la Place Vendôme, la Place des Vosges, l'Arc- 10
de-Triomphe.[6] En nul autre lieu vous ne trouverez cette
magnifique unité.

C'est vrai de Versailles [7] et de ses jardins, comme aussi des
tragédies de Corneille, des romans de Flaubert ou des paysages
de Cézanne. C'est vrai de la musique de Debussy comme de 15
celle de Ravel.[8] Et de la même manière une robe de grand

---

4. **ville la mieux ordonnée,** *the best planned city.* Much of Paris
was re-planned and reconstructed in the middle of the nineteenth century. The city is, with Washington (designed by a Frenchman, Pierre
L'Enfant), one of the few great capitals whose growth and architectural appearance have been rigorously controlled.

5. **ensembles architecturaux,** *architectural groupings.*

6. The three **Places** are important focal points in the topography
of Paris. No attempt should be made to find English equivalents, especially since the customary translation *square* for **place** frequently does
not describe the shape, which is often circular. The **Arc de Triomphe**
is the well-known triumphal arch begun by Napoleon I in commemo-
ration of his victories.

7. **Versailles** is the famous palace southwest of Paris, constructed
in the seventeenth century for Louis XIV.

8. **Corneille** (1606–1684) was the master of the French classical
tragedy which was composed according to a strict sense of form.

Flaubert (1821–1880) is the author of the great realistic novel
Madame Bovary.

Cézanne (1839–1906), impressionistic painter. (*Con't. on page 88.*)

couturier [9] parisien, un chapeau, un bijou français sont des oeuvres d'art clairement construites et intelligibles.

Comment s'en étonner? Le dessinateur qui a imaginé le bijou, le modelliste [10] qui a créé la robe, la modiste qui a conçu 5 le chapeau, et avec eux toutes les ouvrières qui ont travaillé à rendre parfaite l'exécution de ces oeuvres, sont des esprits qui ont été formés, sans même le savoir, par la beauté traditionnelle de Paris. Ils viennent chaque jour à leur travail en traversant la cour du Louvre,[11] ils reçoivent en passant une leçon d'ordre 10 et de mesure.[12] Les façades de ces monuments,[13] les tableaux des musées leur proposent des modèles. Le goût est la seule forme d'héritage que nul régime ne puisse [14] abolir. Il est une disposition innée à comprendre, à aimer et à chercher la beauté.

15 Second trait: ce goût s'exprime en France avec facilité et par une intuition rapide. Le créateur français a (non pas toujours, mais le plus souvent) ce que les Anglais appellent *dash* et que l' [15] on peut traduire par "du chien." [16] Pourquoi?

Debussy (1862–1918), the greatest name in recent French music.

Ravel (1875–1937), contemporary musician whose fame has become widespread through his popular *Boléro*.

9. **grand couturier,** another expression best left in the French. The **grand couturier** is the designer and creator of the latest in ladies' fashions. The English word *dressmaker* is too general to designate the exclusiveness and international prestige of the **grand couturier**'s art.

10. **modelliste,** *dress designer,* who works for the **grand couturier.**

11. **Louvre,** ancient royal palace in Paris, replaced by Versailles under Louis XIV, now famous as an art museum.

12. **mesure,** *restraint.*

13. **monuments,** *public buildings.*

14. **puisse,** *can.* Present subjunctive of **pouvoir.**

15. **l',** the untranslated definite article used before **on** to separate vowel sounds.

16. "**chien,**" "*dog.*" The English colloquial expression is, you will note, a literal translation of the French.

Parce qu'il aime avec passion [17] tous les aspects de la vie, parce qu'il prend un plaisir sensuel [18] à les goûter, parce qu'il a l'amour des choses simples bien faites. La cuisine française doit sa perfection, beaucoup moins à des plats compliqués et coûteux qu'à la classique saveur d'une omelette ou d'un poulet [5] rôti.

Oui, l'artiste et l'artisan français ont l'amour de leur métier, le besoin de la perfection et le goût de la recherche.[19] Paul Valéry,[20] à un questionnaire qui lui demandait sa profession, répondait: "Je suis artisan." Et il disait aussi: "On n'écrit pas [10] un poème avec des sentiments; on écrit un poème avec des mots." "Peindre n'est pas rêver," disait Renoir.[21] "C'est avant tout un métier, comme celui de charpentier." Presque tous les créateurs français ont ce double sentiment: d'être des continuateurs,[22] et de mettre leur fierté dans l'excellence de leur [15] technique.

Troisième trait, qui a une importance capitale pour définir le goût français. Nos créateurs se conforment à la grande règle des artistes grecs d'autrefois: "Rien de trop." [23] Une oeuvre typiquement français n'est pas chargée de détails inutiles. [20]

Ainsi nous avons pu définir quelques aspects essentiels du goût français. Résumons-les. Un besoin profond de clarté du dessin, qui n'exclut pas la richesse de l'ornement, mais exige que cette richesse soit [24] ordonnée; un amour de la chose

---

17. **avec passion,** *enthusiastically.*
18. **sensuel,** *sensuous.*
19. **le goût de la recherche,** *the capacity for taking pains.*
20. **Paul Valéry** (1871–1945), poet of the intelligence.
21. **Renoir** (1841–1919), impressionistic painter characterized by his concern with the solidity of form.
22. **d'être des continuateurs,** *to continue a tradition.*
23. **"Rien de trop,"** *"Nothing in excess."*
24. **soit,** *be.* Present subjunctive of **être.**

simple bien faite; un profond respect de la technique et de la qualité; enfin la mesure, en un effort pour exprimer les idées les plus neuves et les plus vigoureuses avec une grande économie; voilà l'essentiel de ce qui permet, lorsque l'on voit
5 une robe, un bijou, lorsqu'on respire un parfum, lorsqu'on goûte un vin, de dire: "Ceci ne peut être que français."

EXPRESSIONS FOR STUDY

1. On désire montrer qu'il y a des constantes françaises.
2. Le Français aime ce qui est intelligible.
3. C'est vrai de Paris, ville la mieux ordonnée du monde.
4. En nul autre lieu vous ne trouverez cette magnifique unité.
5. Le goût est la seule forme d'héritage que nul régime ne puisse abolir.
6. Il aime avec passion tous les aspects de la vie.
7. Nos créateurs se conforment à la grande règle: "Rien de trop."
8. "Ceci ne peut être que français."

QUESTIONNAIRE

1. Quels sont les trois traits constants qui permettent de reconnaître les produits français?
2. Quelle est la ville la mieux ordonnée du monde?
3. Qui a dessiné la ville de Washington?
4. Quel était le palais du roi Louis XIV?
5. Quel était le palais du roi devant lui?
6. Qu'est devenu ce palais-ci?
7. Qu'est-ce qui forme l'esprit de l'artisan français?
8. Un régime politique peut-il abolir le goût?
9. Pourquoi le créateur français a-t-il souvent du "chien"?
10. Quels plats représentent mieux la cuisine française?
11. Avec quoi fait-on un poème?
12. Comment le Français montre-t-il l'amour de son métier?
13. Comment ressemble-t-il aux anciens Grecs?

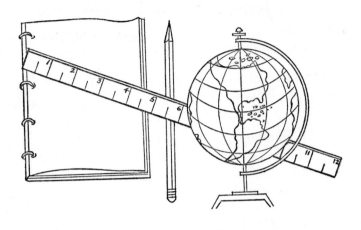

Le Nouveau Riche

In 1670 Molière (see page 59) collaborated in producing *Le Bourgeois Gentilhomme* (*The Would-be Gentleman*) of which a scene is adapted in this book as *Le Nouveau Riche*. The play was a combination of comedy and ballet, arranged by Molière and the court musician Lulli for the pleasure of Louis XIV during the hunting season. At the time, the music and ballet were considered the essence of the work and Molière's lines were mere fillers, like those of a modern musical comedy. Today it is mostly Molière's contribution which has survived, although there is an increasing tendency to produce the work in its original form.

The play is a satire of the outlandish pretentions to refinement and elegance of a rich middle-class citizen called M. Jourdain. His name is still used in France to designate the social climber. M. Jourdain's seeking after any form of knowledge as an important rung on the social ladder is both comical and pathetic—a combination of characteristics quite usual in Molière's works. Yet this ambitious upstart is not without his sympathetic side. Molière's admiration for bourgeois good sense as opposed to learned inanities sometimes shows M. Jourdain in a rather favorable light as seen toward the end of the scene that follows.

(M. Jourdain est un nouveau riche, sans éducation, qui veut apprendre quelques usages du monde et qui, pour accomplir son but, engage les services d'un maître de philosophie.)

Maître de philosophie.   N'avez-vous point quelques prin-
5   cipes, quelques commencements des sciences?[1]

M. Jourdain.   Oh! oui, je sais lire et écrire.

Maître de philosophie.   Par où vous plaît-il que nous commencions?[2] Voulez-vous que je vous apprenne[3] la logique?

M. Jourdain.   Qu'est-ce que c'est que cette logique?[4]

10 **Maître de philosophie.**   C'est elle qui enseigne les trois opérations de l'esprit.

M. Jourdain.   Que sont-elles, ces trois opérations de l'esprit?

Maître de philosophie.   La première, la seconde, et la troisième. La première est de bien concevoir. La seconde, de
15   bien juger; et la troisième de bien tirer une conséquence.

M. Jourdain.   Cette logique-là ne me plaît pas. Apprenons autre chose qui soit[5] plus joli.

Maître de philosophie.   Voulez-vous apprendre la morale?[6]

---

1. **N'avez-vous point quelques principes, quelques commence-ments des sciences?,** *Don't you have some beginnings, some rudiments of knowledge?* **Point,** frequently used in these lines, is not as emphatic in Molière as in contemporary French.

2. **Par où vous plaît-il que nous commencions?** *Where would you like us to start?*

3. **Voulez-vous que je vous apprenne,** *Do you want me to teach you.*

4. **Qu'est-ce que c'est cette logique?** *What's this logic stuff?*

5. **soit,** *would be.*

6. **apprendre la morale?** *to learn* (*about*) *ethics?* Notice that **apprendre** means both *to teach* and *to learn.*

M. Jourdain. La morale?

Maître de philosophie. Oui.

M. Jourdain. Qu'est-ce qu'elle dit, cette morale?

Maître de philosophie. Elle traite de la félicité, enseigne aux
hommes à modérer leurs passions, etc. 5

M. Jourdain. Non, laissons cela. Je suis irritable comme tous
les diables et je veux me mettre en colère tant qu'il me
plaira quand il m'en prend envie.[7]

Maître de philosophie. Est-ce la physique que vous voulez
apprendre? 10

M. Jourdain. Qu'est-ce qu'elle chante, cette physique?[8]

Maître de philosophie. La physique explique les principes
des choses naturelles, et les propriétés des corps, discourt de
la nature des éléments, des métaux, des minéraux, des
pierres, des plantes et des animaux, et nous enseigne les 15
causes de tous les météores,[9] l'arc-en-ciel, les comètes, les
éclairs, le tonnerre, la foudre, la pluie, la neige, la grêle, les
vents et les tourbillons.

M. Jourdain. Il y a trop de confusion là dedans.

Maître de philosophie. Que voulez-vous donc que je vous 20
apprenne?

M. Jourdain. Apprenez-moi l'orthographe.

Maître de philosophie. Très volontiers.

M. Jourdain. Après, vous m'apprendrez l'almanach, pour
savoir quand il y a de la lune et quand il n'y en a point. 25

Maître de philosophie. Soit.[10] Pour bien suivre votre pensée

---

7. **tant qu'il me plaira quand il m'en prend envie,** *as much as I
want when I feel like it.*

8. **Qu'est-ce qu'elle chante cette physique?** *And what is this physics all about?*

9. **météores,** *atmospheric phenomena.*

10. **Soit,** *Fine!*

et traiter cette matière en philosophe,[11] il faut commencer
selon l'ordre des choses, par une exacte connaissance de la
nature des lettres, et de la différente manière de les prononcer toutes. Et là-dessus j'ai à vous dire que les lettres
5 sont divisées en voyelles et en consonnes. Il y a cinq voyelles:
A, E, I, O, U.

M. Jourdain.   J'entends[12] tout cela.

Maître de philosophie.   La voyelle A se forme an ouvrant
fort la bouche: A.

10 **M. Jourdain.**   A, A. Oui.

Maître de philosophie.   La voyelle E se forme en rapprochant
la mâchoire d'en bas de celle d'en haut: A, E.

M. Jourdain.   A, E, A, E. Ma foi! oui. Ah! que cela est
beau![13]

15 **Maître de philosophie.**   Et la voyelle I en rapprochant encore
davantage les mâchoires l'une de l'autre, et écartant les
deux coins de la bouche vers les oreilles: A, E, I.

M. Jourdain.   A, E, I, I, I, I. Cela est vrai. Vive la science![14]

Maître de philosophie.   La voyelle O se forme en rouvrant
20 les mâchoires, et rapprochant les lèvres par les deux coins,
le haut et le bas: O.

M. Jourdain.   O, O. Il n'y a rien de plus juste. A, E, I, O, I,
O. Cela est admirable! I, O, I, O.

Maître de philosophie.   L'ouverture de la bouche fait juste-
25 ment comme un petit rond qui représente un O.

M. Jourdain.   O, O, O. Vous avez raison. O. Ah! c'est une
belle chose de savoir quelque chose!

Maître de philosophie.   La voyelle U se forme en rapprochant les dents sans les joindre entièrement, et allongeant

---

11. **en philosophe,** *like a philosopher.*
12. **J'entends,** *I understand.*
13. **que cela est beau!** *How beautiful!*
14. **Vive la science!** *Hurrah for learning!*

les deux lèvres en dehors, les approchant aussi l'une de l'autre sans les joindre tout à fait: U.

M. Jourdain. U, U. Il n'y a rien de plus véritable: U, U, U. Cela est vrai. Ah! pourquoi n'ai-je pas étudié plus tôt, pour savoir tout cela? Ah! mon père et ma mère, que je vous 5 veux de mal! [15]

Maître de philosophie. Demain, nous verrons les autres lettres, qui sont les consonnes. Je vous expliquerai à fond [16] toutes ces curiosités.

M. Jourdain. Ah! l'habile homme que vous êtes! et que j'ai 10 perdu de temps! [17] Mais il faut que je vous fasse une confidence.[18] Je suis amoureux d'une personne de qualité, une marquise, et je voudrais que vous m'aidiez à lui écrire quelque chose dans un petit billet que je veux laisser tomber à ses pieds. 15

Maître de philosophie. Fort bien.

M. Jourdain. Cela sera galant.

Maître de philosophie. Sans doute.[19] Est-ce que ce sont des vers que vous voulez lui écrire?

M. Jourdain. Non, non, point de vers.[20] 20

Maître de philosophie. Vous ne voulez que de la prose?

M. Jourdain. Non, je ne veux ni prose ni vers.

Maître de philosophie. Il faut bien que ce soit [21] l'un ou l'autre.

M. Jourdain. Pourquoi? 25

---

15. **que je vous veux de mal!** *how put out I am with you!*
16. **à fond,** *thoroughly.*
17. **que j'ai perdu de temps!** *what a lot of time I've wasted!*
18. **il faut que je vous fasse une confidence,** *I must let you in on a secret.*
19. **Sans doute,** *Naturally.*
20. **point de vers,** *no verse at all.*
21. **Il faut bien que ce soit,** *It has to be.*

Maître de philosophie. Par la raison, monsieur, qu'il n'y a pour s'exprimer que la prose ou les vers.

M. Jourdain. Il n'y a que la prose ou les vers?

Maître de philosophie. Oui, monsieur: tout ce qui n'est
5 point prose est vers; et tout ce qui n'est point vers est prose.

M. Jourdain. Et comme l'on parle, qu'est-ce que c'est donc que cela?

Maître de philosophie. De la prose.

M. Jourdain. Quoi? quand je dis: "Nicole, apportez-moi mes
10 pantoufles et donnez-moi mon bonnet de nuit" c'est de la prose?

Maître de philosophie. Oui, monsieur.

M. Jourdain. Par ma foi! il y a plus de quarante ans que je dis de la prose sans le savoir, et je vous suis le plus obligé
15 du monde de m'avoir appris cela. Je voudrais donc mettre dans un billet: *Belle marquise, vos beaux yeux me font mourir d'amour*; mais je voudrais le mettre d'une manière galante.

Maître de philosophie. Mettez que les feux de ses yeux
20 réduisent votre coeur en cendres; que vous souffrez nuit et jour pour elle les violences d'un . . .

M. Jourdain. Non, non, non, je ne veux point tout cela; je ne veux que ce que je vous ai dit: *Belle marquise, vos beaux yeux me font mourir d'amour.*

25 **Maître de philosophie.** Il faut bien étendre un peu la chose.[22]

M. Jourdain. Non, vous dis-je, je ne veux que ces seules paroles dans le billet; mais tournées à la mode, bien arrangées comme il faut.[23] Je vous prie de me dire un peu,
30 pour voir, les diverses manières dont[24] on peut les mettre.

---

22. **Il faut bien étendre un peu la chose,** *You really must stretch the thing out a bit.*

23. **bien arrangées comme il faut,** *properly arranged.*

24. **dont,** *in which.*

Maître de philosophie. On peut les mettre premièrement comme vous avez dit: *Belle marquise, vos beaux yeux me font mourir d'amour.* Ou bien: *D'amour mourir me font, belle marquise, vos beaux yeux.* Ou bien: *Vos yeux beaux d'amour me font, belle marquise, mourir.* Ou bien: *Mourir* 5 *vos beaux yeux, belle marquise, d'amour me font.* Ou bien: *Me font vos yeux beaux mourir, belle marquise, d'amour.*

M. Jourdain. Mais de toutes ces façons-là, laquelle est la meilleure?

Maître de philosophie. Celle que vous avez dite: *Belle* 10 *marquise, vos beaux yeux me font mourir d'amour.*

M. Jourdain. Ah! vous voyez, j'ai fait cela du premier coup [25] et cependant je n'ai jamais rien étudié. Je vous remercie de tout mon coeur, et vous prie de venir demain de bonne heure pour continuer la leçon. 15

EXPRESSIONS FOR STUDY

1. N'avez-vous point quelques principes, quelques commencements des sciences?

2. Par où vous plaît-il que nous commencions?

3. Voulez-vous que je vous apprenne la logique?

4. Qu'est-ce que c'est que cette logique?

5. Cette logique-là ne me plaît pas.

6. Apprenons autre chose qui soit plus joli.

7. Je veux me mettre en colère tant qu'il me plaira quand il m'en prend envie.

8. Qu'est-ce qu'elle chante cette physique?

9. Soit.

10. Pour traiter cette matière en philosophe, il faut commencer selon l'ordre des choses.

11. J'entends tout cela.

12. Que cela est beau!

---

25. **du premier coup,** *right off.* Note Molière's partiality to the common sense of M. Jourdain and his dislike of the affected complexities of the **maître.**

13. Vive la science!
14. Il n'y a rien de plus juste.
15. Vous avez raison.
16. C'est une belle chose de savoir quelque chose!
17. Ah! mon père et ma mère, que je vous veux de mal!
18. Je vous expliquerai à fond toutes ces curiosités.
19. Que j'ai perdu de temps!
20. Il faut que je vous fasse une confidence.
21. Sans doute.
22. Vous ne voulez que de la prose?
23. Il faut bien que ce soit l'un ou l'autre.
24. Il n'y a pour s'exprimer que la prose ou les vers.
25. Comme l'on parle, qu'est-ce que c'est donc que cela?
26. Il y a plus de quarante ans que je dis de la prose sans le savoir.
27. Il faut bien étendre un peu la chose.

28. Je ne veux que ces seules paroles, mais tournées à la mode, bien arrangées comme il faut.

29. Je vous prie de me dire les diverses manières dont on peut les mettre.

30. J'ai fait cela du premier coup et cependant je n'ai jamais rien étudié.

QUESTIONNAIRE

1. Quelle est la date de la comédie du "bourgeois gentilhomme"?
2. Pourquoi M. Jourdain engage-t-il un maître de philosophie?
3. Est-il entièrement sans éducation?
4. Quelles sont les trois opérations de l'esprit?
5. De quoi traite la morale?
6. Qu'est-ce qu'elle enseigne?
7. Pourquoi M. Jourdain ne veut-il pas l'étudier?
8. Quelle science veut-il étudier?
9. Prononcez *en français* les cinq voyelles.
10. A qui M. Jourdain veut-il écrire un billet?
11. Le veut-il en vers? en prose?
12. Quelle est la meilleure manière d'arranger les mots de son billet?

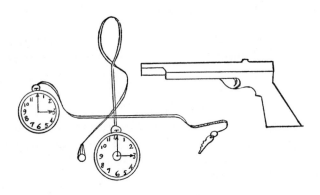

Le Voleur

Like the United States, France has its mystery and detective fiction. Some of these writings are of the popular type that first appears in newspapers. Others are the work of skilled literary craftsmen. This text has two stories that represent both levels of writings.

Le Voleur, immediately following, by Pierre Mille, a contemporary writer of considerable standing, has a surprise ending. Fumée de cigare, on page 142, by Prince Vladimir Bariatinsky, a Russian who wrote with equal facility in English, French, and Russian, was first published in Le Figaro, an important French daily. It is truly a mystery story, since the crime is never solved.

Both stories have been somewhat abridged and, in some instances, slight changes in language have been made.

Quand Marlis, qui avait dîné chez des amis, se trouva dans la rue, l'idée de rentrer chez lui sembla ridicule; le ciel était si pur, il sentait courir dans ses veines tant d'ardeur et de gaieté!

Tout le monde a éprouvé quelquefois dans la vie ces effets délicieux; en automne, le matin, quand on a eu le courage de se lever de bonne heure, et qu'[1] on a l'impression d'être aussi jeune, aussi fort, aussi joyeux que le jeune, le joyeux, le 5 vigoureux matin; après avoir entendu certaine musique; ou quand on est amoureux et heureux de l'être. Marlis se sentait extraordinairement léger, intelligent. Il descendit jusqu'à la Seine, plein de cet enthousiasme sans cause.

Comme il suivait les quais,[2] très content de lui-même, il 10 était conscient d'un homme qui approchait. Cet homme, en passant, tira soudain les mains de ses poches et les allongea vivement vers la poitrine de Marlis, qui sentit d'abord un choc brutal. Puis il eut la sensation de quelque chose d'arraché.[3] Et l'homme continua sa route, mais en courant à toutes 15 jambes. Marlis porta la main à son gilet; l'homme lui avait volé sa montre.

Les réactions physiques se font selon l'état où on se trouve. Marlis passa de la joie sans cause qui le pénétrait tout entier [4] à un besoin furieux d'action. Il avait un revolver dans la poche de 20 son pardessus. Son premier mouvement fut de le toucher. Puis il songea:

—Si je reste là, dans le clair de lune, l'homme me verra et je ne l'apercevrai pas. Il a dû se mettre du côté des [5] maisons, dans l'ombre. Il faut faire comme lui.

---

1. **qu'** is here the equivalent of **quand** and is used to avoid repetition.

2. **quais**, the streets along the river are frequently called **quais.** The same word is used in English (pronounced *key*).

3. **quelque chose d'arraché,** *something being snatched from him.*

4. **qui le pénétrait tout entier,** *which just a moment ago had filled him.*

5. **Il a dû se mettre du côté des,** *He must have put himself alongside the.*

Il traversa la rue et aperçut, déjà loin, son voleur qui courait toujours. Alors il se mit à sa poursuite, suivant le long des maisons afin de rester le plus possible caché. Tout à coup l'homme disparut. Son voleur avait dû s'abriter [6] dans l'embrasure d'une porte. 5

Marlis continua donc de courir. Il ne se trompait point, car l'homme, un peu plus loin, lui sembla sortir de l'ombre. C'était la même silhouette, le même chapeau, le même pardessus. Mais cette fois, il ne courait pas; il marchait comme quelqu'un qui n'a rien à se reprocher. Car un homme qui 10 court, n'est-ce pas? tout le monde le remarque.

Gagnant du terrain prudemment, Marlis se rapprocha. Le voleur allait la tête un peu basse, tranquillement, comme un honnête homme, absolument comme un honnête homme! Sans cesser de courir, Marlis tira son revolver, et le garda 15 derrière son dos. Il n'était plus qu'à quelques mètres de l'homme qui entendit sûrement quelque chose derrière lui, car il tourna un peu la tête. Marlis cessant de courir, il ne se douta de rien: [7] quelqu'un suivait le même chemin que lui, voilà tout. Marlis, marchant plus vite, le dépassa, puis se 20 retournant lui braqua le revolver entre les deux yeux, et prononça d'une voix qu'il voulait rendre tranquille, mais qui l' [8] étonna par l'accent sauvage qu'elle prit dans sa gorge:

—Allons,[9] cher monsieur, la montre! la montre, hein? Vous savez ce que je veux dire! 25

Et comme il prononçait ces mots, il distingua la figure de l'homme à la lueur d'un bec de gaz: une figure extrêmement pâle et terrifiée. Allons, allons, il n'y aurait pas besoin de se battre!

---

6. **avait dû s'abriter,** *must have taken shelter.*
7. **il ne se douta de rien,** *he suspected nothing.*
8. **l' = Marlis.**
9. **allons,** *come now!*

—La montre, avec sa chaîne, répéta Marlis. Dépêchez-vous, voyons! [10]

L'homme n'hésita plus. Il prit sa montre et sa chaîne et la tendit d'une main qui tremblait très fort.

5 —Ça va bien, dit Marlis gaiement. Nous n'avons plus rien à nous dire. Bonsoir!

Et il tourna le dos. L'homme ne le poursuivit pas. Marlis aperçut un taxi, le héla, monta et alluma un cigare.

—J'ai vaincu, j'ai vaincu! se disait-il. J'ai fait ma petite 10 affaire [11] tout seul, sans rien demander à personne. C'est un fier plaisir.

Arrivé chez lui, il entra dans sa chambre à coucher et se regarda dans une glace. Il lui parut qu'il était un autre, plus beau, plus grand, plus ferme sur ses pieds, avec une face 15 splendide, impérieuse, des yeux de maître à qui l'on ne résiste pas. Il regretta d'être seul. C'était vraiment dommage de n'avoir personne pour le voir.

A la fin, lentement, il commença de se dévêtir.

Il pensa à sa montre et la tira de son gilet.

20 C'était une montre d'or comme la sienne, une chaîne qui ressemblait à sa chaîne, mais ce n'était pas sa chaîne, ce n'était pas sa montre.

—Quoi! cria-t-il, quoi!

Il fallait [12] quelques secondes pour comprendre l'horreur de 25 l'aventure. L'homme qu'il avait poursuivi, qu'il avait menacé de son revolver, ce n'était pas l'homme qui lui avait volé sa montre! Il s'était trompé, il avait pris, à main armée, la montre d'un passant, d'un pauvre diable de passant!

---

10. **voyons,** *I tell you.* Exclamations such as **allons** and **voyons** have an infinite number of possible translations.

11. **J'ai fait ma petite affaire,** *I handled this affair.*

12. **Il fallait,** *It took.*

EXPRESSIONS FOR STUDY

1. Quand on a eu le courage de se lever de bonne heure, et qu'on a l'impression d'être aussi jeune que le jeune matin.

2. Quand on est amoureux et heureux de l'être.

3. Il eut la sensation de quelquechose d'arraché.

4. L'homme continua sa route, mais en courant à toutes jambes.

5. Les réactions physiques se font selon l'état où on se trouve.

6. Il a dû se mettre du côté des maisons.

7. Il se mit à sa poursuite, suivant le long des maisons.

8. Son voleur avait dû s'abriter dans l'embrasure d'une porte.

9. Il ne se trompait point.

10. Il marchait comme quelqu'un qui n'a rien à se reprocher.

11. Il n'était plus qu'à quelques mètres de l'homme.

12. Il ne se douta de rien.

13. Allons, cher monsieur, la montre!

14. Dépêchez-vous, voyons!

15. Ça va bien, dit Marlis.

16. Nous n'avons plus rien à nous dire.

17. J'ai fait ma petite affaire tout seul, sans rien demander à personne.

18. C'était vraiment dommage de n'avoir personne pour le voir.

19. Il fallait quelques secondes pour comprendre.

20. Il s'était trompé.

21. Il avait pris, à main armée, la montre d'un passant.

QUESTIONNAIRE

1. Où avait dîné Marlis?

2. Quel temps faisait-il?

3. Quelle heure était-il environ?

4. Comment se sentait Marlis?

5. Qu'est-ce qu'il suivait dans sa promenade?

6. Que fait l'autre homme après avoir volé la montre?

7. Marlis était-il sans défense?

8. Pourquoi traverse-t-il la rue?

9. Qu'est-ce que le voleur avait dû faire pour disparaître?

10. Quand sort-il de l'ombre?

11. Courait-il maintenant?

12. Que fait Marlis de son revolver?
13. De quelle voix parle-t-il?
14. Que dit-il à l'homme?
15. Que fait-il après avoir repris la montre?
16. Qu'est-ce qu'il pense en se regardant dans la glace?
17. Pourquoi fallait-il quelques secondes pour comprendre l'horreur
de ce qu'il avait fait?

La Conversion du soldat[1]

Brommit

As mentioned previously (*L'Esprit américain*), André Maurois is one of the outstanding men of letters in France today. He has achieved fame as a biographer, novelist, essayist, and lecturer. His familiarity with the American scene dates from 1927, but before this time he was the competent historian of England and English writers. During the first world war he was a liaison officer in the British army. His biographies *Ariel ou la vie de Shelley*, *La Vie de Disraëli*, *Dickens*, and *Byron* are ample evidence of his interest in England.

La Conversion du soldat Brommit is a less important contribution from this period of his life, but it serves to show the serious historian in a lighter and humorous vein. The story has been slightly shortened and only very occasionally modified in language.

---

1. **soldat**, *private*. The French word had both a general meaning as in the first line of the story (*soldier*) and a specific sense as here.

Le soldat britannique doit, en temps de paix, aller à l'église tous les dimanches. Quand vient l'heure du défilé, l'officier du jour² commande: "Rassemblement par religions!" et les hommes de l'Eglise d'Angleterre, les presbytériens, les catho-
5 liques sont conduits aux services. L'officier du jour surveille un des détachements; dans les autres le plus ancien sous-officier prend la tête. Pour beaucoup de soldats ce rassemblement du dimanche matin³ est la limite⁴ mais il n'y a pas moyen de l'éviter.

10 Le soldat Brommit était à l'armée depuis quinze ans. Il aimait assez chanter des hymnes, et quand le ministre⁵ parlait bien, il aimait même les sermons. En effet il était plus croyant que beaucoup d'autres soldats. Mais l'astiquage du dimanche matin le rendait fou! Et l'inspection avant le départ pour
15 l'église était très rigoureuse.

Un jour il se disait: "Brommit, mon ami, vous êtes stupide . . . Un soldat de quinze ans de service doit connaître tous les trucs du métier . . . Si vous ne pouvez pas vous arranger pour rester au lit tranquillement le dimanche matin, vous n'êtes pas
20 digne de vos chevrons."⁶

Mais il avait beau tourner et retourner la chose dans sa tête,⁷ il ne trouvait rien. Un jour, au bureau du sergent-major,

---

2. The officer of the day is in charge of camp routine.

3. **du dimanche matin,** *on Sunday mornings.* The definite article with a day of the week gives a plural meaning. This usage is frequent in this story.

4. It should be pointed out that the usual French for *That's the limit* is **Ça, c'est le comble** and that here Maurois' French is anglicized, perhaps deliberately, for its comic effect.

5. **ministre,** (*Protestant*) *minister.* In Catholic France the words **prêtre,** *priest,* or **prédicateur,** *preacher,* would be used.

6. **chevrons.** Since Brommit is a private, his chevrons are not a sign of rank but of years of service.

7. **il avait beau tourner et retourner la chose dans sa tête,** *no matter*

il voit au mur une liste: "Classement des hommes par religions.
Eglise d'Angleterre [8] . . . tant; presbytériens . . . tant; catho-
liques . . . tant." Mais ce qui attirait son attention c'était une
colonne: "Wesleyens [9] . . . zéro." Et tout d'un coup, il voyait
son affaire.[10]   5

C'est vrai qu'en Angleterre les Wesleyens ne sont pas très
nombreux. "Wesleyens . . . zéro." Donc, pas de sous-officier
wesleyen pour conduire à l'église des wesleyens futurs. Il n'y
avait même probablement pas de ministre wesleyen et pas
d'église dans la petite ville où l' [11] on était. Ou si cette petite 10
religion avait une église, on l'y enverrait tout seul. Mais un
détachement composé d'un seul homme peut toujours . . .[12]

Un seul scrupule le retenait. Ça devait être une affaire assez
sérieuse dans l'armée, un changement de religion. Il aurait
probablement à voir le vieux colonel lui-même et le colonel 15
n'était pas de ces gens que l'on peut aller trouver avec une
mauvaise excuse. Il fallait se renseigner sur cette religion dont
il ne savait rien. Ce qu'il découvrait était excellent. Wesley

---

how much he turned the thing over and over in his mind. The expression **avoir beau** (and an infinitive) is a mild form of sarcasm as when
one would say in English, *"You'll have a fine time doing that!"*

8. **Eglise d'Angleterre,** *Church of England* or *Anglican Church,*
the state church in England. Presbyterianism is the established church
in Scotland, and Catholicism the traditional religion in Ireland
(Southern Ireland was still united to England when this story was
written).

9. **Wesleyens,** *Wesleyans* or *Methodists.* John Wesley was an
eighteenth century English theologist and founder of the sect that
bears his name.

10. **il voyait son affaire,** *he found what he was after.*

11. **l',** the untranslated definite article used before **on** to keep vowel
sounds apart.

12. The unexpressed thought is, of course, *can always do what it
wants.*

avait prêché le retour à la pauvreté, à l'humilité, à la douceur
envers le prochain. Bref, c'était une honnête croyance et un
brave homme [13] pouvait y croire raisonnablement.

Alors il chercha une entrevue avec le colonel et y alla
5 accompagné de son sergent-major.

—Brommit, dit le colonel, assez aimable, vous avez une
réclamation à faire?

—Pas de réclamation, monsieur. Mais, j'ai demandé à vous
parler parce que je voulais dire, monsieur, que je désire changer
10 de religion.

—Changer de religion? dit-il. Qu'est-ce c'est que cette histoire-là? [14] De quelle religion êtes-vous donc?

—Eglise d'Angleterre, monsieur, mais je voudrais, à l'avenir,
être inscrit comme wesleyen.

15 —Mais qu'est-ce qui vous a fourré cette idée dans la tête,
mon garçon?

—C'est que j'ai cessé de croire à l'Eglise d'Angleterre, monsieur, voilà tout.

—Vous ne croyez plus? Qu'est-ce que vous connaissez en
20 matière de dogme?

—Oh! monsieur . . . bien des choses [15] . . . par exemple,
les évêques, je ne les approuve pas.

—Vous n'approuvez pas les évêques? Sergent-major, vous
entendez cet idiot? Où avez-vous observé les évêques,
25 Brommit?

—. . . c'est que Wesley était un homme splendide, monsieur.

Et sans laisser parler le colonel, Brommit commence à lui

---

13. **un brave homme,** *a normal man.* Before the noun, **brave** has a
great variety of meanings, none of them *brave.*

14. **Qu'est-ce que c'est que cette histoire-là?** *What nonsense is this?*

15. **bien des choses,** *many things.*

raconter tout ce qu'il avait appris au sujet de Wesley. Le colonel écoutait et comprenait qu'il n'y avait qu'un chemin à suivre.

—Ça va bien,[16] dit-il. Après tout, cela vous regarde,[17] mon garçon . . . Sergent-major, vous l'inscrirez comme wesleyen [5] . . . Brommit, vous reviendrez à mon bureau vendredi soir . . . Je vais parler au ministre wesleyen . . . Vous savez naturellement où il demeure?

—Non, monsieur, je ne le connais pas.

—Etrange, étrange. Mais cela ne fait rien.[18] Je le trouverai. [10] Vendredi soir, Brommit se présenta.

—Ah! pour vous, c'est arrangé, dit le colonel. J'ai vu le ministre wesleyen, le Révérend Short . . . Charmant homme. Vous irez aux services le dimanche matin, à neuf heures, et le dimanche soir, à six heures . . . Oui, deux services par jour. [15] Naturellement, si vous manquiez un service, le Révérend Short aurait l'obligeance de me le dire et, de mon côté, je prendrais les mesures nécessaires. Mais je ne sais pourquoi je vous dis cela. Un homme qui prend la peine de changer de religion à l'âge de trente ans, ne manque pas à l'église. Allez, ça va bien, [20] mon garçon.

Pauvre Brommit. Le dimanche suivant, il alla à l'église du Révérend Short qui fit un sermon sur toutes les choses auxquelles il fallait renoncer dans cette vie. Après le service le ministre pria Brommit de rester après les autres. Jusqu'à midi [25] il le harangua sur les obligations de sa nouvelle foi. Et il fallait y retourner le soir. Ce fut ainsi tous les dimanches. Une fois Brommit n'alla pas à l'église. Le ministre le signala [19] au

---

16. **Ça va bien,** *All right.*
17. **cela vous regarde,** *that's your business* (*not mine*).
18. **cela ne fait rien,** *no matter.*
19. **le signala,** *reported it.*

colonel qui le priva de paie pour huit jours.[20] Puis, la congrégation décida d'avoir des conférences [21] le vendredi soir, et,
avec l'autorisation du colonel, Brommit y alla et, comme converti, en fut le plus bel ornement.[22]

5 Après un mois, le soldat Brommit était épuisé. Il décida
d'affronter de nouveau le colonel plutôt que de subir les
rigueurs de sa nouvelle foi.

—Monsieur, dit-il au colonel, je suis fâché de vous ennuyer
encore une fois avec ma religion, mais ce wesleyanisme ne me
10 satisfait pas du tout. Ce n'est pas ce que j'avais espéré.

Le colonel le regardait d'un bon sourire.

—Ça va bien, Brommit. Et puis-je savoir quelle religion
établie a maintenant la faveur de votre adhésion?

—Eh bien! monsieur, . . . sans être athée, je me suis fait
15 une espèce de religion à moi [23] . . . si vous le permettez,
naturellement.

—Moi! Mais cela ne me regarde pas, mon garçon. Vous avez
vos croyances à vous,[24] c'est très bien. Elles ne comportent
pas l'obligation d'aller le dimanche dans un lieu de prières
20 public . . . et voilà tout . . . je comprends bien votre
pensée, n'est-ce pas?

—Oui, monsieur, tout à fait bien.

—Cela tombe admirablement,[25] Brommit. Voilà longtemps
que je cherche quelqu'un pour laver les escaliers, le dimanche,

---

20. **huit jours,** *a week.* In this unmathematical way of computing
a week, a Monday (for instance) is counted both at the beginning
and at the end of the time period.

21. **conférences,** *meetings.*

22. **comme converti, en fut le plus bel ornement,** *as a convert, was
the outstanding attraction.*

23. **une espèce de religion à moi,** *a kind of religion of my own.*

24. **vos croyances à vous,** *your own beliefs.*

25. **Cela tombe admirablement,** *This happens at an excellent time.*

pendant que les hommes sont à l'église . . . Sergent-Major,
vous inscrirez Brommit comme agnostique:[26] de corvée permanente d'escalier,[27] le dimanche matin.

EXPRESSIONS FOR STUDY

1. Le soldat britannique doit aller à l'église.
2. Le plus ancien sous-officier prend la tête.
3. Il n'y a pas moyen de l'éviter.
4. Le soldat Brommit était à l'armée depuis quinze ans.
5. Il avait beau tourner et retourner la chose dans sa tête.
6. Tout d'un coup, il voyait son affaire.
7. Ça devait être une affaire assez sérieuse.
8. Il fallait se renseigner sur cette religion dont il ne savait rien.
9. Vous avez une réclamation à faire?
10. Qu'est-ce que c'est que cette histoire-là?
11. Qu'est-ce qui vous a fourré cette idée dans la tête?
12. Bien des choses.
13. Ça va bien.
14. Cela vous regarde.
15. Cela ne fait rien.
16. De mon côté, je prendrais les mesures nécessaires.
17. Un homme qui prend la peine de changer de religion ne manque
pas à l'église.
18. Il fallait y retourner le soir.
19. La congrégation décida d'avoir des conférences le vendredi soir.
20. Brommit en fut le plus bel ornement.
21. Il décida d'affronter de nouveau le colonel.
22. Je me suis fait une espèce de religion à moi.
23. Cela ne me regarde pas, mon garçon.
24. Vous avez vos croyances à vous.
25. Elles ne comportent pas l'obligation d'aller le dimanche dans
un lieu de prières public.
26. Je comprends bien votre pensée, n'est-ce pas?

---

26. **agnostique,** *agnostic,* one who does not believe in religious doctrines.
27. **de corvée permanente d'escalier,** *permanent stair duty.*

27. Tout à fait bien.
28. Cela tombe admirablement, Brommit.
29. Voilà longtemps que je cherche quelqu'un.
30. De corvée permanente d'escalier, le dimanche matin.

QUESTIONNAIRE

1. Que fait le soldat britannique le dimanche?
2. Quels sont les trois détachements du régiment de Brommit?
3. Brommit aimait-il l'église?
4. Qu'est-ce qui le rendait fou?
5. Que veut-il faire le dimanche matin?
6. Y a-t-il beaucoup de méthodistes en Angleterre?
7. Y avait-il un ministre wesleyen dans la ville de Brommit? Une église wesleyenne?
8. Brommit se renseigne-t-il bien sur les wesleyens de la ville?
9. Qu'est-ce qu'il découvre de la religion wesleyenne?
10. Qui l'accompagne chez le colonel?
11. Pourquoi dit-il qu'il veut changer de religion?
12. Qu'est-ce qu'il n'approuve pas?
13. Quand est-ce que Brommit doit revenir chez le colonel?
14. Comment s'appelle le ministre wesleyen?
15. Combien de services y a-t-il le dimanche? A quelles heures?
16. Quel âge a Brommit?
17. Depuis combien d'années est-il à l'armée?
18. Qu'est-ce que le ministre signale une fois au colonel?
19. Comment Brommit est-il puni?
20. Combien de temps reste-t-il wesleyen?
21. Quelle est la nouvelle religion de Brommit?
22. Le colonel en est-il satisfait?
23. Qu'est-ce que le colonel cherche depuis longtemps?
24. Que doit faire Brommit tous les dimanches?

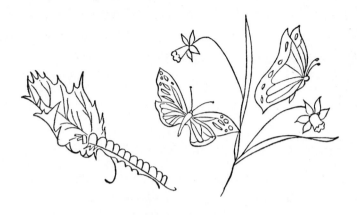

La Métamorphose

LA CHENILLE ET LE PAPILLON

(See page 31 for introduction. Paul and his two nephews are now examining mounted specimens of insects.)

Emile. —Et ce papillon provient de cette laide chenille?

Paul. —Oui, mon enfant. Tout[1] papillon, avant d'être la gracieuse créature qui vole de fleur en fleur avec de magnifiques ailes, est une misérable chenille. La plupart des insectes se comportent[2] comme les papillons. Au sortir de[3] l'oeuf, ils ont 5 une forme provisoire qu'ils doivent[4] remplacer plus tard par une autre. Ils naissent en quelque sorte[5] deux fois: d'abord

---

1. **Tout**, *Every.*   2. **se comportent**, *behave.*
3. **Au sortir de**, *Upon leaving.*
4. **doivent**, *are to.*
5. **Ils naissent en quelque sorte**, *They are born, so to say.*

imparfaits, lourds, voraces, laids; puis parfaits, agiles, et souvent d'une richesse, d'une élégance admirables.

Le merveilleux changement qui transfigure la larve en insecte parfait se nomme métamorphose. Les chenilles sont des larves.
5 Par la métamorphose, elles deviennent ces magnifiques papillons.

Chaque espèce d'insectes dépose ses oeufs avec une admirable prévoyance. Le petit être [6] qui sort de l'oeuf est une larve, un débile vermisseau, qui, le plus souvent, doit seul [7] se
10 procurer à ses risques et périls le vivre et le couvert, chose difficile en ce monde. En ses pénibles débuts, il ne peut attendre aucune aide de sa mère, morte le plus souvent; car, chez [8] les insectes, les parents meurent en général avant l'éclosion des oeufs.

15 Sans tarder, la petite larve se met au travail. Elle mange. C'est son unique affaire, affaire grave, d'où dépend l'avenir. Elle mange, non simplement pour soutenir ses forces, mais surtout pour acquérir l'embonpoint nécessaire pour la future métamorphose.

20 Il faut vous dire que le papillon ne grossit plus, une fois qu'il possède sa forme finale, sa forme parfaite. Le chat est d'abord une mignonne créature à nez rose.[9] En un mois ou deux, c'est un gentil minet. Encore un an, et c'est un matou, qui guette patiemment les souris. C'est tout autre chose [10] pour
25 les insectes. Le papillon n'est pas d'abord petit, puis moyen, puis grand. Lorsque, pour la première fois, il ouvre ses ailes et prend son vol, il possède toute la grosseur qu'il doit à jamais avoir.[11] Il y a de petits chats, mais il n'y a pas de petits

---

6. **être,** *being.* The infinitive is used as a noun.
7. **doit seul,** *must by itself.*
8. **chez,** *among.*
9. **à nez rose,** *with a pink nose.*
10. **C'est tout autre chose,** *It is entirely different.*
11. **Qu'il doit à jamais avoir,** *that it is ever to have.*

papillons. Après la métamorphose, l'insecte est tel qu'il doit rester jusqu'à la fin.

Seule la larve grandit. D'abord toute petite au sortir de l'oeuf, elle acquiert une grosseur en rapport avec[12] l'insecte futur, ce qui nécessite souvent plusieurs années. La larve vit 5 bien plus longtemps que l'insecte parfait. Le papillon vit une semaine ou deux peut-être, tout juste le temps[13] de pondre ses oeufs.

Emile. —Et puis?

Paul. —Et puis, elle meurt; son rôle est fini. Trois années 10 durant, trois longues années, elle reste sordide chenille, pour se transfigurer enfin en superbe papillon et jouir quinze jours des suprêmes fêtes de la vie.[14]

Emile. —Le papillon ne fait donc aucun mal?

Paul.—Aucun.[15] Il en est à peu près de même[16] pour la 15 plupart des insectes. Les dégâts qu'ils font à l'état parfait ne sont rien, ou sont très peu de chose par rapport aux[17] dégâts des larves, d'une vie plus longue et d'un vorace appétit. Les larves sont douées d'un incomparable appétit. Manger est leur unique affaire. Elles mangent de jour de nuit, souvent sans 20 discontinuer. Les unes s'attaquent aux plantes. D'autres ont un estomac assez robuste pour digérer le bois.

L'INSTINCT

(In this section Fabre is speaking of the caterpillar larva which lives in tree trunks and feeds on wood. In the next [*Le Cocon et la chrysalide*] it is a question of the leaf-eating species.)

---

12. **en rapport avec,** *in proportion to.*

13. **tout juste le temps,** *just enough time.*

14. **jouir quinze jours des suprêmes fêtes de la vie,** *to enjoy the superb festival of life for two weeks.*

15. **Aucun,** *None.*

16. **Il en est à peu près de même,** *It is approximately the same.*

17. **par rapport aux,** *in comparison with.*

Paul. —Examinez attentivement cette chenille. Sa peau est fine, mais ici, sur la tête, en ce point qu'on appelle crâne, elle possède une espèce de casque qui peut affronter impunément les âpretés du bois. La tête ouvre le chemin, elle est en con-
5 séquence défendue par une armure; le reste du corps suit et n'a pas besoin de cette enveloppe de corne.

Emile. —Je comprends: la bête[18] avance tandis que les pattes grattent et creusent.

Paul. —Non, mon ami: les pattes ne servent pas à creuser le
10 bois. La chenille en a huit paires. Les trois premières paires, ou les plus rapprochées[19] de la tête, ont une forme toute différente des autres. Elles sont fines et pointues. Ce sont elles qui, par la métamorphose, deviennent les pattes du papillon, mais en s'allongeant beaucoup et en prenant une autre forme. Les
15 quatre paires suivantes sont placées vers le milieu de corps, et la dernière paire est située tout à l'autre bout. Ces cinq paires disparaissent complètement quand la chenille est remplacée par le papillon.

Jules. —Avec quoi la chenille creuse-t-elle le bois?

20 Paul. —L'outil pour émietter le bois consiste en deux crocs noirâtres, l'un à droite, l'autre à gauche de la bouche, qui se rejoignent à la manière de tenailles.[20] On les nomme *mandibules*. Elles saisissent le bois, parcelle à parcelle, patiemment.

Jules. —Et les débris de bois, que deviennent-ils? Il me sem-
25 ble qu'ils doivent[21] empêcher l'animal d'avancer, puisque la galerie est si étroite.

Paul. —Ils passent par[22] le corps de la bête. Aussi le ver

---

18. **bête,** *creature.*

19. **les plus rapprochées de,** *the closest to.*

20. **qui se rejoignent à la manière de tenailles,** *which come together like pincers.*　　　21. **doivent,** *would.*

22. **Ils passent par,** *They pass through.* Since the English word *debris* is singular *It passes through* is better.

avance toujours,[23] mangeant, digérant. Quand on voit sortir
par un point de l'écorce, sur un pommier ou autres arbes, ce
résidu de la digestion, l'ennemi est à l'oeuvre. Si la chenille
n'est pas trop loin, on peut introduire un fil de fer pointu [24] et
tâcher de tuer la bête. Mais comme la galerie est très tortueuse, 5
ce moyen est loin de réussir toujours.

Jules. —Ne peut-on pas introduire le fil de fer par une seconde ouverture?

Paul. —Mais, mon petit ami, vous ne songez pas que la chenille a ses ruses et qu'elle se garde bien d' [25] ouvrir d'ici et de 10
là des fenêtres à son logis, pour faciliter l'attaque de ses ennemis. Tous les dangers, elle les sait ou plutôt elle les devine
vaguement, car toute créature, jusqu'au dernier [26] des vers, est
douée du savoir-faire que réclame [27] sa propre conservation et
surtout la conservation de sa race. L'animal n'a pas la raison 15
sans doute, cette haute prérogative de l'homme. Un autre, en
effet, a raisonné pour lui; c'est la Raison universelle; c'est Dieu.
L'animal sait donc sans avoir jamais appris.[28] Sans expérience
aucune, il fait admirablement ce qu'il est destiné à faire.
Cette inspiration infaillible qui le guide dans son travail, 20
s'appelle l'*instinct*.

Comment le papillon sait-il reconnaître les arbres dont le
bois convient aux [29] larves, lorsque nous-mêmes avons besoin
d'une certaine éducation pour distinguer les espèces les plus

---

23. **Aussi le ver avance toujours,** *So the worm keeps advancing.*
24. **introduire un fil de fer pointu,** *insert a pointed wire.*
25. **vous ne songez pas que la chenille a ses ruses et qu'elle se garde
bien d',** *you are forgetting that the caterpillar is clever and takes good
care not to.*
26. **jusqu'au dernier,** *even to the lowest.*
27. **que réclame,** *needed for.*
28. **sans avoir jamais appris,** *without having ever learned.*
29. **dont le bois convient aux,** *whose wood is suitable for.*

communes? La petite larve sort de l'oeuf. Par expérience, que sait-elle? Rien,[30] absolument rien. Mais elle attaque le bois, elle avance. La galerie s'allonge. Tout le bois est attaqué indifféremment. Une seule chose est respectée scrupuleusement:
5 c'est l'écorce. Comment la larve, travaillant dans une obscurité absolue, sait-elle que le bout de la galerie va toucher à l'écorce? Qui lui conseille de se tenir prudemment au coeur de bois? C'est l'instinct, la clairvoyante inspiration qui sauvegarde les créatures dans la lutte implacable de la vie.

LE COCON ET LA CHRYSALIDE

10   Paul. —Plus tôt ou plus tard, suivant[31] l'espèce, un jour vient où la larve se sent assez forte pour la métamorphose. Elle a mangé pour deux, pour elle et pour l'insecte. Maintenant il convient de[32] se retirer du monde et de se préparer un abri tranquille pour le sommeil, semblable à la mort, pendant
15 lequel se fait la seconde naissance. Il y a mille méthodes pour la préparation de la métamorphose.

Certaines larves s'abritent dans quelque ride d'une écorce, d'un mur, et s'y fixent par un cordon. C'est surtout dans la confection de la cellule de soie appelée cocon, que se montre
20 la haute industrie des larves.[33]

Le fil de soie leur sort de la lèvre inférieure.[34] Dans le corps de la chenille, la matière à soie[35] est un liquide, semblable à de la gomme. En s'écoulant par l'orifice de la lèvre, ce liquide

---

30. **Rien,** *Nothing.*
31. **suivant,** *according to.*
32. **Maintenant il convient de,** *Now is the fitting time.*
33. **que se montre la haute industrie des larves,** *that the high skill of the larvae is evident.*
34. **leur sort de la lèvre inférieure,** *comes from their lower lip.*
35. **matière à soie,** *silky matter.*

s'étire en fil, qui se colle aux fils précédents et durcit aussitôt. La tête de la chenille est dans un mouvement continuel. Elle avance, elle recule, elle monte, elle descend, elle va de droite et de gauche tout en laissant échapper de sa lèvre un menu fil qui finit par former une enveloppe continue autour de l'animal. 5 Enfin la chenille est retirée du monde, isolée, tranquille, pour la transfiguration qui bientôt va se faire.[36] Elle va devenir papillon. Quel moment solennel pour la chenille! Mais dites-moi, mon cher enfant, dans quel but est construit le cocon. 10

Emile. —Ce n'est pas bien difficile: la chenille se fait un cocon pour être tranquille chez elle,[37] et devenir papillon sans crainte d'être dérangée. Elle s'enferme pour se transformer en paix.

Paul. —C'est bien cela. Une fois enclose dans son cocon, la 15 chenille s'écorche douloureusement.[38] Que trouve-t-on alors dans la cellule de soie? Une autre chenille, un papillon? —Ni l'un ni l'autre. On trouve un corps en forme d'amande, arrondi par un bout, pointu par l'autre, et nommé *chrysalide*. C'est un état intermédiaire entre la chenille et le papillon. En une 20 vingtaine de [39] jours, si la température est propice, la chrysalide s'ouvre et s'échappe le papillon. Mais comment? La chenille a fait le cocon si solide, et le papillon est si faible.

Emile. —Avec les dents, le papillon ne peut-il pas déchirer le cocon? 25

Paul. —Mais, naïf enfant, il n'en a pas. Cependant, toute créature a ses ressources dans les moments difficiles de la vie. Le papillon va se servir de ses yeux.

---

36. **qui bientôt va se faire,** *which is about to take place.*
37. **pour être tranquille chez elle,** *to have a peaceful home.*
38. **s'écorche douloureusement,** *painfully sheds its skin. Painfully,* probably because slowly.
39. **En une vingtaine de,** *In about twenty.*

Jules. —De ses yeux?

Paul. —Oui. Les yeux des insectes sont recouverts de corne transparente et dure. Le papillon commence donc par humecter avec une goutte de salive le point du cocon qu'il veut
5 attaquer; et puis, appliquant un oeil sur l'endroit ainsi ramolli, il tourne sur lui-même. Le trou est fait, le papillon sort du cocon.

Emile. —Le papillon doit avoir bien cherché pour arriver à ce moyen ingénieux?

10 Paul. —Je vous le répète encore: le papillon ne cherche pas, ne réfléchit pas. Il sait immédiatement faire et bien faire ce qui le concerne. Un autre a réfléchi pour lui.

Emile. —Et qui?

Paul. —Dieu lui-même, Dieu, le grand savant qui a doué
15 chaque espèce de l'instinct nécessaire à sa conservation.

Tous les insectes à métamorphoses [40] passent par ces quatre états: *oeuf, larve, chrysalide, insecte parfait.* L'insecte parfait pond ses oeufs, et la série des transformations recommencent. C'est ce qu'on nomme *métamorphose complète.* Mais il y a
20 des espèces qui arrivent plus rapidement à leur forme finale, sans passer par tous ces états. Les sauterelles, les criquets, par exemple, ont au sortir de l'oeuf presque la forme de l'animal parfait. C'est là [41] la transformation qu'on appelle *métamorphose incomplète.*

EXPRESSIONS FOR STUDY

1. Tout papillon est une misérable chenille.
2. La plupart des insectes se comportent comme les papillons.
3. Au sortir de l'oeuf ils ont une forme provisoire qu'ils doivent remplacer.
4. Ils naissent en quelque sorte deux fois.

---

40. à **métamorphoses,** *that undergo metamorphosis.*
41. **C'est là,** *That is.*

5. Le petit être est une larve qui doit seul se procurer le vivre et le couvert.

6. Chez les insectes, les parents meurent en général avant l'éclosion des oeufs.

7. La petite larve se met au travail.

8. Il faut vous dire que le papillon ne grossit plus.

9. Le chat est une mignonne créature à nez rose.

10. C'est tout autre chose pour les insectes.

11. Il possède toute la grosseur qu'il doit à jamais avoir.

12. L'insecte est tel qu'il doit rester jusqu'à la fin.

13. Elle acquiert une grosseur en rapport avec l'insecte futur.

14. Le papillon vit tout juste le temps de pondre ses oeufs.

15. Pour jouir quinze jours des suprêmes fêtes de la vie.

16. Le papillon ne fait donc aucun mal? Aucun.

17. Il en est à peu près de même pour la plupart des insectes.

18. Les dégâts qu'ils font sont très peu de choses par rapport aux dégâts des larves.

19. Une espèce de casque qui peut affronter impunément les âpretés du bois.

20. Les pattes ne servent pas à creuser le bois.

21. Les crocs se rejoignent à la manière de tenailles.

22. Et les débris de bois, que deviennent-ils?

23. Ils doivent empêcher l'animal d'avancer.

24. Ils passent par le corps de la bête.

25. Aussi le ver avance toujours.

26. On peut introduire un fil de fer pointu.

27. Vous ne songez pas que la chenille a ses ruses.

28. Elle se garde bien d'ouvrir d'ici et de là des fenêtres.

29. Toute créature, jusqu'au dernier des vers, est douée du savoir-faire que réclame sa propre conservation.

30. L'animal sait donc sans avoir jamais appris.

31. Les arbres dont le bois convient aux larves.

32. Que sait-elle? Rien.

33. Suivant l'espèce, un jour vient où la larve se sent assez forte pour la métamorphose.

34. Maintenant il convient de se retirer du monde.

35. Le sommeil pendant lequel se fait la seconde naissance.

36. C'est surtout dans la confection de la cellule de soie que se montre la haute industrie des larves.

37. Ce liquide s'étire en fil.
38. La chenille se fait un cocon pour être tranquille chez elle.
39. C'est bien cela.
40. La chenille s'écorche douloureusement.
41. En une vingtaine de jours, la chrysalide s'ouvre.
42. Le papillon va se servir de ses yeux.

QUESTIONNAIRE

1. Quelle forme ont la plupart des insectes au sortir de l'oeuf?
2. Que deviennent, par la métamorphose, les larves?
3. Quand meurent en général les parents, chez les insectes?
4. Quelle est l'unique affaire de la larve?
5. Que devient le petit chat après un mois ou deux? après un an encore?
6. Le papillon devient-il plus grand, une fois qu'il possède sa forme finale?
7. Y a-t-il de petits papillons comme il y a de petits chats?
8. Combien de temps le papillon reste-t-il une chenille?
9. Combien dure la vie du papillon?
10. Combien de pattes a la chenille?
11. Comment creuse-t-elle le bois?
12. Qu'est-ce que l'animal n'a pas?
13. Qui raisonne pour lui?
14. Apprend-il par expérience?
15. Qu'est-ce que le cocon?
16. Comment se fait-il?
17. Dans quel but est-il construit?
18. La chenille a-t-elle des dents?
19. De quoi se sert-elle pour sortir de son cocon?
20. Quels sont les quatre états des insectes à métamorphose?
21. Les sauterelles passent-elles par tous ces états?
22. Qu'est-ce que la métamorphose incomplète?

Le Petit Prince

Le Petit Prince is perhaps the only French literary work of merit to have been both composed and first published (1943) in the United States. Its author, Antoine de Saint Exupéry (1900–1944), had been a pilot in the French Air Force during the second world war. After the fall of France in 1940 he eventually found refuge in the United States where he remained in and near New York until he was able early in 1943 to join a French wing of the American Air Force stationed in North Africa.

A rare combination of man of action, inventor, and man of letters Saint Exupéry became in the 1920's a professional pilot for various French commercial airlines which pioneered air mail, transoceanic flights, and the establishment of a network of airways in North Africa and South America. He acquired literary fame with his *Terre des hommes* (1939) which was also widely read in its English translation *Wind, Sand and Stars*. He took out numerous patents pertaining to aviation.

All of Saint Exupéry's seven major productions are noteworthy for their lack of plot and their philosophical speculation based upon episodes the author has experienced. *Le Petit Prince*, which the author especially liked, is in appearance a book for children.

But like La Fontaine's *Fables* or Maeterlinck's *L'Oiseau bleu* it is more for adults. As the book progresses, the childish tone is replaced by a growing seriousness. About the first sixth of the story is given below. The remainder is summarized at the end. Few literary works in the twentieth century have equalled this book for charm, simplicity of language, and quickness of communication with the reader.

The text is presented without alteration.

I

Lorsque j'avais six ans j'ai vu, une fois, une magnifique image, dans un livre sur la Forêt Vierge qui s'appelait "Histoires Vécues." [1] Ça représentait un serpent boa [2] qui avalait un fauve. Voilà la copie du dessin.

5   On disait dans le livre: "Les serpents boas avalent leur proie toute entière, sans la mâcher. Ensuite ils ne peuvent plus bouger et ils dorment pendant les six mois de leur digestion."

J'ai alors beaucoup réfléchi sur les aventures de la jungle et, à mon tour, j'ai réussi, avec un crayon de couleur, [3] à tracer mon
10 premier dessin. Mon dessin numéro 1. Il était comme ça:

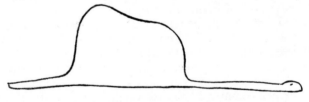

J'ai montré mon chef-d'oeuvre aux grandes personnes et je leur ai demandé si mon dessin leur faisait peur.

---

1. **"Histoires vécues,"** *"Real Life Stories."*
2. **serpent boa,** *boa constrictor.*
3. Of the original drawings by Saint Exupéry, reproduced by an American artist in this book, some were in color, some in black and white.

Elles m'ont répondu: "Pourquoi un chapeau ferait-il peur?"

Mon dessin ne représentait pas un chapeau. Il représentait un serpent boa qui digérait un éléphant. J'ai alors dessiné l'intérieur du serpent boa, afin que les grandes personnes puissent [4] comprendre. Elles ont toujours besoin d'explica- 5 tions. Mon dessin numéro 2 était comme ça:

Les grandes personnes m'ont conseillé de laisser de côté [5] les dessins de serpents boas ouverts ou fermés,[6] et de m'intéresser plutôt à la géographie, à l'histoire, au calcul et à la grammaire. C'est ainsi que j'ai abandonné, à l'âge de six ans, une magni- 10 fique carrière de peintre. J'avais été découragé par l'insuccès de mon dessin numéro 1 et de mon dessin numéro 2. Les grandes personnes ne comprennent jamais rien [7] toutes seules, et c'est fatigant, pour les enfants, de toujours et toujours leur donner des explications.   15

J'ai donc dû [8] choisir un autre métier et j'ai appris à piloter des avions. J'ai volé un peu partout [9] dans le monde. Et la géographie, c'est exact,[10] m'a beaucoup servi. Je savais recon-

---

4. **grandes personnes puissent,** *grown-ups (adults) might.* **Puissent** is the present subjunctive of **pouvoir.**

5. **de laisser de côté,** *to leave aside.*

6. **ouverts ou fermés.** The "*open*" drawings show, like a cross section, the insides of the boa constrictors; the "*closed*" are conventional-type drawings.

7. **ne comprennent jamais rien,** *never understand anything.*

8. **J'ai donc dû,** *So I had to.*

9. **un peu partout,** *almost everywhere.*

10. **c'est exact,** *it's true.*

naître,[11] du premier coup d'oeil, la Chine de l'Arizona. C'est très utile, si l'on s'est égaré pendant la nuit.

J'ai ainsi eu, au cours de ma vie, des tas de contacts avec des tas de gens sérieux. J'ai beaucoup vécu chez les grandes personnes. Je les ai vues de très près.[12] Ça n'a pas trop amélioré 5 mon opinion.

Quand j'en rencontrais une qui me paraissait un peu lucide,[13] je faisais l'expérience sur elle [14] de mon dessin numéro 1 que j'ai toujours conservé. Je voulais savoir si elle était vraiment compréhensive.[15] Mais toujours elle me répondait: 10 "C'est un chapeau." Alors je ne lui parlais ni de serpents boas, ni de forêts vierges, ni d'étoiles. Je me mettais à sa portée.[16] Je lui parlais de bridge, de golf, de politique et de cravates. Et la grande personne était bien contente de connaître un homme aussi raisonnable. 15

II

J'ai ainsi vécu seul, sans personne avec qui parler véritablement, jusqu'à une panne dans le désert du Sahara, il y a six ans.[17] Quelque chose s'était cassé dans mon moteur. Et comme

---

11. **reconnaître,** *distinguish.*

12. **de très près,** *from very close up.*

13. **lucide,** *intelligent.*

14. **elle** refers to the feminine word **personne** but should be translated as *him.*

15. **compréhensive,** *comprehending, alert.*

16. **Je me mettais à sa portée,** *I put myself within his reach,* or *I spoke his language.*

17. **il y a six ans,** *six years ago. Le Petit Prince* was published in 1943 and presumably started in 1941. Six years before the latter date, in 1935, Saint Exupéry set off on a flight from Paris to Indo-China but crashed in the Sahara desert. It is this event that he has utilized for the present story, changing, however, some of the factual details. He

je n'avais avec moi ni mécanicien, ni passagers, je me préparais à essayer de réussir,[18] tout seul, une réparation difficile. C'était pour moi une question de vie ou de mort. J'avais à peine de l'eau à boire pour huit jours.[19]

5   Le premier soir je me suis donc endormi à mille milles de toute terre habitée. J'étais bien plus isolé qu'un naufragé sur un radeau au milieu de l'océan. Alors vous imaginez ma surprise, au lever du jour, quand une drôle de [20] petite voix m'a réveillé. Elle disait:

10   —S'il vous plaît, dessine-moi un mouton! [21]

—Hein!

—Dessine-moi un mouton . . .

J'ai sauté sur mes pieds comme si j'avais été frappé par la foudre. J'ai bien frotté mes yeux. J'ai bien regardé. Et j'ai vu 15 un petit bonhomme tout à fait extraordinaire qui me considérait gravement. Voilà le meilleur portrait que, plus tard, j'ai réussi à faire de lui. Mais mon dessin, bien sûr, est beaucoup moins ravissant que le modèle. Ce n'est pas ma faute. J'avais été découragé dans ma carrière de peintre par les 20 grandes personnes, à l'âge de six ans, et je n'avais rien appris à dessiner, sauf les boas fermés et les boas ouverts.

Je regardais donc cette apparition [22] avec des yeux tout ronds d'étonnement. N'oubliez pas que je me trouvais à mille milles de toute région habitée. Or mon petit bonhomme ne me

---

was accompanied by a mechanic and after three days of intense suffering the two were rescued by Bedouins. The occurrence is fully treated in *Terre des hommes* (1939).

18. **réussir,** *accomplish.*

19. **huit jours,** *a week.*

20. **une drôle de,** *a comical.*

21. Notice in this line the use of both the second plural and the second singular forms of address, possibly an example of a child's confusion.

22. **apparition,** *person who had appeared so suddenly.*

semblait ni égaré, ni mort de fatigue, ni mort de faim, ni mort de soif, ni mort de peur. Il n'avait en rien [23] l'apparence d'un enfant perdu au milieu du désert, à mille milles de toute région habitée. Quand je réussis enfin à parler, je lui dis:

—Mais . . . qu'est-ce que tu fais là? 5

Et il me répéta alors, tout doucement, comme une chose très sérieuse:

—S'il vous plaît . . . dessine-moi un mouton . . .

Quand le mystère est trop impressionnant, on n'ose pas désobéir. Aussi absurde que cela me semblât [24] à mille milles 10 de tous les endroits habités et en danger de mort, je sortis [25] de ma poche une feuille de papier et un stylographe. Mais je me rappelai alors que j'avais surtout étudié la géographie, l'histoire, le calcul et la grammaire et je dis au petit bonhomme (avec un peu de mauvaise humeur) que je ne savais pas dessiner. Il me 15 répondit:

—Ça ne fait rien. Dessine-moi un mouton.

Comme je n'avais jamais dessiné un mouton je refis, pour lui, l'un des seuls dessins dont j'étais capable. Celui du boa fermé. Et je fus stupéfait d'entendre le petit bonhomme me 20 répondre:

—Non! Non! Je ne veux pas d'un éléphant dans un boa. Un boa c'est très dangereux, et un éléphant, c'est très encombrant. Chez moi c'est tout petit. J'ai besoin d'un mouton. Dessine-moi un mouton. 25

Alors j'ai dessiné:

---

23. **Il n'avait en rien,** *He had in no way.*
24. **semblât,** *seemed.* The imperfect subjunctive of **sembler.**
25. **sortis,** *took out.*

Il regarda attentivement, puis:
—Non! Celui-là est déjà très malade. Fais-en un autre.
Je dessinai:

Mon ami sourit gentiment, avec indulgence:
5 —Tu vois bien . . . ce n'est pas un mouton, c'est un bélier.
Il a des cornes . . .
Je refis donc encore mon dessin:

Mais il fut refusé comme les précédents:

—Celui-là est trop vieux. Je veux un mouton qui vive [26] long-temps.

Alors, faute de [27] patience, comme j'avais hâte de commencer le démontage de mon moteur, je griffonnai ce dessin-ci: 5

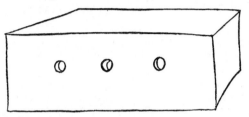

Et je lançai:[28]

—Ça, c'est la caisse. Le mouton que tu veux est dedans.

Mais je fus bien surpris de voir s'illuminer le visage de mon jeune juge:

—C'est tout à fait comme ça que je le voulais! Crois-tu 10 qu'il faille [29] beaucoup d'herbe à [30] ce mouton?

—Pourquoi?

—Parce que chez moi c'est tout petit . . .

—Ça suffira sûrement. Je t'ai donné un tout petit mouton.

Il pencha la tête vers le dessin: 15

—Pas si petit que ça . . . Tiens! [31] Il s'est endormi . . .

Et c'est ainsi que je fis la connaissance du petit prince.

III

Il me fallut [32] longtemps pour comprendre d'où il venait. Le petit prince, qui me posait beaucoup de questions, ne semblait jamais entendre les miennes. Ce sont des mots 20

---

26. **vive,** *will live.* Present subjunctive of **vivre.**
27. **faute de,** *for lack of, out of.*
28. **lançai,** *flung (at him these words).*
29. **faille,** *takes.* Present subjunctive of **falloir.**
30. **à,** *for.*   31. **Tiens!** *Look!*   32. **Il me fallut,** *It took me.*

prononcés par hasard qui, peu à peu, m'ont tout révélé. Ainsi, quand il aperçut pour la première fois mon avion (je ne dessinerai pas mon avion, c'est un dessin beaucoup trop compliqué pour moi) il me demanda:

5 —Qu'est-ce que c'est que cette chose-là?

—Ce n'est pas une chose. Ça vole. C'est un avion. C'est mon avion.

Et j'étais fier de lui apprendre que je volais. Alors il s'écria:

—Comment! tu es tombé du ciel!

10 —Oui, fis-je modestement.

—Ah! ça c'est drôle! . . .

Et le petit prince eut un très joli éclat de rire qui m'irrita beaucoup. Je désire que l'on prenne mes malheurs au sérieux.[33] Puis il ajouta:

15 —Alors, toi aussi tu viens du ciel! De quelle planète es-tu?

J'entrevis aussitôt une lueur, dans le mystère de sa présence,[34] et j'interrogeai brusquement:

—Tu viens donc d'une autre planète?

Mais il ne me répondit pas. Il hochait la tête doucement 20 tout en regardant mon avion:

—C'est vrai que, là-dessus,[35] tu ne peux pas venir de bien loin . . .

Et il s'enfonça dans une rêverie qui dura longtemps. Puis, sortant [36] mon mouton de sa poche, il se plongea dans la con-25 templation de son trésor.

Vous imaginez combien j'avais pu être intrigué par cette

---

33. **au sérieux,** *seriously.*

34. **J'entrevis aussitôt une lueur, dans le mystère de sa présence,** *Immediately I sensed the truth, about (concerning) the mystery of his presence.* (Literally, *I glimpsed immediately a light in.* . . .)

35. **là-dessus,** *on that.* The little prince does not understand that one flies *in* rather than *on* an airplane.

36. **sortant,** *taking out.*

demi-confidence sur "les autres planètes." Je m'efforçai donc
d'en savoir plus long: [37]

—D'où viens-tu mon petit bonhomme? Où est-ce "chez
toi"? Où veux-tu emporter mon mouton?

Il me répondit après un silence méditatif: 5

—Ce qui est bien, avec la caisse que tu m'as donnée, c'est
que, la nuit, ça lui servira de maison.

—Bien sûr. Et si tu es gentil, je te donnerai aussi une corde
pour l'attacher pendant le jour. Et un piquet.

La proposition parut choquer le petit prince: 10

—L'attacher? Quelle drôle d'idée!

—Mais si tu ne l'attaches pas il ira n'importe où,[38] et il se
perdra.

Et mon ami eut un nouvel éclat de rire:

—Mais où veux-tu qu'il aille! [39]   15

—N'importe où. Droit devant lui . . .

Alors le petit prince remarqua gravement:

—Ça ne fait rien, c'est tellement petit, chez moi!

Et, avec un peu de mélancholie, peut-être, il ajouta:

—Droit devant soi on ne peut pas aller bien loin . . .   20

IV

J'avais ainsi appris une seconde chose très importante:
C'est [40] que sa planète d'origine était à peine plus grande
qu'une maison!

Ça ne pouvait pas m'étonner beaucoup. Je savais bien qu'en

---

37. **Je m'efforçai donc d'en savoir plus long,** *So I tried to find out*
more.

38. **n'importe où,** *all over.*

39. **où veux-tu qu'il aille,** *where do you expect him to go.* **aille** is
present subjunctive of **aller.**

40. **C'est,** *This was.*

dehors des [41] grosses planètes comme la Terre, Jupiter, Mars,
Vénus, auxquelles on a donné des noms, il y a des centaines
d'autres qui sont quelquefois si petites qu'on a beaucoup de
mal à les apercevoir au téléscope. Quand un astronome
5 découvre l'une d'elles, il lui donne pour nom un numéro. Il
l'appelle par exemple: "l'astéroïde [42] 325."

J'ai de sérieuses raisons de croire que la planète d'où venait
le petit prince est l'astéroïde B 612. Cet astéroïde n'a été
aperçu qu'une fois au téléscope, en 1909, par un astronome
10 turc.

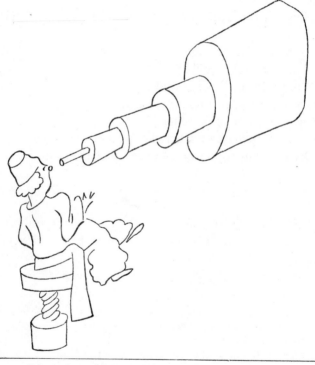

---

41. **en dehors des,** *in addition to.*
42. **astéroïde,** *asteroid, small planet.*

Il avait fait alors une grande démonstration de sa découverte à un Congrès International d'astronomie. Mais personne ne l'avait cru à cause de son costume. Les grandes personnes sont comme ça.

Heureusement pour la réputation de l'astéroïde B 612 un dictateur turc imposa à son peuple, sous peine de mort, de s'habiller à l'européenne.[43] L'astronome refit sa démonstration en 1920, dans un habit très élégant. Et cette fois-ci tout le monde fut de son avis.

---

43. **à l'européenne,** *in the European fashion.* The **dictateur turc** was Kemal Ataturk (1881–1938), also known as Mustafa Kemal. Although he became dictator in 1920 he did not become president of the first Turkish Republic until 1923 after which time he decreed most of his westernizing reforms.

Si je vous ai raconté ces détails sur l'astéroïde B 612 et si je vous ai confié son numéro, c'est à cause des grandes personnes. Les grandes personnes aiment les chiffres. Quand vous leur parlez d'un nouvel ami, elles ne vous questionnent jamais sur 5 l'essentiel. Elles ne vous disent jamais: "Quel est le son de sa voix? Quels sont les jeux qu'il préfère? Est-ce qu'il collectionne les papillons?" Elles vous demandent: "Quel âge a-t-il? Combien a-t-il de frères? Combien pèse-t-il? Combien gagne son père?" Alors seulement elles croient le connaître. Si vous dites 10 aux grandes personnes: "J'ai vu une belle maison en briques roses, avec des géraniums aux fenêtres et des colombes sur le toit . . ." elles ne parviennent pas à s'imaginer cette maison. Il faut leur dire: "J'ai vu une maison de cent mille francs." Alors elles s'écrient: "Comme c'est joli!"

15 Ainsi, si vous leur dites, "La preuve que le petit prince a existé c'est qu'il était ravissant, qu'il riait, et qu'il voulait un mouton. Quand on veut un mouton, c'est la preuve qu'on

existe," elles hausseront les épaules et vous traiteront d' [44] enfant! Mais si vous leur dites, "La planète d'où il venait est l'astéroïde B 612" alors elles seront convaincues, et elles vous laisseront tranquille [45] avec leurs questions. Elles sont comme ça. Il ne faut pas leur en vouloir.[46] Les enfants doivent être 5 très indulgents envers les grandes personnes.

Mais, bien sûr, nous qui comprenons la vie, nous nous moquons bien des [47] numéros! J'aurais aimé commencer cette histoire à la façon des contes de fées. J'aurais aimé dire:

"Il était [48] une fois un petit prince qui habitait une planète 10 à peine plus grande que lui, et qui avait besoin d'un ami . . ." Pour ceux qui comprennent la vie, ça aurait eu l'air [49] beaucoup plus vrai.

Car je n'aime pas qu'on lise mon livre à la légère.[50] J'éprouve tant de chagrin à reconter ces souvenirs. Il y a six ans déjà que 15 mon ami s'en est allé avec son mouton. Si j'essaie ici de le décrire, c'est afin de ne pas oublier. C'est triste d'oublier un ami. Tout le monde n'a pas eu un ami. Et je puis devenir comme les grandes personnes qui ne s'intéressent plus qu'aux chiffres. C'est donc pour ça encore que j'ai acheté une boîte 20 de couleurs et de crayons. C'est dur de se remettre au dessin, à mon âge, quand on n'a jamais fait d'autres tentatives que celle d'un boa fermé et celle d'un boa ouvert, à l'âge de six ans! J'essaierai, bien sûr, de faire des portraits le plus ressemblant possible.[51] Mais je ne suis pas tout à fait certain de réussir. 25

---

44. **vous traiteront d'**, *will call you a.*

45. **vous laisseront tranquille**, *will leave you alone, will not bother you.*

46. **Il ne faut pas leur en vouloir**, *You mustn't hold it against them.*

47. **nous nous moquons bien des**, *we don't care about.*

48. **Il était**, *There was.* 49. **aurait eu l'air**, *would have seemed.*

50. **on lise mon livre à la légère**, *my book be read lightly.*

51. **des portraits le plus ressemblant possible**, *as good likenesses as possible.*

Un dessin va,[52] et l'autre ne ressemble plus. Je me trompe un peu aussi sur la taille. Ici le petit prince est trop grand. Là il est trop petit. J'hésite aussi sur la couleur de son costume. Alors je tâtonne comme ci et comme ça, tant bien que mal.[53] Je me
5 tromperai enfin sur certains détails plus importants. Mais ça, il faudra me le pardonner. Mon ami ne donnait jamais d'explications. Il me croyait peut-être semblable à lui. Mais moi, malheureusement, je ne sais pas voir les moutons à travers les caisses. Je suis peut-être un peu comme les grandes personnes.
10 J'ai dû vieillir.[54]

For those curious to read the remainder in detail the text is available in an American school edition in French, as well as in an English translation. Subsequent to the part given here, the prince relates the various stages by which he reached the Earth, using a succession of minuscule planets as "stepping-stones." Each of these planets is inhabited by one solitary individual typifying successively the human failings of pride, vanity, intemperance, materialism, and pedantry, and also the aloneness of the individual—one of Saint Exupéry's most constant thoughts. Interwoven with the entire story is the affection of the prince for the one rose which grows on his own planet, symbolizing the centering of man's love on a single being who, no different from thousands of others, assumes an exclusive meaning through the creation of the bonds of love. In the highest sense, the prince stands for the fullest human values; his death, through the sting of a serpent, seems natural enough in a world which apparently does not cherish his kind. But through the prince, the author has had this inner world revealed to him and henceforth when, at night, the stars recall his departed friend, he finds that *"toutes les étoiles rient doucement,"* and re-create for him some of the essential meanings of existence.

---

52. **va,** *is good.*

53. **je tâtonne comme ci et comme ça, tant bien que mal,** *I grope in this direction and that, with indifferent success.*

54. **J'ai dû vieillir,** *I must have grown old.*

EXPRESSIONS FOR STUDY

1. Je leur ai demandé si mon dessin leur faisait peur.
2. J'ai alors dessiné l'intérieur du serpent boa afin que les grandes personnes puissent comprendre.
3. Les grandes personnes m'ont conseillé de laisser de côté les dessins de serpents boas ouverts ou fermés.
4. J'ai donc dû choisir un autre métier.
5. J'ai volé un peu partout dans le monde.
6. Et la géographie, c'est exact, m'a beaucoup servi.
7. Je savais reconnaître, du premier coup d'oeil, la Chine de l'Arizona.
8. C'est très utile, si l'on s'est égaré pendant la nuit.
9. Je les ai vues de très près.
10. Je faisais l'expérience de mon dessin numéro 1.
11. Je me mettais à sa portée.
12. J'ai ainsi vécu seul, jusqu'à une panne dans le désert, il y a six ans.
13. Je me préparais à essayer de réussir une réparation difficile.
14. J'avais à peine de l'eau à boire pour huit jours.
15. Vous imaginez ma surprise, au lever du jour, quand une drôle de petite voix m'a réveillé.
16. J'ai vu un petit bonhomme tout à fait extraordinaire.
17. Je regardais donc cette apparition avec des yeux tout ronds d'étonnement.
18. Il n'avait en rien l'apparence d'un enfant perdu.
19. Je sortis de ma poche une feuille de papier.
20. Ça ne fait rien.
21. Je fus stupéfait.
22. Chez moi c'est tout petit.
23. Je veux un mouton qui vive longtemps.
24. Faute de patience, je griffonnai ce dessin-ci.
25. Crois-tu qu'il faille beaucoup d'herbe à ce mouton?
26. Tiens! Il s'est endormi.
27. Il me fallut longtemps pour comprendre d'où il venait.
28. Qu'est-ce que c'est que cette chose-là?
29. Je désire que l'on prenne mes malheurs au sérieux.
30. J'entrevis aussitôt une lueur, dans le mystère de sa présence.

31. Il hochait la tête doucement.

32. C'est vrai que, là-dessus, tu ne peux pas venir de bien loin.

33. Sortant mon mouton de sa poche, il se plongea dans la contemplation de son trésor.

34. Je m'efforçai donc d'en savoir plus long.

35. Il ira n'importe où.

36. Mon ami eut un nouvel éclat de rire.

37. Où veux-tu qu'il aille.

38. Sa planète d'origine était à peine plus grande qu'une maison!

39. En dehors des grosses planètes, il y a des centaines d'autres.

40. On a beaucoup de mal à les apercevoir au téléscope.

41. Personne ne l'avait cru à cause de son costume.

42. Un dictateur turc imposa, sous peine de mort, de s'habiller à l'européenne.

43. Elles ne parviennent pas à s'imaginer cette maison.

44. Elles hausseront les épaules et vous traiteront d'enfant.

45. Elles vous laisseront tranquilles avec leurs questions.

46. Il ne faut pas leur en vouloir.

47. Les enfants doivent être très indulgents.

48. Nous nous moquons bien des numéros!

49. Il était une fois un petit prince qui habitait une planète à peine plus grande que lui.

50. Ça aurait eu l'air beaucoup plus vrai.

51. Je n'aime pas qu'on lise mon livre à la légère.

52. Il y a six ans déjà que mon ami s'en est allé.

53. Je puis devenir comme les grandes personnes qui ne s'intéressent plus qu'aux chiffres.

54. J'essaierai de faire des portraits le plus ressemblant possible.

55. Un dessin va, et l'autre ne ressemble plus.

56. Je me trompe un peu aussi sur la taille.

57. Je tâtonne comme ci et comme ça, tant bien que mal.

58. Il faudra me le pardonner.

59. J'ai dû vieillir.

QUESTIONNAIRE

1. Comment s'appelle l'auteur de Le Petit Prince?
2. Quelle était sa profession?
3. Que savez-vous de sa mort?

4. Que représente son dessin numéro un?
5. Où a-t-il vu l'original de ce dessin?
6. A qui a-t-il montré son dessin?
7. Qu'est-ce qu'on a répondu?
8. Que représente son dessin numéro 2?
9. L'auteur avait-il beaucoup de talent pour le dessin?
10. Quelle carrière a-t-il choisie?
11. Où se trouvait-il, il y a six ans?
12. Pourquoi était-ce une question de vie ou de mort?
13. Qu'est-ce qui l'a réveillé le premier matin?
14. Décrivez le Petit Prince.
15. Que demandait-il à l'auteur?
16. Qu'est-ce que l'auteur avait étudié?
17. Quelle est la différence entre un mouton et un bélier?
18. Où est le mouton, dans le dessin accepté par le Petit Prince?
19. D'où venait le Petit Prince?
20. Pourquoi le mouton n'aura-t-il pas besoin d'une corde?
21. Qui a découvert l'astéroïde B 612?
22. Pourquoi est-ce que personne ne l'a cru?
23. Comment refit-il sa démonstration en 1920?
24. Qu'est-ce que les grandes personnes aiment?
25. Pourquoi l'auteur essaie-t-il de décrire le Petit Prince?

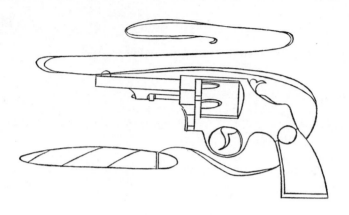

Fumée de cigare *

Il n'y a pas beaucoup de gens qui se souviennent encore de l'affaire Chernosselsky. Mais, en son temps, les journaux ne s'occupaient que d'elle.

L'intérêt exceptionnel provoqué par cette affaire provenait
5 du fait que l'on ne put jamais déterminer le coupable. Excepté ce détail, tout en elle était très banal. La voici en deux mots.

Un homme était venu, tard dans la soirée, chez Chernosselsky, vieux garçon et joyeux bon vivant.¹ L'aspect de cet homme était correct au point que le valet laissa le visiteur pénétrer
10 dans le salon sans même croire nécessaire de l'annoncer. Une demi-heure après un coup de revolver retentissait. Le valet, arrivé aussitôt, trouva l'inconnu étendu mort sur le tapis, et Chernosselsky debout, un verre de whisky-soda à la main. Le

* See page 143 for introduction.

---

1. **vieux garçon et bon vivant,** *old bachelor and man of the world* (*playboy*).

revolver encore fumant était sur le tapis aux pieds de Chernosselsky.

L'affaire suivit son cours. Police, médecins, tribunaux. Chernosselsky déposa que l'inconnu ayant tenté de l'assassiner, il lui avait arraché l'arme des mains et l'avait tué, se trouvant en 5 cas de légitime défense. Il fut démontré que Chernosselsky était incapable de faire du mal à son prochain; que le revolver avait été acquis par un acheteur inconnu qui ressemblait au défunt comme deux gouttes d'eau se ressemblent. Bref, la version de Chernosselsky avait été reconnue irréfutable, et 10 l'affaire fut terminée.

L'autre jour, j'entrai dans un petit cabaret, m'assis à une table, commandai du vin et me plongeai dans la lecture d'un journal. Après cinq minutes, j'eus la sensation d'un regard fixé sur moi, et, m'étant retourné,[2] j'aperçus à une table voisine, 15 Chernosselsky, âgé, et toujours avec son éternel cigare aux lèvres. Je passai à sa table et nous parlâmes des sujets les plus divers. Comme nous commencions à discuter sur un procès sensationnel, il dit:

—Eh! Dans ces choses-là il est bien rare qu'on apprenne la 20 vérité, mais là, la vérité.[3]

Et c'est ainsi qu'il parla du procès dont il avait été autrefois le vrai héros.

Ecoutez ce qu'il me raconta et de quelle façon se serait passée,[4] en réalité, l' "affaire Chernosselsky." 25

Chernosselsky était décidé, pour une fois, à passer la soirée chez lui, afin de savoir ce que c'était que la douce solitude.[5]

Il écrivit deux lettres, alluma un cigare et s'étendit sur un large canapé, un livre à la main.

---

2. **m'étant retourné,** *having turned around.*

3. **qu'on apprenne la vérité, mais là, la vérité,** *for one to learn the truth, really the truth.*

4. **se serait passée,** *is alleged to have happened.*

5. **ce que c'était que la douce solitude,** *what sweet solitude was.*

Quelque temps se passa. Tout à coup la porte s'ouvrit et un jeune inconnu se précipita dans le salon. Il referma la porte derrière lui, tira un revolver de sa poche et le braqua sur le maître.

5　　—Je sais que vous avez là-bas, dans le tiroir de votre bureau, une grosse somme d'argent . . .

—Vos renseignements sont parfaitement exacts, répondit Chernosselsky en rallumant son cigare éteint.

—Donnez-moi cet argent, ou je vous tue, ordonna l'inconnu 10 en brandissant son revolver.

—Votre demande ne correspond pas, à vrai dire, à mes intentions.

—Donnez-moi l'argent, ou je vous tue comme un chien . . .

—Pourquoi comme un chien? Cette comparaison est cou-15 rante, je le sais, mais je ne la trouve pas heureuse.

—Donnez-moi l'argent, répéta l'inconnu.

—Votre persévérance atteste votre énergie. Je vous envie, car je n'ai jamais eu cette qualité appréciable, même à l'époque— hélas! déjà lointaine—où j'étais jeune . . . A propos, quel âge 20 avez-vous?

—Vingt-trois ans, répondit machinalement l'inconnu.

—Vingt-trois ans, s'exclama Chernosselsky sur un ton de vive sympathie. Ah! le bel âge! Age des passions, de l'amour! Allons, confessez-vous! Je parie que vous êtes amoureux . . .

25　　—Cela ne vous regarde pas! répliqua rudement l'inconnu. Donnez-moi l'argent! M'entendez-vous? Donnez-moi l'argent ou, dans un instant, vous êtes mort!

—C'est entendu,[6] dit Chernosselsky, suivant de son regard les spirales de fumée qu'exhalait son cigare.[7] C'est entendu! 30 Mais si je vous donne cet argent, quel usage en ferez-vous?

---

6. **C'est entendu,** *All right.*

7. **qu'exhalait son cigare,** *which his cigar gave off.* Subject and verb are frequently inverted after the relative pronoun **que.**

—Encore une fois, cela ne vous regarde pas! . . .

—C'est qu' [8] il y a diverses façons de faire usage de l'argent. Tenez, jeune homme. Je vous regarde et voici le tableau que je vois: vous prenez mon argent ou c'est moi qui vous le donne. Vous sortez dans la rue avec ce trésor . . . Je ne vous poursuis 5 pas, car je reste sur ce canapé, à fumer mon cigare ou tué comme un chien, selon votre expression. Vous commencez par aller chez vous pour y cacher cet argent, mais vous en gardez une part pour vous, pour pouvoir commencer sans délai l'existence d'un homme riche . . . Est-ce vrai ce que je 10 dis?

L'inconnu acquiesça de la tête, Chernosselsky continua.

—Par quoi commencerez-vous cette nouvelle existence? Je vais vous le dire . . . Si vous n'êtes pas amoureux, vous vous enivrerez stupidement. Si vous êtes amoureux, vous ferez un 15 présent à votre bien-aimée. Ce cadeau sera sans doute cher et de mauvais goût: une broche grande comme une coquille d'huître, ou une robe de soie, mi-jaune, mi-verte . . .

Le personnage s'offensa.

—Pourquoi pensez-vous que si je fais un présent, il sera de 20 mauvais goût? demanda-t-il sévèrement mais en abaissant son revolver.

—Parce que, répondit Chernosselsky imperturbable, vous n'avez pas de goût, vous n'avez pas de compréhension de la vie. Cela est facile à voir, Vos vêtements sont assez à la mode, mais 25 vous ne savez pas les porter. Et il y a beaucoup d'autres choses . . . Comprenez-moi, jeune homme, vous n'avez pas ce je ne sais quoi . . .[9]

Le jeune homme baissa la tête.

—C'est absolument ce qu'*elle* dit, proféra-t-il avec tristesse. 30

---

8. **C'est qu'**, *In truth, You see.*

9. **vous n'avez pas ce je ne sais quoi,** *you don't have that certain something or other.*

—Vous voyez bien! insista Chernosselsky: et si *elle* le dit, c'est que cela est vrai. Et je dois vous faire observer que la personne de qui vous parlez . . . Excusez-moi, je ne connais pas son nom? . . .

5 —Caroline, dit le voleur avec un gros soupir.

—Que Caroline, continua Chernosselsky, est une femme d'un certain goût et que, par conséquent, vous avez peu de chance de lui plaire.

—Le croyez-vous? demanda le jeune homme d'une voix
10 triste.

—Sans aucun doute . . . Mais asseyez-vous, s'il vous plaît. Là, en face de moi, dans ce fauteuil.

—Vous êtes trop bon . . . Merci . . . Je peux rester debout.

15 —Comme il vous plaira, daigna condescendre Chernosselsky. Je disais donc que vous ne saviez pas vivre, car la beauté et le sens de la vie ne sont pas de votre compréhension. Vous ne saurez, avec l'argent que vous allez prendre, ni vous faire aimer d'une femme élégante, ni acquérir un beau tableau; vous ne
20 visiterez nul coin intéressant de notre planète . . . Et vous ne saurez commander un dîner fin, ni choisir une cravate distinguée.

Le voleur déposa le revolver sur le bureau et se couvrit le visage de ses deux mains. Mais Chernosselsky, de plus en plus
25 inspiré, continuait:

—Et vous voulez que je vous donne mon argent? . . . Vous êtes fou! Je serais non seulement un idiot, mais un criminel, si je le faisais! Vous donner cet argent ce serait encourager la débauche vulgaire et multiplier le nombre de bipèdes qui ne
30 savent pas vivre . . .

Chernosselsky s'interrompit pour exhaler de son cigare un nuage de fumée qui enveloppa le pitoyable cambrioleur.

—Autre chose encore, continua-t-il d'une voix basse: vous

avez menacé de me tuer. Croyez-vous, par hasard, que cela
m'effraie? Laissez-moi vous le dire, mon pauvre jeune homme,
j'ai pris de la vie tout ce qu'elle contient de beau; je la connais
bien; elle ne peut me réserver nulle surprise; tout ce qui pourrait
arriver désormais ne serait qu'une répétition de choses. Ce qui 5
m'intéresse beaucoup plus, c'est . . . la mort.

Chernosselsky prononça ce dernier mot d'une voix lugubre.
Le jeune homme fixa sur son interlocuteur un regard trouble.
Chernosselsky poursuivit, impitoyable:

—La mort, c'est le commencement d'une existence nouvelle 10
que je ne connais pas encore, et qui, à cause de cela même,[10]
m'intéresse . . . la mort nous libère des petits ennuis terrestres
—des créanciers, des coups de téléphone,[11] etc . . . Vous
voulez me tuer? . . . Mais allez-y donc![12] Prenez votre
revolver et tirez. Quant à mon argent, vous ne l'aurez pas, moi 15
vivant, car vous seriez incapable de le bien dépenser.
M'entendez-vous, pauvre échantillon de l'espèce humaine?

Sa tirade terminée, Chernosselsky, sans bouger de son
canapé, prit sur un guéridon un verre de whisky-soda et le vida
d'un trait.[13]   20

Après un court silence, le cambrioleur se décida à parler:

—Alors . . . selon vous . . . je ne saurais ni dépenser
l'argent d'une façon sensée, ni gagner l'affection de Caroline?

Ni l'un ni l'autre, dit Chernosselsky: une femme comme
Caroline ne peut pas aimer un homme comme vous . . . vous 25
pouvez me croire . . . je connais les femmes.

—Mais vous ne connaissez pas Caroline, objecta timidement
le cambrioleur.

—Ah! jeune homme! La croyez-vous différente?

---

10. **à cause de cela même,** *for that very reason.*
11. **coups de téléphone,** *telephone calls.*
12. **allez-y donc!** *go ahead then!*
13. **le vida d'un trait,** *emptied it with one gulp (swallow).*

—Si! je la crois telle . . .

—Eh bien! alors vous avez encore moins la chance de réussir. C'est tout.

Il y avait un silence, et Chernosselsky prit encore un verre
5 de whisky-soda.

L'homme reprit le revolver, et, le contemplant d'un air rêveur, dit:

—Etes-vous sûr que l' [14] on soit mieux dans l'autre monde?

—Je ne peux pas vous fournir de renseignements exacts mais
10 je le crois, répliqua Chernosselsky.

—Le jeune homme s'approcha de lui, le revolver à la main.

—Eh bien! j'ai décidé de mourir.

—Ceci est une question qui ne me regarde pas, répliqua Chernosselsky.

15 —. . . Mais je vous propose de me tuer, car je ne me sens pas la force de le faire moi-même.

—Pardon! répondit Chernosselsky, je ne suis pas un assassin, non!

—Néanmoins je veux mourir, et vous devez m'aider. Prenez
20 le revolver et tirez sur moi.

—Taisez-vous! répliqua Chernosselsky, étendant la main pour prendre son verre.

Mais le cambrioleur saisit son bras.

—Ecoutez-moi, dit-il d'un ton résolu: Si vous ne me tuez
25 pas, c'est moi qui vous tue. Choisissez. C'est mon dernier mot. Je vais compter jusqu'à dix. Après, l'un de nous sera mort. Je commence: un, deux, trois, quatre . . .

A ce point, Chernosselsky interrompit son récit.

—Et après? . . . Que s'est-il passé? [15] demandai-je.

---

14. l', this is the definite article, often used before **on** to keep vowel sounds apart. Do not translate it.

15. **Que s'est-il passé?** *What happened?*

Chernosselsky sourit.

—Après? vous le savez bien. *Il* est mort, et moi . . . eh! bien! moi, je suis encore de ce monde.

—Vous l'avez tué?

Chernosselsky sourit encore.   5

—Au revoir. Il est temps de partir.

Et il ralluma son éternel cigare, me fit un petit salut de la main et quitta le cabaret d'un pas alerte.

Resté seul, je méditai sur le récit de Chernosselsky.

«Un cas exceptionnel . . . Oui, sans doute! . . . Mais, 10 tout de même, tuer un homme! . . . D'autre part . . . Oui! mais en y réfléchissant bien . . . Cependant . . . Non! mais si . . . En admettant que . . . Chernosselsky a-t-il inventé toute cette histoire? . . . Mais peut-être qu'il n'a pas menti! . . .»   15

EXPRESSIONS FOR STUDY

1. Les journaux ne s'occupaient que d'elle.
2. Chernosselsky, vieux garçon et joyeux bon vivant.
3. Le valet, arrivé aussitôt, trouva l'inconnu étendu mort.
4. Chernosselsky était incapable de faire du mal à son prochain.
5. Je me plongeai dans la lecture d'un journal.
6. M'étant retourné, j'aperçus Chernosselsky.
7. A propos, quel âge avez-vous?
8. Cela ne vous regarde pas!
9. C'est entendu.
10. L'inconnu acquiesça de la tête.
11. Vos vêtements sont assez à la mode, mais vous ne savez pas les porter.
12. Vous n'avez pas ce je ne sais quoi.
13. Tout ce qui pourrait arriver désormais ne serait qu'une répétition.
14. Etes-vous sûr que l'on soit mieux dans l'autre monde?
15. Ceci est une question qui ne me regarde pas.
16. Vous devez m'aider.
17. Que s'est-il passé?

18. Il me fit un petit salut de la main et quitta le cabaret d'un pas alerte.

QUESTIONNAIRE

1. Quelle sorte d'homme était Chernosselsky?
2. Quel était l'aspect de son visiteur?
3. Qu'est-ce que le valet ne croit pas nécessaire?
4. Qu'est-ce qu'on entend une demi-heure plus tard?
5. Que trouva le valet?
6. Qu'est-ce que Chernosselsky dépose devant les tribunaux?
7. Qui avait acheté le revolver?
8. A-t-on accepté la version de Chernosselsky?
9. Où l'auteur rencontre-t-il Chernosselsky?
10. Qu'avait-il toujours aux lèvres?
11. Dans les procès sensationnels, qu'est-ce qui est rare?
12. Qu'est-ce que Chernosselsky était décidé à faire ce soir-là?
13. Qu'avait-il fait avant l'arrivée de son visiteur?
14. Qu'avait-il dans son bureau?
15. Qu'est-ce que l'inconnu demande à Chernosselsky?
16. Quel âge avait-il?
17. Qu'est-ce qui ne regarde pas Chernosselsky?
18. Que ferait le jeune homme de l'argent, s'il n'était pas amoureux? s'il l'était?
19. Qu'est-ce qu'il n'a pas?
20. De qui est-il amoureux?
21. Caroline est-elle amoureuse de lui?
22. Pourquoi Chernosselsky serait-il un idiot s'il donnait son argent à l'inconnu?
23. Chernosselsky a-t-il peur (selon lui) de la mort?
24. De quoi la mort est-elle le commencement?
25. Caroline est-elle différente?
26. Le jeune homme la croit-il différente?
27. Sur quoi est-ce que Chernosselsky ne peut pas fournir des renseignements exacts?
28. Quel choix le jeune homme offre-t-il maintenant à Chernosselsky?
29. A quel point Chernosselsky interrompt-il son récit?
30. Le croyez-vous? Pourquoi?

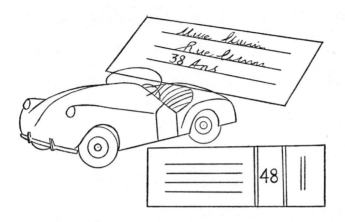

Le Billet de loterie [1]

This story was originally published in *Le Petit Parisien,* a Paris newspaper. Its author, Jean Bouvier, is not among the important names of French writing. Yet this story well illustrates the French talent of drawing the maximum entertainment from the relatively insignificant happening. Here the vanity of Mme Lerond and her reluctance to reveal her true age are the sources of a minor tragicomedy.

M. et Mme Lerond, anciens concierges [2] à Paris, s'étaient

---

1. Lotteries are legal in many European countries. They are frequently a profitable source of revenue for the government and are often used to promote the sale of government bonds. In this story a municipality is conducting the lottery, the profits to go to charity.

2. **anciens concierges,** *former concierges.* **ancien** varies in meaning as it precedes or follows the noun. **concierge** is untranslatable. In a small hotel or apartment house the **concierge** (male or female) is janitor, building superintendent, and general jack-of-all-trades.

retirés au village de Saint-Orthaire, dans les environs de Pont-sur-Soule,[3] pour y vivre de leurs rentes.[4]

Bien que [5] modestes, ces rentes leur suffisaient, car leurs goûts étaient simples, leurs désirs aussi, et la plus stricte 5 économie réglait leur budget.

Mme Lerond cachait cependant une ambition, celle d'acquérir une petite automobile, afin de se rendre plus aisément au marché de la ville voisine et de sortir plus souvent de son trou.[6]

10   Jugez de son émotion, quand elle apprit, un beau matin que cette ambition pouvait se réaliser . . .

Le *Journal du Cotentin* [7] annonçait une loterie organisée par la municipalité de Pont-sur-Soule, pour venir en aide aux pauvres du pays. Parmi les gros lots [8] se figurait une ravissante 15 petite auto à deux places,[9] ayant tous les perfectionnements modernes, exactement ce qu'elle désirait.

—Il faut tenter la chance, dit-elle à son mari. Les billets sont un peu chers, mais nous n'en prendrons qu'un seul.

L'ancien concierge objecta qu'avec un seul billet sur cin-20 quante mille, l'espoir d'un gain se réduisait presque à rien.

Mais sa femme assura:

—On a ou on n'a pas de chance. Moi, j'en ai. Ma confiance

---

3. These villages are fictional.

4. **rentes,** *income* (from investments and annuities). The French word for *rent* is **loyer.**

5. **Bien que,** *Although.*

6. **trou,** literally means *hole.* Here the sense is *humble home.*

7. **Cotentin** is the Normand peninsula which projects into the English Channel. It was at the base of this peninsula, on the eastern shore, that the Allied invasion of France occurred in 1944.

8. **gros lots,** *big prizes.*

9. **une ravissante petite auto à deux places,** *a stunning little two-seater.*

est entière. Je gagnerai l'auto, à une condition; celle de pouvoir choisir mon billet.

Et elle expliqua:

—Je n'ai pas joué souvent, parce que nos petits moyens ne le permettaient pas, mais souviens-toi qu'aux autres loteries, 5 j'ai toujours gagné le premier prix.

—C'est vrai, ma foi!

—Tu ne sais pas pourquoi? . . . Eh bien, voilà. Je prends toujours le numéro qui correspond à mon âge exact et ce numéro sort.[10] Si je procède autrement, il n'y a rien de fait.[11] 10 Tu me diras que c'est de la superstition, de la folie, . . . N'importe! [12]

—Je ne dirai rien du tout, répondit M. Lerond, mais pour choisir le numéro de ton âge: quarante-huit ans . . .

—Hélas! gémit Mme Lerond.   15

—Il faudrait d'abord pouvoir mettre la main dessus.[13]

—La chose ne me paraît pas si compliquée. Je suppose que M. Robin, le secrétaire de la mairie de Pont-sur-Soule, ton ami d'enfance, pourra sans doute nous rendre ce léger service . . . N'est-il pas chargé de la distribution des billets?   20

—Probablement . . .

—Alors, écris-lui tout de suite de m'en réserver le choix dans la première centaine. Je me rendrai à la ville sitôt sa réponse.[14]

Lerond écrivit sa lettre tout de suite. La réponse parvint par retour du courrier. Le secrétaire de la mairie attendait la visite 25 de Mme Lerond et la priait de ne pas tarder. Les demandes arrivaient déjà en grand nombre. On ne pouvait réserver trop longtemps une série de numéros de choix, sans risquer des

---

10. **sort,** *comes up, is drawn.*
11. **il n'y a rien de fait,** *nothing happens* or *I have no luck.*
12. **N'importe!** *I don't care!* or *No matter!*
13. **mettre la main dessus,** *to put one's hand on it.*
14. **sitôt sa réponse,** *as soon as his reply comes.*

reproches . . . Mme Lerond ne songeait pas à hésiter. Son espoir restait certain. Elle se voyait déjà en possession de l'auto et bâtissait mille projets sur l'usage qu'elle comptait en faire, le profit qu'elle voulait en tirer.

5   Sitôt arrivée [15] en ville, elle se rendit à la mairie et se fit introduire dans [16] le cabinet du secrétaire. M. Robin la reçut avec la plus grande politesse.

—Chère madame, lui dit-il, vous me trouvez très heureux de pouvoir vous donner satisfaction. Voici notre première liste 10 de billets. Remarquez bien que les numéros se succèdent de zéro à cinquante. Il ajouta en souriant:

—Inutile d'aller plus loin, n'est-il pas vrai?

—Pourquoi donc? demanda Mme Lerond.

Le secrétaire accentua son aimable sourire.

15   —Pardonnez-moi l'indiscrétion . . . Mon vieil ami Lerond m'a confié dans sa lettre votre secret désir. L'idée m'en a paru [17] fort originale . . . Une idée de jolie femme . . . Choisir le numéro qui correspond à son âge!

Mme Lerond rougit comme une pivoine. Cependant, M. 20 Robin concluait:

—Quel numéro désirez-vous?

—Le numéro trente-huit, prononça-t-elle avec un long soupir . . .

—Tous mes compliments et tous mes voeux, madame, dit 25 encore le secrétaire en remettant le billet.

Elle sortit de la mairie dans un état d'esprit impossible à décrire et repartit immédiatement pour Saint-Orthaire. Dès son arrivée, son mari lui demanda:

—As-tu bien choisi [18] ton numéro de loterie?

---

15. **Sitôt arrivée,** *As soon as she arrived.*
16. **se fit introduire dans,** *had herself ushered into.*
17. **L'idée m'en a paru,** *The idea of it seemed to me.*
18. **As-tu bien choisi,** *Did you make the right selection of.*

Elle haussa les épaules et négligea de lui répondre. Il ne s'en inquiéta pas, car il la savait d'humeur très changeante.

Les jours passèrent, Mme Lerond restait inquiète et mélancolique au grand étonnement de son mari. Cependant, elle ne lui faisait pas de confidence et s'il cherchait à parler de la loterie, elle détournait la conversation. Il en parla néanmoins parce que la confiance l'envahissait à mesure que se rapprochait la date du tirage.[19]

—C'est certain, affirma-t-il, le numéro gagnant l'auto m'apparaît en rêve et mes rêves ne m'ont jamais trompé.

A son tour, il bâtissait des projets et concluait:

—Pour le prix de ce billet, nous ferons sensation dans le pays.[20]

Le jour du tirage, M. Lerond attendit le journal avec une joyeuse impatience. Sa femme s'était retirée dans sa chambre, sous prétexte d'un affreux mal de tête. Il ne s'en étonna pas, car sur les tempéraments des femmes nerveuses, un excès de joie agit avec autant de violence qu'un gros chagrin. Le facteur lui apporta le *Journal du Cotentin* à l'heure habituelle. Il en déchira la bande, l'ouvrit, le parcourut des yeux et poussa un cri; le numéro 48 avait gagné l'auto. La chance avait été fidèle à Mme Lerond.

Sans hésiter, il se précipita dans la chambre de sa femme.

—Ça y est, ma chère amie.[21] Ton numéro est sorti . . .

Elle releva lentement son visage caché dans les coussins d'une chaise longue et jeta sur son mari un regard furieux.

—Imbécile, s'écria-t-elle.

---

19. **à mesure que se rapprochait la date du tirage,** *as the date of the drawing came nearer.*

20. **nous ferons sensation dans le pays,** *we will cut quite a dash in the region.*

21. **Ça y est, ma chère amie,** *You did it, my dear.* **ami(e)** is often a term of endearment between husband and wife.

L'ancien concierge en resta confus. Il insista néanmoins.

—Voici le journal . . . Regarde! . . . Le numéro 48 gagne l'auto.

—Inutile! Je n'ai pas gagné et c'est de [22] ta faute . . .

5 —De ma faute!

—Parfaitement! répéta-t-elle. Tu as écrit à M. Robin que je voulais parier sur mon âge . . . Alors, devant lui, au moment de choisir le billet, j'ai manqué de courage, je n'ai pas osé . . . J'ai voulu me rajeunir et j'ai pris le numéro 38, tout bêtement.

EXPRESSIONS FOR STUDY

1. M. et Mme Lerond, anciens concierges, s'étaient retirés au village de Saint-Orthaire pour y vivre de leurs rentes.

2. Bien que modestes, ces rentes leur suffisaient.

3. . . . afin de se rendre plus aisément au marché de la ville voisine.

4. Une loterie pour venir en aide aux pauvres du pays.

5. Il faut tenter la chance.

6. Nous n'en prendrons qu'un seul.

7. Avec un seul billet sur cinquante mille, l'espoir d'un gain se réduisait presque à rien.

8. On a ou on n'a pas de chance.

9. Je n'ai pas joué souvent.

10. Souviens-toi qu'aux autres loteries j'ai toujours gagné le premier prix.

11. Si je procède autrement il n'y a rien de fait.

12. N'importe!

13. Il faudrait d'abord pouvoir mettre la main dessus.

14. Je me rendrai à la ville sitôt sa réponse.

15. La réponse parvint par retour de courier.

16. Le secrétaire la priait de ne pas tarder.

17. Mme Lerond ne songeait pas à hésiter.

18. Sitôt arrivée en ville, elle se rendit à la mairie et se fit introduire dans le cabinet du secrétaire.

19. Les numéros se succèdent de zéro à cinquante.

---

22. **de ta faute,** (*because of*) *your fault.*

20. L'idée m'en a paru fort originale.

21. Dès son arrivée . . .

22. As-tu bien choisi ton numéro de loterie?

23. Il ne s'en inquiéta pas.

24. La confiance l'envahissait à mesure que se rapprochait la date du tirage.

25. Il le parcourut des yeux.

26. Il se précipita dans la chambre de sa femme.

27. Ça y est.

QUESTIONNAIRE

1. Que faisaient M. et Mme Lerond avant de se retirer?

2. Que font les concierges?

3. De quoi vivent maintenant les Lerond?

4. Comment est-ce que leurs modestes rentes suffisaient à leur nouvelle vie?

5. Quelle est l'ambition secrète de Mme Lerond?

6. Pourquoi désire-t-elle une auto?

7. Qu'est-ce qu'elle lit un jour dans le *Journal du Cotentin?*

8. Combien de personnes peuvent tenir dans une auto à deux places?

9. Pourquoi la loterie a-t-elle été organisée, et par qui?

10. Mme Lerond avait-elle pris des billets dans d'autres loteries?

11. Quel en était son système?

12. Ce système lui portait-il de la chance?

13. Quel âge a-t-elle maintenant?

14. De quoi M. Robin est-il chargé?

15. Quel service consent-il à faire pour M. Lerond?

16. Où se trouvait la mairie?

17. Combien de billets se trouvaient dans la première liste?

18. Pourquoi M. Robin dit-il qu'il est inutile d'aller plus loin?

19. Pourquoi Mme Lerond rougit-elle?

20. M. Lerond a-t-il montré beaucoup d'intelligence dans sa lettre?

21. Quel billet choisit Mme Lerond?

22. Pourquoi le choisit-elle?

23. Quelle est son humeur dans les jours suivants?

24. Quel numéro est sorti?

25. A-t-elle gagné l'auto?

26. A qui en est la faute?

Deux Paraboles de la

Sainte Bible

The French Bible has an intimate quality when compared with the King James Version of the English Bible. It seems less majestic and closer to the life of the reader. Most important from the standpoint of the American student, the language of the French Bible is simple, much simpler than that found in many of the other readings the student will find in this book and elsewhere. It is because of this linguistic simplicity that it has been possible to include these two parables, taken from the Gospel according to Saint Luke.

I LE BON SAMARITAIN[1]

Et voici qu'un docteur de la Loi,[2] s'étant levé, lui [3] dit pour
l'éprouver: "Maître, que ferai-je pour posséder la vie éternelle?"
Jésus [4] lui dit: "Qu'y a-t-il d'écrit dans la Loi? Qu'y lis-tu?"
Il répondit: "Tu aimeras le Seigneur ton Dieu de tout ton
coeur, de toute ton âme, de toutes tes forces et de tout ton 5
esprit, et ton prochain comme toi-même." Jésus lui dit: "Tu as
bien répondu, fais cela et tu vivras." Mais cet homme, voulant
se justifier,[5] dit à Jésus: "Et qui est mon prochain?" Jésus
reprit: "Un homme descendait de Jérusalem à Jéricho; il
tomba entre les mains des brigands, qui le dépouillèrent, et 10
l'ayant chargé de coups, se retirèrent, le laissant à demi-mort.
Or, il arriva [6] qu'un prêtre descendait par le même chemin; il
vit cet homme et passa outre. De même un Lévite,[7] étant venu
dans ce lieu, s'approcha, le vit et passa outre. Mais un Samaritain, qui était en voyage, arriva près de lui, et, le voyant, fut 15

---

1. The parable of *The Good Samaritan* teaches the doctrine of
fraternity by showing that every man is a "neighbor" and should be
accorded the same sympathy and compassion as those closest to us. A
Samaritan was an inhabitant of the city of Samaria in Palestine which,
in Biblical times, was the capital city of Israel. The Samaritans were
religious fundamentalists, whose strict interpretation of Scripture had
earned them the scorn of the other Jews. Thus, The Samaritan's good
act is all the more striking, coming from one held in low esteem.

2. **docteur de la Loi,** although the English translation is usually
lawyer, the more accurate meaning is *one learned in the Law. The Law*
here signifies *The Ten Commandments.*

3. **lui** refers to Jesus.

4. **Jésus,** the final s is not pronounced in French.

5. **voulant se justifier,** *wishing to win the argument* or, better, *still
argumentative.*

6. **il arriva,** *it happened.*

7. **Lévite,** *The Levites,* the descendants of Levi, were priests or
priests' helpers.

touché de compassion. Il s'approcha, banda ses plaies, après y avoir versé de l'huile et du vin; puis il le mit sur sa propre monture, le mena dans une hôtellerie, et prit soin de lui. Le lendemain, tirant deux deniers, il les donna à l'hôte et lui dit:
5 Aie soin de cet homme, et tout ce que tu dépenseras de plus, je te le rendrai à mon retour. Lequel de ces trois te semble avoir été le prochain de l'homme qui tomba entre les mains des brigands?" Le docteur répondit: "Celui qui a pratiqué la miséricorde envers lui." Et Jésus lui dit: "Toi aussi, va et fais
10 de même."

Evangile [8] selon S. Luc, Chapitre 10

II L'ENFANT PRODIGUE[1]

Il dit encore: [2] "Un homme avait deux fils. Le plus jeune dit à son père: Mon père, donne-moi la part du bien qui doit me revenir. Et le père leur partagea son bien. Peu de jours après, le plus jeune fils ayant rassemblé tout ce qu'il avait, partit pour
15 un pays lointain, et il dissipa son bien en vivant dans la débauche. Lorsqu'il eut tout dépensé, une grande famine survint dans ce pays, et il commença à sentir le besoin. S'en allant donc, il se mit au service d'un habitant du pays, qui l'envoya à sa maison des champs pour garder les pourceaux. Il
20 eût bien voulu [3] se rassasier des gousses que mangeaient les

---

8. **Evangile,** *Gospel.*

1. The dramatic quality in the parable of The Prodigal Son, with its conflict between the brothers, tends to outshine the moral purpose which is to show the forgiveness of sin following the sinner's repentance, and possibly also the return of a young man from a life of debauchery to one more creative.

2. The speaker is Jesus and the listeners are the Pharisees (another group of very orthodox Jews), the Scribes or lawyers, and a gathering of sinners.

3. **Il eût bien voulu = Il aurait bien voulu.**

pourceaux,[4] mais personne ne lui en donnait. Alors, rentrant en lui-même: [5] Combien de mercenaires de mon père ont du pain en abondance, et moi je meurs ici de faim! Je me lèverai et j'irai à mon père, et je lui dirai: Mon père, j'ai péché contre le ciel et envers toi; je ne mérite plus d'être appelé ton fils: 5 traite-moi comme l'un de tes mercenaires.

Et il se leva, et il alla vers son père. Comme il était encore loin, son père le vit, et tout ému, il accourut, se jeta à son cou, et le couvrit de baisers. Son fils lui dit: Mon père, j'ai péché contre le ciel et envers toi; je ne mérite plus d'être appelé ton 10 fils. Mais le père dit à ses serviteurs: Apportez la plus belle robe et l'en revêtez; [6] mettez-lui un anneau au doigt et des souliers aux pieds. Amenez aussi le veau gras et tuez-le; faisons un festin de réjouissance: car mon fils que voici était mort, et il est retrouvé. Et ils se mirent à faire fête.   15

Or, le fils aîné était dans les champs; comme il revenait et approchait de la maison, il entendit de la musique et des danses. Appelant un des serviteurs, il lui demanda ce que c'était. Le serviteur lui dit: Votre frère est arrivé, et votre père a tué le veau gras, parce qu'il l'a recouvré sain et sauf. Mais il 20 se mit en colère et ne voulut pas entrer. Le père sortit donc et se mit à le prier. Il répondit à son père: Voilà tant d'années que je te sers,[7] sans avoir jamais transgressé vos ordres, et jamais tu ne m'as donné, à moi, un chevreau pour festoyer avec mes amis. Et quand cet autre fils qui a dévoré ton bien 25

---

4. **que mangeaient les pourceaux,** note inversion of subject and verb.

5. **rentrant en lui-même,** *reflecting* or *searching his conscience.*

6. **l'en revêtez,** in older French, word order in the imperative differed from modern usage which would read **revêtez-l'en,** *clothe him in it.*

7. **Voilà tant d'années que je te sers,** *For so many years I have served you.*

avec des courtisanes, arrive, tu tues pour lui le veau gras! Le
père lui dit: Toi, mon fils, tu es toujours avec moi, et tout ce
que j'ai est à toi. Mais il fallait bien [8] faire un festin et se
réjouir, parce que ton frère que voilà était mort, et qu'il est
5 revenu à la vie; il était perdu, et il est retrouvé."

Evangile selon S. Luc, Chapitre 15

EXPRESSIONS FOR STUDY
I LE BON SAMARITAIN

1. Il arriva qu'un prêtre descendait par le même chemin.
2. De même un Lévite le vit et passa outre.
3. Un Samaritain, qui était en voyage, arriva près de lui.
4. Aie soin de cet homme.
5. Tout ce que tu dépenseras de plus, je te le rendrai.
6. Va et fais de même.

II L'ENFANT PRODIGUE

1. Donne-moi la part du bien qui doit me revenir.
2. Il commença à sentir le besoin.
3. S'en allant donc, il se mit au service d'un habitant du pays.
4. Personne ne lui en donnait.
5. Rentrant en lui-même: . . . moi je meurs ici de faim.
6. Tout ému, il . . . se jeta à son cou.
7. Apportez la plus belle robe et l'en revêtez.
8. Ils se mirent à faire fête.
9. Il se mit en colère.
10. Le père se mit à le prier.
11. Voilà tant d'années que je te sers.
12. Il fallait bien faire un festin et se réjouir.

The usual questionnaires have been omitted with these selections.

---

8. **il fallait bien,** *It was indeed required, We certainly should.*

Un Episode sous la Terreur

The student of elementary French feels the rewards of his language study when he is able to read the work of one of the great writers. The final selections are by two of the greatest French masters of story-telling, Balzac and Mérimée.

The novelist Honoré de Balzac (1799–1850) is the Shakespeare of French literature by the vastness and originality of his work, his gift for creation of character, and by his indifference to the accepted classical standards of disciplined form and expression. He grouped most of his work under the title of *The Human Comedy* (*La Comédie humaine*), comprising about one hundred novels and shorter tales of which the present *Episode* is one of the earliest.

It was first published anonymously under circumstances which can more properly be explained after you have read it, and which will be found described in a Concluding Note. In revising it subsequently to become part of *La Comédie humaine*, Balzac was careless of his dates, as you will see in the last notes to the text; however, the story gained much in intensity by its changed ending, and most readers will worry no more about the error in date than they would over clocks in Shakespeare's *Julius Caesar*.

163

Balzac uses the term **Terreur** very loosely. Historians generally date the Reign of Terror from the moment when the moderate, or Girondin, party lost its control over the *Convention nationale,* which had assumed all power after the declaration of the First Republic in April 1793; Robespierre then became virtual dictator. He represented the extremist Jacobin party, and worked with a *Comité du salut public,* which in English is usually called the *Committee of Public Safety,* though a better translation for *salut* would be *salvation,* implying rescue from great peril. The critical period of the ensuing Terror was reached when Robespierre— largely through the eloquent support of Danton—obtained the passage of decrees permitting seizure and conviction without accusation, legal process, or trial. This period ended with the fall and execution of Robespierre and his accomplices on July 27–28, 1794.

Like some other great novelists (such as Dostoïevski, Dickens and Defoe), Balzac lacked the graces of style, and his work suffers less than most by judicious cutting or editing. The original text has therefore been simplified and condensed by numerous small cuts and a few minor changes in the language. The footnotes should supply all the historical and linguistic help necessary.

Le 22 janvier 1793,[1] vers huit heures du soir, une vieille dame descendait, à Paris, une rue abrupte. Il avait tant neigé pendant toute la journée que les pas s'entendaient à peine.[2] Les rues étaient désertes. La crainte assez naturelle qu'inspirait [3]
5 le silence s'augmentait de toute la terreur qui faisait alors gémir la France: aussi [4] la vieille dame n'avait-elle encore

---

1. **Le 22 janvier 1793,** the day after the execution of Louis XVI.

2. **s'entendaient à peine,** *could scarcely be heard.* The same passive meaning for a reflexive is found just below in **s'augmentait.**

3. **qu'inspirait,** the subject follows; it is usually best to keep the same word order and translate passively, *inspired by.*

4. **aussi,** *so* (*consequently*)—usually followed by inversion of subject after the verb, as here. Compare English after *not only.* This construction occurs with almost excessive frequency throughout the story.

recontré personne; sa vue, aflaiblie depuis longtemps, ne lui
permettait pas d'apercevoir dans le lointain, à la lueur des
lanternes, quelques passants commes des ombres. Elle allait
courageusement seule à travers cette solitude, comme si son
âge devait[5] la préserver de tout malheur, mais elle crut dis- 5
tinguer le pas lourd et ferme d'un homme qui marchait derrière
elle. Elle s'imagina qu'elle n'entendait pas ce bruit pour la
première fois; elle s'effraya d'avoir été suivie, et tenta d'aller
plus vite encore afin d'arriver à une boutique assez bien éclairée,
espérant pouvoir vérifier à la lumière ses soupçons. Aussitôt 10
qu'elle se trouva dans le rayon de lueur[6] horizontale qui partait
de cette boutique, elle retourna brusquement la tête et vit une
forme humaine dans le brouillard; cette indistincte vision lui
suffit, elle chancela un moment sous le poids de la terreur qui
la saisit. Le désir d'échapper à un espion lui prêta des forces. 15
Incapable de raisonner, elle doubla le pas, comme si elle
pouvait échapper à un homme nécessairement plus agile
qu'elle. Après avoir couru pendant quelques minutes, elle
arriva à la boutique d'un pâtissier, y entra et tomba sur une
chaise placée devant le comptoir. Une jeune femme occupée à 20
broder leva les yeux, reconnut la mante de forme antique et de
soie violette dans laquelle la vieille dame était enveloppée, et
se hâta d'ouvrir un tiroir comme pour y prendre une chose
qu'elle devait lui donner. Non-seulement le geste et la physionomie de la jeune femme exprimèrent le désir de se 25
débarrasser promptement de l'inconnue, mais encore elle laissa
échapper une expression d'impatience en trouvant le tiroir

---

5. **devait,** *should, was supposed to.* (Same translation later in the
paragraph.)

6. **dans le rayon de lueur,** the reader with a clear visual imagination will note that this passage is not well conceived. She should have
looked into this patch of light after passing it; not from it. This is
"early Balzac."

vide; puis, sans regarder la dame, elle sortit précipitamment du comptoir, alla vers l'arrière-boutique, et appela son mari, qui parut tout à coup.

—Où donc as-tu mis . . . ? lui demanda-t-elle d'un air de 5 mystère en lui désignant la vieille dame et sans achever sa phrase.

Le pâtissier disparut après avoir jeté à sa femme un regard qui semblait dire: "Crois-tu que je vais laisser cela dans ton comptoir? . . ." Etonnée du silence et de l'immobilité de la 10 vieille dame, la marchande revint auprès d'elle; et, en la voyant, elle se sentit saisie d'un mouvement de compassion et peut-être aussi de curiosité. Il était facile de reconnaître qu'une émotion récente répandait sur la figure de cette dame une pâleur extraordinaire. Sa coiffure était disposée de manière à 15 cacher ses cheveux, sans doute blanchis par l'âge. Ses traits étaient graves. Autrefois, les manières et les habitudes de gens de qualité étaient si différentes de celles des gens appartenant aux autres classes, qu'on devinait[7] facilement une personne noble. Aussi[8] la jeune femme était-elle persuadée que 20 l'inconnue était de la noblesse, et qu'elle avait appartenu à la cour.

—Madame . . . ? lui dit-elle involontairement[9] et avec respect, en oubliant que ce titre était aboli.

La vieille dame ne répondit pas. Elle tenait ses yeux fixés 25 sur le vitrage de la boutique, comme si un objet effrayant y était.

---

7. **devinait**, *could guess* (do not confuse this verb, **deviner**, *to guess*, with the verbs **devoir** or **devenir**).

8. **Aussi**, as in note 4 above.

9. **involontairement**, *without thinking*, since the titles **Madame** and **Monsieur** had been abolished (**aboli**) with the declaration of the First Republic on 22 September 1792, **citoyen** and **citoyenne** (like the modern "*comrade*") were the only terms allowed.

—Qu'as-tu,[10] citoyenne? demanda le maître du logis, qui reparut aussitôt.

Le pâtissier tira la dame de sa rêverie en lui tendant une petite boîte de carton couverte en papier bleu.

—Rien, rien, mes amis, répondit-elle d'une voix douce.　　5

Elle leva les yeux sur le pâtissier comme pour lui jeter un regard de remercîment; mais, en lui voyant un bonnet rouge [11] sur la tête, elle laissa échapper un cri:

Ah! vous m'avez trahie! . . .

La jeune femme et son mari répondirent par un geste 10 d'horreur.

—Excusez-moi, dit l'inconnue alors avec une douceur enfantine.

Puis, tirant un louis d'or [12] de sa poche, elle le présenta au pâtissier:　　15

—Voici le prix convenu, ajouta-t-elle.

Il y a une pauvreté que les pauvres savent deviner. Le pâtissier et sa femme se regardèrent en se communiquant une même pensée. Ce louis d'or devait être le dernier. Les mains de la dame tremblaient en offrant cette pièce, qu'elle contemplait 20 sans avarice. La misère [13] était gravée sur cette figure. Il y avait dans ses vêtements des vestiges de magnificence: c'était de la soie usée,[14] des dentelles soigneusement raccommodées. Les marchands, placés entre la pitié et l'intérêt,[15] commencèrent par soulager leur conscience en paroles:　　25

---

10. **Qu'as-tu,** *What's the matter, What is disturbing you.*

11. **un bonnet rouge,** *a red stocking-cap,* symbol of the extremist Jacobin party which took complete control with the advent of the Reign of Terror in the spring of 1793.

12. **louis d'or,** gold piece approximately equal to one pound sterling 30 (or something less than $5 gold of that time).

13. **misère,** (*dire*) *poverty;* this word almost never describes a mental state as in English.

14. **usée,** *worn.*　　　　　　15. **intérêt,** *self-interest, greed.*

—Mais, citoyenne, tu parais bien faible . . .

—Madame aurait-elle besoin de prendre quelque chose? dit la femme en coupant la parole à son mari.

—Nous avons de bon bouillon, ajouta la pâtissier.

5 —Il fait si froid! Vous pouvez vous reposer ici et vous chauffer un peu.

—Nous ne sommes pas aussi noirs que le diable! s'écria le pâtissier.

Gagnée par l'accent de bonté qui animait les paroles des 10 charitables boutiquiers, la dame avoua qu'elle avait été suivie par un étranger, et qu'elle avait peur de revenir seule chez elle.

—Ce n'est que cela? dit l'homme au [16] bonnet rouge. Attends-moi, citoyenne.

Il donna le louis à sa femme; puis, à cause de cette espèce 15 de reconnaissance qui se glisse dans l'âme d'un marchand quand il reçoit un prix exorbitant d'une marchandise de médiocre valeur, il alla mettre son uniforme de garde national, et reparut sous les armes; mais sa femme avait eu le temps de réfléchir. Craignant de voir son mari dans quelque mauvaise 20 affaire, la femme du pâtissier essaya de l'arrêter; mais, obéissant à un sentiment de charité, le brave [17] homme offrit à la vieille dame de l'escorter.

—Il paraît que l'homme dont a peur la citoyenne est toujours devant la boutique, dit vivement la jeune femme.

25 —Je le crains, dit naïvement la dame.

—Si [18] c'était un espion? . . . N'y va pas . . .

Ces paroles, soufflées à l'oreille du pâtissier par sa femme, glacèrent le courage dont il était possédé.

—Eh! je vais lui dire deux mots, et vous en débarrasser!

---

16. **au,** *with the.*
17. **brave,** *worthy* or *good.*
18. **Si,** *What if.*

s'écria le pâtissier en ouvrant la porte et sortant avec précipitation.

La vieille dame, passive comme un enfant se rassit sur sa chaise. L'honnête marchand ne tarda pas à reparaître: son visage, assez rouge de son naturel, était subitement devenu 5 pâle; une si grande frayeur l'agitait, que ses jambes tremblaient et que ses yeux ressemblaient à ceux d'un homme ivre.

—Veux-tu nous faire couper le cou,[19] misérable aristocrate? . . . s'écria-t-il avec fureur. Ne reparais jamais ici.

En achevant ces mots, le pâtissier essaya de reprendre à [20] 10 la vieille dame la petite boîte qu'elle avait mise dans une de ses poches. A peine les mains du pâtissier touchèrent-elles ses vêtements, que l'inconnue, préférant les dangers de la route sans autre défenseur que Dieu, plutôt que de perdre ce qu'elle avait acheté, retrouva l'agilité de sa jeunesse: elle se précipita 15 vers la porte, l'ouvrit brusquement et disparut aux yeux de la femme et du mari, stupéfaits et tremblants. Aussitôt que l'inconnue se trouva dehors, elle se mit à marcher avec vitesse; mais elle entendit l'espion par lequel elle était impitoyablement suivie. Elle fut obligée de s'arrêter, il s'arrêta. Elle continua son 20 chemin en allant lentement; l'homme ralentit alors son pas de manière à rester à une certaine distance. Il semblait être l'ombre même de cette vieille femme. Neuf heures sonnaient. Il est dans la nature de toutes les âmes qu'un sentiment de calme succède à une agitation violente, car, si les sentiments 25 sont infinis, nos organes sont bornés. Aussi l'inconnue, n'éprouvant aucun mal de son prétendu persécuteur voulut-elle voir en lui un ami secret; il sembla alors à la dame de reconnaître en lui plutôt de bonnes que de mauvaises intentions.

---

19. **nous faire couper le cou,** *get us guillotined.*

20. **reprendre à,** *take back from;* the same use of **à = de** is found after **disparut** below.

Oubliant l'effroi que cet homme avait inspiré au pâtissier, elle avança donc d'un pas ferme. Après une demi-heure de marche, elle arriva à une vieille maison dans un des quartiers les plus déserts de tout Paris. Cet endroit désolé semblait être le lieu
5 de refuge naturel de la pauvreté et du désespoir. L'homme parut frappé du spectacle qui s'offrait à ses yeux. Il resta pensif, debout et dans une attitude d'hésitation. La vieille femme sentit ses terreurs se réveiller, et profita de l'espèce d'incertitude qui arrêtait cet homme pour se glisser, dans l'ombre, vers la
10 porte de la maison solitaire où elle disparut. L'inconnu, immobile, contemplait cette maison, qui présentait en quelque sorte le type des misérables [21] habitations de ce quartier.

La vieille femme monta avec de la peine [22] l'escalier rude; elle frappa mystérieusement à la porte du logement qui se
15 trouvait dans la mansarde, entra, et s'assit avec précipitation sur une chaise que lui présenta [23] un vieillard.

—Cachez-vous! cachez-vous! lui dit-elle. Quoique nous ne sortions que rarement, nos pas sont épiés . . .

—Qu'y a-t-il donc de nouveau? demanda une autre vieille
20 femme assise auprès du feu.

—L'homme qui rôde autour de la maison depuis hier [24] m'a suivie ce soir . . .

A ces mots, les trois habitants de ce logement misérable se regardèrent en laissant paraître sur leurs visages les signes d'une
25 terreur profonde. Le vieillard fut le moins agité des trois, peut-être parce qu'il était le plus en danger. Sous le poids d'un

---

21. **présentait . . . le type des misérables,** *was a model specimen of the poverty-stricken.*

22. **avec de la peine,** *with* (*serious*) *difficulty,* stronger than **à peine,** *hardly.*

23. **que lui présenta,** *offered her by,* as in note 3 above.

24. **depuis hier,** i.e., since the day of the King's execution (see note 1).

grand malheur ou de la persécution, un homme courageux
commence, pour ainsi dire, par faire le sacrifice de lui-même.
Les regards des deux femmes, attachés sur ce vieillard, laissaient
facilement deviner qu'il était l'unique objet de leur sol-
licitude.   5

—Pourquoi désespérer de Dieu, mes soeurs? dit-il. S'il m'a
sauvé jusqu'à ce moment, c'est sans doute pour me réserver à
une destinée que je dois accepter sans murmure. Dieu protège
les siens. C'est de vous, et non de moi, qu'il faut s'occuper.

—Non, dit l'une des deux vieilles femmes; qu'est-ce que 10
notre vie, en comparaison de celle d'un prêtre?

—Une fois hors de l'abbaye,[25] je me suis considérée comme
morte, dit celle des deux religieuses qui n'était pas sortie.

—Voici, reprit celle qui arrivait en tendant la petite boîte
au prêtre, voici les hosties . . .[26] Mais, s'écria-t-elle, j'entends 15
quelqu'un qui monte!

Tous les trois alors se mirent à[27] écouter . . . Le bruit
cessa.

—Ne vous effrayez pas, dit le prêtre, si quelqu'un essaye de
venir ici. Une personne sur la fidélité de laquelle nous pouvons 20
compter viendra chercher les lettres que j'ai écrites au duc de
Langeais[28] et au marquis de Beauséant, afin qu'ils vous

25. **abbaye,** *abbey* or *convent*, inhabited by **religieuses** (*nuns*).

26. ' **hosties,** *wafers* (of unleavened bread), to be consecrated at mass,
when they become the Host (proper meaning of **hostie,** though the
term is freely used for the unconsecrated wafer as here).

27. **se mirent à,** *began to* (from **se mettre à**).

28. **Langeais,** the family name of the lady (**Soeur Marthe**) who
went out on the errand; her companion (**Soeur Agathe**) is presumably
Mlle de Beauséant. All convents and religious orders were abolished in
February 1790, to consolidate the confiscation of Church property;
later a State or Revolutionary church, similar to those undertaken in
our days in Poland or Hungary by the Communists, was created in
November 1790 and all priests were banished if they refused to take

arrachent à cet affreux pays, à la mort ou à la misère qui vous y attendent.

—Vous ne nous suivrez donc pas? s'écrièrent doucement les deux religieuses en manifestant une sorte de désespoir.

5 —Ma place est là où il y a des victimes, dit le prêtre avec simplicité.

Elles regardèrent le prêtre avec admiration.

—Soeur Marthe, dit-il en s'adressant à la religieuse qui était allée chercher les hosties, ce messager répondra *Fiat voluntas*,[29] 10 au mot *Hosanna*.

—Il y a quelqu'un dans l'escalier! s'écria l'autre religieuse en ouvrant une cachette [30] faite sous le toit.

Cette fois, il fut facile d'entendre, au milieu du plus profond silence, les pas d'un homme. Le prêtre se mit péniblement dans 15 la cachette.

—Vous pouvez fermer, soeur Agathe, dit-il.

A peine le prêtre était-il caché, que [31] trois coups à la porte firent trembler les deux saintes filles, qui se consultèrent des yeux sans oser prononcer une seule parole. Elles paraissaient 20 avoir toutes deux une soixantaine d'années. Séparées du monde depuis quarante ans, accoutumées à la vie du couvent, on peut aisément se figurer [32] ce que les événements de la Révolu-

---

an oath of allegiance to this institution, an oath which would have been a violation of their vows as priests. Many such **prêtres non-asser-mentés** (*priests who had not taken the oath*), like the one in this story, were executed when caught practicing their religion. The most famous of the priests who took the oath was Talleyrand, prime minister under Napoleon and later under the kings of the Restoration.

29. *Fiat voluntas (**tua**),* (Latin) (*Thy*) *will be done,* from the Lord's prayer; the word *Hosanna* (Hebrew term of rejoicing) is used in the Psalms and frequently in the ritual of the Mass.

30. **cachette,** "priest's hole" as they were called after the suppression of Catholicism in England in the sixteenth century.

31. **A peine . . . que,** *Hardly . . . when.*

32. **on peut . . . se figurer,** *one can imagine.*

tion avaient produit dans leurs âmes innocentes. Incapables d'accorder leurs idées avec les difficultés de la vie, et ne comprenant même pas leur situation, elles ressemblaient à des enfants dont on avait pris soin jusqu'alors, et qui, abandonnés par leur providence maternelle, priaient au lieu de crier. Aussi, 5 devant le danger de ce moment, demeurèrent-elles muettes et passives, ne connaissant d'autre défense que la résignation chrétienne. L'homme qui demandait à entrer interpréta ce silence à sa manière, il ouvrit la porte et se montra tout à coup. Les deux religieuses tremblaient en reconnaissant le 10 personnage qui, depuis quelque temps, rôdait autour de leur maison; elles restèrent immobiles en le contemplant avec une curiosité inquiète. Cet homme était grand et gros; mais rien, dans son air ni dans sa physionomie, n'indiquait un méchant homme. Il imita l'immobilité des religieuses, et promena 15 lentement ses regards sur la chambre où il se trouvait.

Une seule table était au milieu de la chambre, et il y avait quelques assiettes, trois couteaux et un pain rond. Le feu de la cheminée était modeste. Quelques morceaux de bois, dans un coin, attestaient la pauvreté des deux recluses. Trois chaises 20 et une mauvaise commode complétaient l'ameublement de cette pièce.

L'inventaire fut bientôt fait par l'individu qui s'était introduit sous de si terribles auspices. Un sentiment de commisération se montra sur sa figure, et il jeta un regard de bonté 25 sur les deux filles, au moins aussi embarrassé qu'elles. L'étrange silence dans lequel ils demeurèrent tous trois dura peu, car l'étranger finit par deviner la faiblesse morale [33] et l'inexpérience des deux pauvres créatures, et il leur dit alors d'une voix douce: 30

—Je ne viens point ici en [34] ennemi, citoyennes . . . J'ai une grâce à réclamer de vous.

---

33. **morale,** refers in French rather generally to qualities of mind and character; **faiblesse morale,** *helplessness.* 34. **en,** *as an.*

Elles gardèrent toujours le silence.

—Si je vous importunais, parlez librement, . . . je me re-
tirerais; mais sachez que je vous suis tout dévoué; que, s'il y a
quelque bon office que je puisse vous rendre, vous pouvez
5 m'employer sans crainte, et que moi seul, peut-être, suis au-
dessus de la loi, puisqu'il n'y a plus de roi . . .³⁵

Il y avait un tel accent de vérité dans ces paroles, que la soeur
Agathe, dont les manières semblaient annoncer qu'elle avait
autrefois respiré l'air de la cour, se hâta d'indiquer une des
10 chaises comme pour prier leur hôte³⁶ de s'asseoir. L'inconnu
manifesta une sorte de joie en comprenant ce geste, et à son
tour il indiqua que les deux respectables³⁷ filles s'assoient
d'abord.

—Vous avez donné protection à un vénérable prêtre qui a
15 miraculeusement échappé aux massacres,³⁸ continua-t-il.

—*Hosanna!* . . . dit la soeur Agathe en interrompant
l'étranger et le regardant avec une inquiète curiosité.

—Il ne se nomme pas ainsi,³⁹ je crois, répondit-il.

—Mais, monsieur, dit la soeur Marthe, nous n'avons pas de
20 prêtre ici, et . . .

—Il faudrait alors avoir plus de soin, répliqua doucement
l'étranger en avançant le bras vers la table et y prenant un
bréviaire.⁴⁰ Je ne pense pas que vous sachiez le latin, et . . .

---

35. **moi seul . . . roi,** these mysterious words furnish a hint, rather
than a clue, to the rest of the story and to the identity of the stranger.

36. **hôte,** *guest.*

37. **respectables = vénérables,** as usual in French. The following
verb is subjunctive = *should sit down.*

38. **massacres,** the reference may be to the September massacres of
1792 when all the political prisoners—many of them priests or nuns
—in a number of Parisian prisons were torn to pieces by mobs.

39. **Il ne se nomme pas ainsi,** the visitor shows that he does not
recognize the password.

40. **bréviaire,** *breviary* (of psalms, prayers and devotions), in Latin,

Il ne continua pas, car l'émotion [41] extraordinaire qui se montra sur les figures des deux pauvres religieuses lui fit craindre d'être allé trop loin; elles étaient tremblantes.

—Rassurez-vous, leur dit-il; je sais le nom du prêtre et les vôtres, et, depuis trois jours, je suis instruit de votre détresse et de votre dévouement pour le vénérable abbé de . . . 5

—Chut! [42] dit naïvement soeur Agathe en mettant un doigt sur ses lèvres.

—Vous voyez, mes soeurs, que, si j'avais conçu l'horrible dessein de vous trahir, j'aurais déjà pu l'accomplir plus d'une 10 fois . . .

En entendant ces paroles, le prêtre sortit de sa prison et reparut au milieu de la chambre.

—Je ne saurais croire,[43] monsieur, dit-il à l'inconnu, que vous soyez un de nos persécuteurs. Que voulez-vous de moi? 15

La confiance du prêtre, la noblesse dans tous ses traits, auraient désarmé des assassins. Le mystérieux personnage contempla pendant un moment le groupe formé par ces trois êtres; puis il prit un ton de confidence et s'adressa au prêtre en ces termes: 20

—Mon père, je venais vous prier de célébrer une messe mortuaire [44] pour le repos de l'âme . . . d'un . . . d'une personne sacrée et dont le corps ne reposera jamais dans la terre sainte . . .[45]

---

in which a priest must read daily. Such readings are required of many nuns in teaching orders so the stranger's guess was not a "sure thing."

41. **émotion**, *consternation,* stronger than the English word.

42. **Chut!** *Hush!*

43. **je ne saurais croire**, *I can't believe.*

44. **messe mortuaire**, mass for the dead or requiem mass, asking *requiem aeternam* (Latin), eternal rest for the soul.

45. **dans la terre sainte**, *in consecrated (burial) ground,* traditionally a church yard. The body of Louis XVI was immediately consumed in quicklime to destroy its value as a relic for those to whom the King

Le prêtre frissonna involontairement. Les deux religieuses, ne comprenant pas encore de qui l'inconnu voulait parler, restèrent dans une attitude de curiosité. L'ecclésiastique examina l'étranger: une anxiété était peinte sur sa figure et ses 5 regards exprimaient d'ardentes prières.

—Eh bien, répondit le prêtre, ce soir, à minuit,[46] revenez, et je serai prêt à célébrer le seul service que nous puissions offrir en expiation du crime dont vous parlez . . .

L'inconnu tressaillit, mais une satisfaction tout à la fois 10 douce et grave parut triompher d'une douleur secrète. Après avoir respectueusement salué le prêtre et les deux saintes filles, il disparut. Deux heures après cette scène, l'inconnu revint, frappa discrètement à la porte, et fut introduit dans la seconde chambre du logement, où tout avait été préparé pour la 15 cérémonie. Les deux religieuses avaient apporté la vieille commode, dont les contours antiques étaient ensevelis sous un magnifique devant d'autel.[47] Un grand crucifix d'ébène et d'ivoire était attaché sur le mur jaune. Quatre petits cierges, que les soeurs avaient réussi à fixer sur cet autel improvisé, 20 jetaient une lueur pâle. Cette faible lumière éclairait à peine le reste de la chambre. Rien n'était moins pompeux, et cependant rien peut-être ne fut plus solennel que cette

---

would be **une personne sacrée.** This latter phrase is also a clue, since **sacrée** may be not only the adjective *sacred,* but the past participle of **sacrer,** *to crown* or *to consecrate.* A **Chapelle expiatoire** was erected by public subscription under the Restoration (from 1815 to its completion in 1826) over the spot where the bodies of Louis XVI and Marie Antoinette were discovered; an annual **messe expiatoire** has been offered there ever since on January 21.

46. **ce soir, à minuit,** the term **soir** is used very freely until bedtime or "lights out." The highly irregular service would at least be more orthodox if held in the morning, i.e., after midnight.

47. **devant d'autel,** *altar-cloth.*

cérémonie lugubre. Un profond silence répandait une sorte de majesté sombre sur cette scène nocturne. Enfin, la grandeur de l'action contrastait fortement avec la pauvreté des choses. De chaque côté de l'autel, les deux vieilles recluses, agenouillées, priaient avec le prêtre. Tout était immense, mais petit; pauvre, 5 mais noble; profane et saint tout à la fois. L'inconnu vint pieusement s'agenouiller entre les deux religieuses. Mais, tout à coup, il fut assailli d'un souvenir si puissant, que des gouttes de sueur se formèrent sur son large front.[48] Les quatre silencieux acteurs de cette scène se regardèrent alors mystérieusement. 10 Quatre chrétiens allaient intercéder auprès de Dieu pour un roi de France. C'était le plus pur de tous les dévouements, un acte étonnant de fidélité. Toute la monarchie était là, dans les prières d'un prêtre et de deux pauvres filles; mais peut-être aussi la Révolution était-elle représentée par cet homme dont 15 la figure trahissait trop de remords pour ne pas croire qu'il accomplissait un immense repentir.

La ferveur de l'inconnu était vraie. Aussi le sentiment qui unissait les prières de ces quatre serviteurs de Dieu et du roi fut-il unanime. Les paroles saintes retentissaient comme une 20 musique céleste au milieu du silence. Il y eut un moment où les pleurs gagnèrent[50] l'inconnu, ce fut au *Pater noster*.[51] Le prêtre y ajouta cette prière latine, qui fut sans doute comprise par l'étranger:

—*Et remitte scelus regicidis sicut Ludovicux eis remisit* 25

---

48. **large front,** *wide brow.*

49. **allaient intercéder,** *were about to offer their prayers*; in all such prayers it is assumed that the deceased's term of temporary expiation in purgatory will be shortened by the prayers of the living.

50. **gagnèrent,** *overcame.*

51. ***Pater noster*** (Latin), the *Our Father* or *Lord's prayer*, recited just before the Communion of the mass.

semetipse! [52] (Et pardonnez aux régicides comme Louis XVI leur a pardonné lui-même!)

L'inconnu frissonna en songeant qu'il pouvait encore commettre un nouveau crime [53] auquel il serait sans doute
5 forcé de participer. Quand le service funèbre fut terminé, le prêtre fit un signe aux deux religieuses, qui se retirèrent. Aussitôt qu'il se trouva seul avec l'inconnu, il alla vers lui d'un air doux et triste, puis il lui dit d'une voix paternelle:

—Mon fils, si vous avez trempé vos mains dans le sang du
10 roi martyr, confiez-vous à moi. Il n'y a pas de faute, qui, aux yeux de Dieu, ne soit [54] effacée par un repentir aussi touchant et aussi sincère que le vôtre.

Aux premiers mots prononcés par l'ecclésiastique, l'étranger laissa échapper un mouvement de terreur involontaire; mais il
15 reprit une contenance calme, et regarda avec assurance le prêtre étonné:

—Mon père, lui dit-il d'une voix visiblement altérée, nul n'est plus innocent que moi du sang versé . . .

—Je dois vous croire, dit le prêtre.
20 Il fit une pause pendant laquelle il examina encore son pénitent; puis, il reprit d'une voix grave:

—Songez, mon fils, qu'il ne suffit pas, pour être absous de ce grand crime, de n'y avoir pas coopéré. Ceux qui, pouvant défendre le roi, ont laissé leur épée dans le fourreau, auront un

---

52. **Et remitte . . . *semetipse*** (Latin), translated in the following line; it is an imitation of the Latin phrase from the Lord's prayer, **dimitte nobis debita nostra, sicut et nos dimittimus debitoribus nostris,** *forgive us our sins as we forgive those who have sinned against us.* The forgiveness of Louis XVI for his judges and executioners is a well-established fact. (See Concluding Note.)

53. **un nouveau crime,** presumably the execution of Marie Antoinette on 16 October 1793. (See Concluding Note.)

54. **ne soit = ne soit pas** (the **pas** is omitted in the second of two consecutive negative clauses).

compte bien lourd à rendre devant le Roi des cieux . . . Oh!
oui, ajouta le vieux prêtre en agitant la tête de droite à gauche
par un mouvement expressif, oui, bien lourd! . . . car, ils sont
devenus les complices invontaires de cet épouvantable
crime . . .   5

—Vous croyez, demanda l'inconnu stupéfait, qu'une partici-
pation indirecte sera punie? . . . Le soldat qui a été com-
mandé est-il donc coupable? . . .

Le prêtre demeura indécis. L'étranger vit dans l'hésitation
du prêtre une solution favorable à des doutes par lesquels il 10
paraissait tourmenté. Puis, pour ne pas laisser le vénérable
prêtre réfléchir plus longtemps, il lui dit:

—Je rougirais de vous offrir un salaire quelconque [55] du service funéraire que vous venez de célébrer [56] pour le repos de
l'âme du roi et pour l'acquit de ma conscience. On ne peut 15
payer une chose inestimable. Daignez donc accepter, monsieur,[57] le don que je vous fais d'une sainte relique . . .
Un jour viendra peut-être où vous en comprendrez la
valeur.

En achevant ces mots, l'étranger présentait à l'ecclésiastique 20
une petite boîte extrêmement légère; le prêtre la prit involontairement, pour ainsi dire, car la solennité des paroles de cet
homme, le ton qu'il y mit, le respect avec lequel il tenait cette
boîte, l'avaient plongé dans une profonde surprise. Ils
rentrèrent alors dans la pièce où les deux religieuses les 25
attendaient.

—Vous êtes, leur dit l'inconnu, dans une maison dont le

55. **salaire quelconque,** *remuneration of any kind,* such as is customary though never required when a mass is requested for a special
intention.

56. **venez de célébrer,** *have just celebrated.*

57. **monsieur,** under the ancien régime this was more common than
mon père (used above) in addressing a priest.

propriétaire, ce plâtrier qui habite le premier étage,[58] est célèbre dans la section par son patriotisme; [59] mais il est secrètement attaché aux Bourbons.[60] En ne sortant pas de chez lui, vous êtes plus en sûreté ici qu'en aucun lieu de la
5 France. Restez-y. Des âmes pieuses veilleront à vos besoins, et vous pourrez attendre sans danger des temps moins mauvais. Dans un an, au 21 janvier . . . (en prononçant ces derniers mots, il ne put dissimuler un mouvement involontaire), si vous adoptez ce triste lieu pour asile, je reviendrai célébrer avec vous
10 la messe expiatoire . . .

Il n'acheva pas. Il salua les muets habitants du logement, et il disparut.

Pour les deux innocentes religieuses, une semblable aventure avait tout l'intérêt d'un roman; aussi, dès que le vénérable abbé
15 les instruisit du mystérieux présent si solennellement fait par cet homme, la boîte fut-elle placée par elles sur la table, et les trois figures, inquiètes, faiblement éclairées par la chandelle, trahirent-elles une indescriptible curiosité. Mademoiselle de Langeais ouvrit la boîte, y trouva un mouchoir très fin, souillé
20 de sueur; et, en le dépliant, ils y reconnurent des taches.

—C'est du sang! . . . dit le prêtre.

—Il est marqué de la couronne royale! s'écria l'autre soeur.

Les deux soeurs laissèrent tomber la précieuse relique avec

---

58. **premier étage,** *first flight up,* or American *second floor.* Before the days of elevators, this was always the preferred floor, the ground floor in cities often being reserved for shops, for the caretaker, etc.

59. **section . . . patriotisme,** the Jacobins, who represented extreme jingoistic nationalism, popularized the term **patriote.** They divided Paris into sections, each under one of their own men as "commissar" or "gauleiter."

60. **Bourbons,** the branch or dynasty of the Capetian race (987 to the present) which ruled France from its most popular and perhaps greatest ruler, Henri IV, through Louis XVI (1589 to 1792) and again under the latter's two brothers from 1815 to 1830.

horreur. Pour ces deux âmes naïves, le mystère dont s'enveloppait l'étranger devint inexplicable; et, quant au prêtre, dès ce jour il ne tenta même pas de se l'expliquer.

Les trois prisonniers ne tardèrent pas à s'apercevoir,[61] malgré la Terreur, qu'une main puissante était étendue sur 5 eux. D'abord, ils reçurent du bois et des provisions; puis les deux religieuses devinèrent qu'une femme était associée à leur protecteur, quand on leur envoya des vêtements qui pouvaient leur permettre de sortir sans être remarquées par les modes aristocratiques des habits qu'elles avaient été forcées de porter; 10 enfin, le plâtrier leur donna deux cartes civiques.[62] Souvent, des avis nécessaires à la sûreté du prêtre lui parvinrent par des voies détournées. Malgré la famine qui pesa sur Paris, les proscrits trouvèrent à la porte de leur miserable maison des rations de pain blanc qui y étaient régulièrement apportées 15 par des mains invisibles; néanmoins, ils crurent reconnaître dans le plâtrier le mystérieux agent de cette bonté. Les nobles habitants du logement ne pouvaient pas douter que leur protecteur ne [63] fût le personnage qui était venu faire célébrer la messe expiatoire dans la nuit du 22 janvier 1793. Ils avaient 20 ajouté pour lui des prières spéciales dans leurs prières; soir et matin, ces âmes pieuses formaient des voeux pour son bonheur, pour sa prospérité, pour son salut, et priaient Dieu de le délivrer de ses ennemis et de lui accorder une vie longue et paisible. Les circonstances qui avaient accompagné l'apparition 25 de l'étranger étaient l'objet de leurs conversations, ils formaient mille conjectures sur lui. Ils se promettaient bien de ne pas laisser échapper l'étranger à leur amitié [64] le soir où il revien-

---

61. **ne tardèrent pas à s'apercevoir,** *soon noticed.*

62. **cartes civiques,** *identification cards,* testifying to their patriotism.

63. **ne,** after **douter** is not translated.

64. **ne pas laisser . . . amitié,** freely, *to give him ample proof of their friendship* (or *affection*).

drait, selon sa promesse, célébrer le triste anniversaire de la mort de Louis XVI. Cette nuit si impatiemment attendue arriva enfin. A minuit, le bruit des pas lourds de l'inconnu retentit dans le vieil escalier de bois; la chambre avait été parée
5 pour le recevoir, l'autel était dressé. Cette fois, les soeurs ouvrirent la porte d'avance. Mademoiselle de Langeais descendit même quelques marches.

—Venez, lui dit-elle d'une voix affectueuse, venez . . . on vous attend.

10 L'homme leva la tête, jeta un regard sombre [65] sur la religieuse et ne répondit pas; elle sentit comme un vêtement de glace tombant sur elle, et garda le silence. Les trois pauvres prisonniers, qui comprirent que cet homme voulait rester un étranger pour eux, se résignèrent.

15 L'inconnu entendit la messe et pria; mais il disparut, après avoir répondu par quelques mots de politesse négative à l'invitation que lui fit mademoiselle de Langeais de partager le petit souper préparé.

Après le 9 thermidor,[66] les religieuses et l'abbé purent aller
20 dans Paris, sans y courir le moindre danger. La première sortie du vieux prêtre fut pour un magasin de parfumerie, tenu par les citoyen et citoyenne Ragon, anciens parfumeurs de la cour, restés fidèles à la famille royale. L'abbé se trouvait sur le pas de

---

65. **un regard sombre.** The reader must assume that the imminence of Robespierre's downfall was already apparent to the visitor and that he feared to be involved in it; however, this did not occur in January but in July, and did not involve the visitor (see notes 66 and 68).

66. **le 9 thermidor** (Revolutionary calendar), 27 *July*, date of the actual execution of the accomplices of Robespierre, who followed them to the scaffold the next day. It is apparent that Balzac thinks of this date as falling in January, since the time in question must be immediately after 21 January to fit in with the other dates mentioned in the story. (See Introduction.)

la porte de cette boutique, quand une foule l'empêcha de sortir.

—Qu'est-ce? dit-il à madame Ragon.

—Ce n'est rien, répondit-elle, c'est la charrette [67] et le bourreau [68] qui vont à la place Louis XV. Ah! nous l'avons vu 5 bien souvent l'année dernière; mais, aujourd'hui quatre jours après l'anniversaire [69] du 21 janvier, on peut regarder cet affreux cortège sans chagrin.

—Pourquoi? dit l'abbé; ce n'est pas chrétien, ce que vous dites. 10

—Eh! c'est l'exécution des complices de Robespierre; ils vont à leur tour là où ils ont envoyé tant d'innocents.

La foule passa. Au-dessus des têtes, l'abbé, cédant à un mouvement de curiosité, vit, debout sur la charrette, celui qui, trois jours auparavant, écoutait sa messe. 15

—Qui est-ce, dit-il, celui qui . . .?

—C'est le bourreau, répondit M. Ragon.

—Mon ami, mon ami, cria madame Ragon, M. L'abbé se meurt! [70]

Et la vieille dame prit un flacon de vinaigre pour faire 20 revenir [71] le vieux prêtre évanoui.

—Il m'a sans doute donné, dit-il, le mouchoir avec lequel le roi s'est essuyé le front en montant l'échafaud . . . Pauvre

---

67. **charrette,** the *cart* carrying the condemned to the square which, since 1795, has been known as Place de la Concorde, the most beautiful in Paris or perhaps in the world. Originally named after its builder Louis XV, it was **Place de la Révolution** during the Terror.

68. **bourreau,** *executioner* (see Concluding Note). He is **debout,** standing in a position of authority because he is in charge of the prisoners from the time they leave their cells until their burial.

69. **quatre jours après l'anniversaire,** i.e., January 25; also see note 66.

70. **se meurt,** *has fainted.*

71. **faire revenir,** *revive.*

homme! . . . Le couteau d'acier a eu du coeur quand toute
la France en manquait! . . .

Les parfumeurs crurent que le malheureux prêtre avait
le délire.

Concluding Note

The reader will understand the advantage of postponing until
now a fuller explanation of the origin and background of this
celebrated tale, an explanation that is itself a fascinating story.
While the data cited below have for the most part been in print
for at least sixty years, they will not be found in other editions of
the *Episode*, French or American, and should interest the student
as well as the teacher.

Despite the preponderance of extraordinary characters in Balzac's
fiction, none was more truly extraordinary than the author himself,
whose life was lived on an almost constant level of melodrama. At
the time he wrote the *Episode* in 1829 or 1830 he had just gone
bankrupt in a printing venture and was still an obscure hackwriter
who published his works under a variety of pen names or
anonymously. In an effort to make some inroads on his debts with
a sensational "pot-boiler," he devised a set of *Mémoires sur la
Révolution*, signed by the name of the celebrated executioner of
Paris during the Terror, Charles-Henri Sanson. The memoirs,
which had no great success, are presumed to be spurious from
cover to cover, but in preparing them Balzac almost certainly con-
sulted the son and successor of Charles-Henri, Henri Sanson, who
lived until 1840.

Un Episode sous la Terreur was first published in 1830 as the
editor's introduction to these memoirs. Presented on this occasion
as historical fact rather than as fiction, the original narrative con-
cluded by relating how, many years after the Revolution, the priest
(identified as l'abbé Marolles) received a mysteriously urgent sick
call. On reaching the bedside of the dying man, l'abbé Marolles
was given the papers reproduced in the *Mémoires*. A few days later
he witnessed Sanson's funeral procession, which gave touching evidence of the high esteem in which the late *bourreau* was held by
his neighbors. Balzac may have got the first idea of the *Mémoires*

from the publication of Sanson's famous letter (see below) in the *Oeuvres complètes* (1826) of the greatest writer of the time, Chateaubriand, and from the completion that same year of the *Chapelle expiatoire* (see note 45 above).

The Sanson family were royal executioners in Paris (and in a number of other cities) from about 1688 until Charles-Henri's grandson was discharged for incompetence in 1847. Charles-Henri was born in 1739 and formally named to his post, in succession to his father, in 1778 by the very king whom he had to execute in 1793. There is documentary proof that he surrendered the post to his son Henri, for reasons of health, in 1795, and that he requested a pension from the Consulate on 25 January 1801. Despite his awful importance during the Revolution, little is positively known of him beyond these facts, and most other accounts reflect legends which may or may not be true but are unsupported by documentary evidence. There is no record of his death.

One clearly established fact is that he wrote a letter to a Parisian newspaper, shortly after the execution of Louis XVI, sharply correcting the unfavorable interpretation that a previous letter had made of the King's behavior on the scaffold. Sanson not only praised in every respect the dignity and courage of the King, but quoted his last words of forgiveness, and closed his letter by ascribing this courage and dignity entirely to the King's religious faith. Written and published at the height of a wave of fanatically anti-Christian feeling among the Jacobin revolutionaries, this letter showed great courage and understandably became one of the celebrated documents of the period of the Terror. Chateaubriand in 1826 mentions having the original letter in his hands as he writes.

It is also frequently stated, and may very well be true, that Sanson did seek out a refugee priest, sheltered as in the *Episode* by two refugee nuns, in order to request a *messe expiatoire* for the night of 22 January 1793. He is supposed further to have left a fund to provide for an annual mass every January 21 in his own parish church of St. Laurent, this mass continuing until the death of his son Henri in 1840. Balzac probably heard these facts, or traditions, from Henri Sanson himself.

There is even a probability that the aging Charles-Henri, whose health obliged him to retire in 1795 and who before then had relied heavily upon his family and assistants for help, was not the towering and robust figure who, in contemporary accounts, is described as performing the execution of Louis XVI. His eldest son Henri seems on this occasion to have carried out the actual decapitation under his father's orders, as it is certain that he did some months later in the case of Marie Antoinette. A younger son died in 1793 when he fell from the scaffold while attempting to hold up a head to show the mob. Some months later, at the height of the Terror, Charles-Henri and his eldest son were both tried as pro-royalists, though they were exonerated—no doubt because irreplaceable. These facts are probably responsible for the statement made by some reliable works that Charles-Henri died in 1793; they have also led some editors of the *Episode* to infer that he was in the *charrette*, at the end of the story, not in his official function but as one of the victims. History loses trace of the Sanson name after 1847.

EXPRESSIONS FOR STUDY

1. Les pas s'entendaient à peine.
2. La crainte qu'inspirait le silence s'augmentait.
3. Aussi la vieille dame n'avait-elle encore rencontré personne.
4. Comme si son âge devait la préserver.
5. Incapable de raisonner, elle doubla le pas.
6. Elle appela son mari, qui parut tout à coup.
7. La marchande revint auprès d'elle.
8. On devinait facilement une personne noble.
9. Aussi la jeune femme était-elle persuadé que l'inconnue était de la noblesse.
10. —Madame . . .? lui dit-elle involontairement.
11. Qu'as-tu, citoyenne? demanda le maître du logis, qui reparut aussitôt.
12. En lui voyant un bonnet rouge sur la tête, elle laissa échapper un cri.
13. Il y a une pauvreté que les pauvres savent deviner.
14. . . . c'était de la soie usée . . .
15. Les marchands, placés entre la pitié et l'intérêt . . .
16. Ce n'est que cela? dit l'homme au bonnet rouge.
17. Le brave homme offrit à la vieille dame de l'escorter.
18. Il paraît que l'homme dont a peur la citoyenne est toujours devant la boutique.

19. Si c'était un espion?

20. Je vais lui dire deux mots, et vous en débarrasser!

21. Veux-tu nous faire couper le cou?

22. A peine les mains du pâtissier touchèrent-elles ses vêtements, que l'inconnue . . .

23. Aussitôt que l'inconnue se trouva dehors, elle se mit à marcher avec vitesse.

24. L'homme ralentit son pas de manière à rester à une certaine distance.

25. Aussi l'inconnue voulut-elle voir en lui un ami secret.

26. La vieille femme monta avec de la peine l'escalier rude.

27. Elle s'assit avec précipitation sur une chaise que lui présenta un vieillard.

28. Quoique nous ne sortions que rarement, nos pas sont épiés.

29. L'homme qui rôde autour de la maison depuis hier m'a suivie.

30. C'est de vous qu'il faut s'occuper.

31. Tous les trois se mirent à écouter.

32. A peine le prêtre était-il caché, que trois coups à la porte firent trembler les deux saintes filles.

33. Aussi, devant le danger de ce moment, demeurèrent-elles muettes et passives.

34. L'homme se montra tout à coup.

35. Je ne viens pas ici en ennemi.

36. Je ne saurais croire que vous soyez un de nos persécuteurs.

37. Cette faible lumière éclairait à peine le reste de la chambre.

38. Peut-être aussi la Révolution était-elle représentée par cet homme dont la figure trahissait trop de remords.

39. Aussi le sentiment fut-il unanime.

40. Je rougirais de vous offrir un salaire quelconque du service funéraire que vous venez de célébrer.

41. Ce plâtrier qui habite le premier étage.

42. Aussi la boîte fut-elle placée par elles sur la table.

43. Les nobles habitants ne pouvaient douter que leur protecteur ne fût le personnage qui était venu faire célébrer la messe expiatoire.

44. Il disparut après avoir répondu à l'invitation que lui fit mademoiselle de Langeais.

45. L'abbé se trouva sur le pas de la porte.

46. La vieille dame prit un flacon de vinaigre pour faire revenir le vieux prêtre.

QUESTIONNAIRE

1. Comment s'appelle l'auteur cet Episode?
2. Quelles sont les dates approximatives de la Terreur?
3. Quelle est la date de la mort de Louis XVI?
4. Pourquoi la vieille dame avait-elle peur?
5. Pourquoi double-t-elle le pas?
6. Où arrive-t-elle enfin?
7. Pourquoi la jeune femme laisse-t-elle échapper une expression d'impatience?
8. Que demande-t-elle à son mari?
9. Qu'est-ce que le pâtissier remet à la dame?
10. Pourquoi celle-ci laisse-t-elle échapper un cri?
11. Quel était le prix convenu?
12. Expliquez la différence entre "Citoyenne" et "Madame."
13. Qu'est-ce que le pâtissier porte sur la tête? Pourquoi?
14. Pourquoi va-t-il mettre son uniforme?
15. Son visage était-il naturellement pâle?
16. Dans quel quartier habitait la vieille dame?
17. Combien de temps mettait-elle pour y arriver?
18. A quel étage habite-t-elle?
19. Qui habitait ce logement?
20. A qui le prêtre a-t-il écrit des lettres?
21. Comment s'appelle la religieuse qui était sortie?
22. A quoi servait la cachette?
23. Quel âge avaient les deux religieuses?
24. Pourquoi tremblaient-elles maintenant?
25. Qu'y avait-il sur la table de la chambre?
26. Quel en était l'ameublement?
27. Décrivez l'étranger.
28. Vient-il en ami ou en ennemi?
29. Pourquoi soeur Agathe dit-elle "Hosanna"?
30. Qu'est-ce que l'étranger prend sur la table?
31. Pourquoi venait-il?
32. Quel est le crime dont il parle?
33. Quand est-il revenu?
34. Qu'avait-on préparé?
35. Pour qui priait-on?
36. A quel moment l'inconnu frissonne-t-il, et pourquoi?

37. Quelle relique donne-t-il au prêtre?
38. Qui habite le premier étage de la maison?
39. Est-ce un vrai révolutionnaire?
40. Que fera l'inconnu dans un an?
41. Qu'est-ce qu'on remarque sur le mouchoir?
42. Que fait le plâtrier pour aider "les trois prisonniers"?
43. Quelle est la vraie date du "9 thermidor"?
44. Quelle est son importance pour l'histoire de la Révolution?
45. Quelle est la date du dernier incident de cette histoire?
46. Qu'est-ce qui fait évanouir le vieux prêtre?
47. Comment s'appelait le bourreau de Louis XVI? Etait-il révolutionnaire?
48. Quelle est la vraie valeur du mouchoir?

Carmen

Prosper Mérimée (1803–1870) made his start in literature in his early twenties with a group of unconventional plays supposed to be translated from the Spanish of a certain Clara Gazul; the only one now frequently performed (*Le Carosse du Saint-Sacrement*) was the inspiration for Thornton Wilder's first novel, *The Bridge of San Luis Rey*. By 1830 he had established his reputation as a master of the *nouvelle,* or short tale, in that special form which we now call the short story, and of which many critics claim him to be the true inventor. If so, the originality of his method—very apparent in the opening pages of *Carmen*—consists of telling the story in the first person, a seeming guarantee of the authenticity of the story, although the narrator himself is usually not a principal actor. In content, some of Mérimée's best-known tales are remarkable for their skillful use of local color, and in this *Carmen* perhaps exceeds them all. He liked to mock local color—like almost everything else—but his extensive travels, cultured mind, and remarkable learning fitted him well to create stories about regions and types possessing the fascination of the primitive and the unknown.

In the same year, 1830, he settled down permanently in the government service, and for the rest of his life wrote only as an amateur, except when preparing scholarly tomes to gain him admission to learned societies. As Inspector General of Public Monuments he had a great deal to do with the maintenance and restoration of France's great architectural treasures. He traveled as widely as he read; he was the first European of consequence to study and translate Russian literature, but always had a special fondness for Spain. He was well acquainted with the Spanish gypsies and their language, to a learned discussion of which he devotes the entire last chapter (omitted in this text) of *Carmen* in the original edition.

Carmen was published in 1845 and became at once the great popular success it has remained ever since. Mérimée had just returned from a period of research in Spain, where he had heard the episode on which *Carmen* is based from one of his Spanish friends, the countess de Montijo. (He later was responsible for the meeting of the countess' daughter Eugenia with Napoleon III, whose wife she became as the celebrated Empress Eugénie.) At the same time, Mérimée read widely in the works of the Englishman George Borrow on the folklore and language of the gypsies, and decided to make his heroine a gypsy. His conception of her character was not at all flattering, but she must have "grown upon him" in the writing, or he could not have given her such vitality.

Novels in many languages can be traced to the influence of Mérimée's pocket-sized masterpiece, developing from it the theme of the exotic *"femme fatale,"* primitive and amoral, who lures men to their death. Much could be said of his consummate artistry, but probably it can speak better for itself.

Indeed, it is likely that many if not most students will view *Carmen* on first acquaintance as merely the "original" of Georges Bizet's opera. This is based on a theatrically effective libretto which takes important liberties with the original, and which is the work of the most successful librettists of the time, Meilhac (Bizet's father-in-law) and Halévy. Bizet (1838–1875) died in his thirty-seventh year before the public had overcome its first shock at the boldness and unconventionality of the plot, and hence without any idea that it would become the world's most popular opera. He did not,

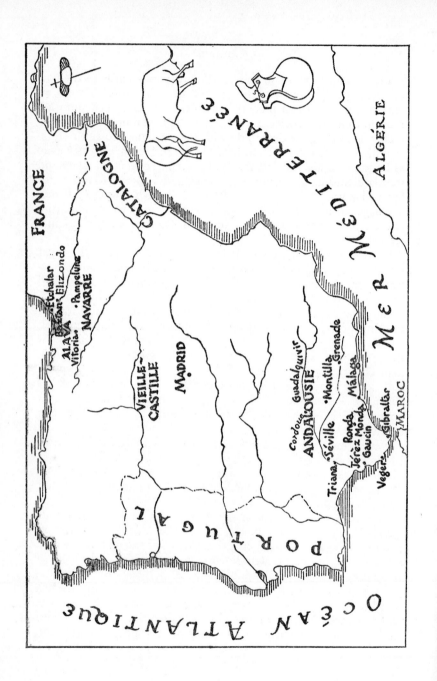

FRANCE

CATALOGNE

MER MÉDITERRANÉE

ALGÉRIE

Ochagavia
Elizondo
ALAVA Pampelune
Vitoria NAVARRE

VIEILLE-
CASTILLE

MADRID

Cordoue Guadalquivir
ANDALOUSIE
Montilla
Grenade
Triana Séville
Ronda Málaga
Jérez Monda
Gaucin
Vejer Gibraltar
MAROC

MER

PORTUGAL

Océan Atlantique

however, consider it a failure, nor did he die of a broken heart over criticism of it, as is sometimes stated.

Two complete recordings of the opera are now available on LP micro-groove recordings, by artists of the *Opéra Comique* (Columbia S1-109, London LLPA-6). Students are warned against striking variations in the plot, particularly in the characters of Micaela—who is not found in Mérimée—and of the toreador, a central character in the opera but a very minor one in Mérimée.

To return to Mérimée's original text: His style is one of the most typically French in its qualities of clarity, directness, and simplicity; but it would nevertheless be too difficult, and the story too long for first-year reading, without some cutting and simplification. The present version omits no important plot detail, but is cut to make it about one-fifth shorter, while some words of infrequent occurrence, and difficult expressions, have been expressed in simpler terms.

I

J'avais toujours soupçonné les géographes [1] de ne savoir ce qu'ils disent lorsqu'ils placent le champ de bataille de Munda [2] dans le pays des Bastuli-Poeni, près de la moderne Monda. D'après mes propres conjectures, je pensais qu'il fallait chercher aux environs de Montilla le lieu mémorable où, pour la 5

---

1. **géographes,** (*historical*) *geographers.*

2. **Munda . . . Monda,** Munda was a Roman colony in Spain of which the native inhabitants were the tribe of Bastuli-Poeni. (For this and all future place-names, consult map, page 192.) It was the (presumed) site of a battle on 17 March, 45 B.C. between Julius Caesar and sons of his rival Pompey. Mérimée had just published three volumes bearing on his researches in Roman history (in order to help his candidacy to the French Academy and its sister group the *Académie des Inscriptions et Belles Lettres,* to both of which he was elected in 1844, an unusual honor), and was working on a history of Don Pedro of Spain when he took time out from his researches to write *Carmen.*

dernière fois, César joua quitte ou double contre les champions
de la république.[3] Me trouvant en Andalousie au commencement de l'automne de 1830, je fis une assez longue excursion
pour éclaircir les doutes qui me restaient encore. Un mémoire
5 que je publierai prochainement ne laissera plus, je l'espère,
aucune incertitude dans l'esprit de tous les archéologues de
bonne foi. En attendant que ma dissertation résolve enfin le
problème géographique qui tient toute l'Europe savante en
suspens,[4] je veux vous raconter une petite histoire.

10   J'avais loué à Cordoue [5] un guide et deux chevaux. Certain
jour, errant dans la partie élevée de la plaine de Cachena,
harassé de fatigue, mourant de soif, brûlé par le soleil, j'aperçus,
assez loin du sentier que je suivais, une petite pelouse verte.
En m'approchant, je vis que la prétendue pelouse était un
15 marécage où se perdait un ruisseau, sortant, comme il semblait,
d'une gorge étroite entre deux hauts escarpements. Je conclus
qu'en remontant je trouverais de l'eau plus fraîche, et peut-
être un peu d'ombre au milieu des rochers. A l'entrée de la
gorge, mon cheval hennit, et un autre cheval, que je ne voyais
20 pas, lui répondit aussitôt. A peine eus-je fait une centaine de
pas, que la gorge, s'élargissant tout à coup, me montra une
espèce de cirque naturel parfaitement ombragé par la hauteur
des escarpements qui l'entouraient. Il était impossible de
recontrer un lieu qui promît au voyageur une halte plus agré-
25 able. Au pied des rochers, une source s'élançait, et tombait
dans un petit bassin. Cinq à six beaux chênes verts s'élevaient
sur ses bords, et la couvraient de leur épais ombrage.

---

3. **champions de la république,** the advent of Caesar as military
dictator (Roman meaning of **imperator,** *emperor*), marked the end
of the Roman republic, defended by such men as Caesar's murderers,
Brutus and Cassius, and by Pompey.

4. **en suspens,** this entire passage refers to a quite imaginary
learned article (**mémoire**).

5. **Cordoue,** *Cordova,* on the Guadalquivir river.

A moi n'appartenait pas l'honneur d'avoir découvert un si beau lieu. Un homme s'y reposait déjà, et sans doute dormait, lorsque j'y pénétrai. Réveillé par les hennissements, il s'était levé, et s'était rapproché de son cheval, qui avait profité du sommeil de son maître pour faire un bon repas de l'herbe aux 5 environs. C'était un jeune gaillard, de taille moyenne, mais d'apparence robuste, au [6] regard sombre et fier. Son teint était devenu, par l'action du soleil, plus foncé que ses cheveux. D'une main il tenait le licol de sa monture, de l'autre une espingole.[7] J'avouerai que d'abord l'espingole et l'air farouche 10 du porteur[8] me surprirent quelque peu; mais j'avais vu tant d'honnêtes fermiers s'armer jusqu'aux dents pour aller au marché, que la vue d'une arme à feu ne m'autorisait pas à mettre en doute la moralité de l'inconnu. Je saluai donc l'homme à l'espingole d'un signe de tête familier, et je lui 15 demandai en souriant si j'avais troublé son sommeil. Sans me répondre, il me regarda de la tête aux pieds; puis, comme satisfait de son examen, il considéra avec la même attention mon guide, qui s'avançait. Je vis celui-ci pâlir et s'arrêter en montrant une terreur évidente. Mais la prudence me conseilla 20 aussitôt de ne laisser voir aucune inquiétude. Je mis pied à terre, et, m'agenouillant au bord de la source, j'y plongeai ma tête et mes mains.

J'observais cependant mon guide et l'inconnu. Le premier s'approchait avec hésitation; l'autre semblait n'avoir pas de 25 mauvais desseins contre nous, car il avait rendu la liberté à son cheval, et son espingole, qu'il tenait d'abord horizontale, était maintenant dirigée vers la terre.

---

6. **au,** *with a* ("characteristic" use of à, as in **à l'espingole,** l. 15).

7. **espingole,** a sort of short-barrelled rifle or blunderbuss.

8. **l'air farouche du porteur,** *the uncivilized look of the man who was holding it.*

Je m'étendis sur l'herbe, et d'un air dégagé je demandai à l'homme à l'espingole s'il n'avait pas un briquet sur lui. En même temps je tirais mes cigares. L'inconnu, toujours sans parler, fouilla dans sa poche, prit son briquet, et se hâta de me
5 faire du feu; puis il s'assit en face de moi, toutefois sans quitter son arme.[9] Mon cigare allumé, je choisis le meilleur de ceux qui me restaient, et je lui demandai s'il fumait.

—Oui, monsieur, répondit-il.

C'étaient les premiers mots qu'il faisait entendre.

10 —Vous trouverez celui-ci assez bon, lui dis-je en lui présentant un cigare de la Havane.[10]

Il me fit une légère inclination de tête, alluma son cigare au mien, me remercia d'un autre signe de tête, puis se mit à fumer avec l'apparence d'un très grand plaisir.

15 —Ah! s'écria-t-il en laissant échapper lentement sa première bouffée par la bouche et les narines, comme il y avait longtemps que je n'avais fumé! [11]

En Espagne, un cigare donné et reçu établit des relations d'hospitalité. Mon homme se montra plus parleur que je ne
20 l'avais [12] espéré, mais il paraissait connaître le pays assez mal. Il ne savait pas le nom de la charmante vallée où nous nous trouvions; il ne pouvait nommer aucun village des environs. En revanche, il se montra expert en matière de chevaux. Il critiqua le mien, ce qui n'était pas difficile; puis il me fit la
25 généalogie du sien: noble animal, en effet, si dur [13] à la fatigue

---

9. **sans quitter son arme,** note that the stranger has not yet said a word; yet every gesture shows something of his character and suggests a story.

10. **de la Havane,** *a genuine Havana*—indicating the most luxurious quality.

11. **comme . . . fumé,** *how long it's been since I smoked!*

12. **je ne l'avais,** ne and le require no translation in English.

13. **dur,** *resistant.*

qu'il avait fait une fois trente lieues dans un jour, au galop ou au grand trot. Au milieu de sa tirade, l'inconnu s'arrêta brusquement, comme surpris et fâché d'en avoir trop dit. "C'est que j'étais très pressé d'aller à Cordoue, reprit-il avec quelque embarras. J'avais à solliciter les juges pour un 5 procès . . ." En parlant, il regardait mon guide Antonio, qui baissait les yeux.

L'ombre et la source me charmèrent tellement, que je me souvins de quelques tranches d'excellent jambon que mes amis avaient mis dans le sac de mon guide. Je les fis apporter, et 10 j'invitai l'étranger à en prendre sa part. S'il n'avait pas fumé depuis longtemps, il me parut qu'il n'avait pas mangé depuis quarante-huit heures au moins. Il dévorait comme un loup affamé. Mon guide, cependant, mangeait peu, buvait encore moins, et ne parlait pas du tout. La présence de notre hôte 15 semblait le troubler.

Le pain et le jambon avaient disparu; nous avions fumé chacun un second cigare; j'ordonnai au guide de brider nos chevaux, et j'allais quitter mon nouvel ami, lorsqu'il me demanda où je comptais passer la nuit. 20

Avant que j'eusse fait attention à un signe de mon guide, j'avais répondu que j'allais à la venta del Cuervo.[14]

—Mauvais logement pour une personne comme vous, monsieur . . . J'y vais, et, si vous me permettez de vous accompagner, nous ferons route ensemble. 25

—Très volontiers, dis-je en montant à cheval.

Mon guide me fit un nouveau signe des yeux. J'y répondis en haussant les épaules, comme pour l'assurer que j'étais parfaitement tranquille,[15] et nous nous mîmes en chemin.

Les signes mystérieux d'Antonio, son inquiétude, quelques 30

14. **venta del Cuervo,** (*roadside*) *inn of the Crow.*
15. **tranquille,** *unworried.*

mots échappés à [16] l'inconnu, surtout sa course de trente lieues
et l'explication peu plausible qu'il en avait donnée, avaient
déjà formé mon opinion sur le compte de mon compagnon de
voyage. Je ne doutai pas que je n'eusse affaire à [17] un contre-
5 bandier, peut-être à un voleur; que m'importait? Je connaissais
assez le caractère espagnol pour être très sûr de n'avoir rien à
craindre d'un homme qui avait mangé et fumé avec moi. Sa
présence même était une protection assurée contre toute
mauvaise rencontre. D'ailleurs, j'étais bien content de savoir
10 ce que c'est qu'un brigand.[18] On n'en voit pas tous les jours,
et il y a même un certain charme à se trouver auprès d'un être
dangereux.

J'espérais amener par degrés l'inconnu à me faire des confi-
dences, et je mis la conversation sur les voleurs de grand
15 chemin. Bien entendu que j'en parlai avec respect. Il y avait
alors en Andalousie un fameux bandit nommé José Maria,
dont les exploits étaient dans toutes les bouches. "Si [19] j'étais
à côté de José Maria?" me disais-je . . . Je racontai les histoires que je savais de ce héros, et j'exprimai hautement mon
20 admiration pour sa bravoure et sa générosité.

—José Maria n'est qu'un drôle, dit froidement l'étranger.

"Est-ce excès de modestie de sa part?" me demandai-je
mentalement; car, en considérant mon compagnon, j'étais
parvenu à lui appliquer la description de José Maria, que j'avais
25 lue affichée aux portes [20] de plusieurs villes d'Andalousie.—Oui,
c'est bien lui . . . Cheveux blonds, yeux bleus, grande bouche,
belles dents, les mains petites . . . Plus de doute! [21]

---

16. **échappés à,** *carelessly spoken by.*

17. **je n'eusse affaire à,** *I was dealing with* (**ne** is often used after
expressions implying uncertainty, without translation in English).

18. **ce que c'est qu'un brigand,** *what a bandit* (*really*) *is.*

19. **Si,** *What if.*   20. **portes,** (*city*) *gates.*

21. Plus = (**Il n'y a**) **plus**—ironical as will be seen shortly. José

Nous arrivâmes à la venta. Elle était telle qu'il me l'avait décrite, c'est-à-dire une des plus misérables que j'eusse encore rencontrées. Une grande pièce servait de [22] cuisine, de salle à coucher. A vingt pas de la maison s'élevait une espèce de hangar servant d'écurie. Dans ce charmant séjour, il n'y avait 5 d'autres êtres humains, du moins pour le moment, qu'une vieille femme et une petite fille de dix à douze ans. —Voilà tout ce qui reste, me dis-je, de la population de l'antique Munda! O César! que vous seriez surpris si vous reveniez au monde!

En apercevant mon compagnon, la vieille laissa échapper 10 une exclamation de surprise.

—Ah! seigneur don José! s'écria-t-elle.

Don José leva une main d'un geste d'autorité qui arrêta la vieille aussitôt. Je me tournai vers mon guide, et, d'un signe imperceptible, je lui fis comprendre qu'il n'avait rien à 15 m'apprendre sur le compte de l'homme avec qui j'allais passer la nuit. Le souper fut excellent. On nous servit, sur une petite table haute d'un pied, un vieux coq fricassé avec du riz. Après avoir mangé, avisant une mandoline contre la muraille, — il y a partout des mandolines en Espagne, — je demandai à la 20 petite fille qui nous servait si elle savait en jouer.[23]

—Non, répondit-elle; mais don José en joue si bien!

—Soyez assez bon, lui dis-je, pour me chanter quelque chose; j'aime votre musique nationale.

—Je ne puis rien refuser à un monsieur si honnête qui me 25 donne de si excellents cigares, s'écria don José d'un air de bonne humeur.

Et, s'étant fait donner [24] la mandoline, il chanta en s'accom-

---

Maria, here mistakenly identified, is mentioned again near the end of the story.   22. **servait de,** *was used as.*

23. **savait en jouer,** *knew how to play* (*on*) *it.*

24. **s'étant fait donner,** *taking* (literally, *having caused* [*someone*] *to give to him*).

pagnant. Sa voix était rude, mais pourtant agréable, l'air mélancolique et bizarre; quant aux paroles, je n'en compris pas un mot.

—Si je ne me trompe,[25] lui dis-je, ce n'est pas un air espagnol
5 que vous venez de chanter. Les paroles doivent être en langue basque.[26]

—Oui, répondit don José d'un air sombre.

Il posa la mandoline à terre, et, les bras croisés, il se mit à contempler le feu, avec une singulière expression de tristesse.
10 Il songeait peut-être au séjour qu'il avait quitté, à l'exil qu'il avait encouru par une faute.[27] J'essayai de ranimer la conversation, mais il ne répondit pas, absorbé qu'il était dans ses tristes pensées. Déjà la vieille s'était couchée [28] dans un coin de la salle. La petite fille l'avait suivie dans cette retraite
15 réservée au beau sexe. Mon guide alors, se levant, m'invita à le suivre à l'écurie; mais, à ce mot, don José lui demanda d'un ton brusque où il allait.

—A l'écurie, répondit le guide.

—Pour quoi faire? [29] les chevaux ont à manger.[30] Couche
20 ici, monsieur le permettra.

---

25. **Si je ne me trompe, si** is commonly used with **ne** (and without **pas**) to mean *unless*: here, *unless I am mistaken.*

26. **langue basque,** the mysterious language—of fabulous antiquity and no relation to any other known tongue—spoken by the Basques, who to this day are an important and distinct cultural and ethnic group in Northwestern Spain; about one-fifth of them live in the French Pyrenees, the rest in Spain. Mérimée was one of the few Europeans to have taken an interest in the language of the Basques as well as that of the Spanish gypsies.

27. **faute,** *crime* or *misdeed* (implying moral wrong, unlike English *fault*).

28. **s'était couchée,** *had stretched out* (*gone to bed*).

29. **Pour quoi faire?,** *What for?* (i.e., *What are you going to do there?*, not merely *Why* (**Pourquoi**) *are you going?*).

30. **à manger,** *food,* (*enough*) *to eat.*

—Je crains que le cheval de Monsieur ne soit malade;[31] je voudrais que Monsieur le vît: peut-être saura-t-il[32] ce qu'il faut lui faire.

Il était évident qu'Antonio voulait me parler en particulier;[33] mais je ne voulais pas donner des soupçons à don José. Je 5 répondis donc à Antonio que j'avais envie de dormir. Don José le suivit à l'écurie, d'où bientôt il revint seul. Il me dit que le cheval n'avait rien,[34] mais que mon guide le trouvait un animal si précieux, qu'il comptait passer la nuit dans l'écurie. Cependant je m'étais étendu, soigneusement enveloppé dans 10 mon manteau. Après m'avoir demandé pardon de la liberté qu'il prenait de se mettre auprès de moi, don José se coucha devant la porte, non sans avoir placé son espingole sous son sac, qui lui servait d'oreiller. Cinq minutes après nous être mutuellement souhaité le bonsoir, nous étions l'un et l'autre 15 profondément endormis.

Je me croyais assez fatigué pour pouvoir dormir dans un pareil logement; mais, au bout d'une heure, de très désagréables démangeaisons m'arrachèrent à[35] mon sommeil. Dès que j'en eus compris la nature, je me levai; marchant sur la pointe 20 du pied, je gagnai la porte, j'enjambai pardessus la couche de don José, qui dormait du sommeil du juste, et je sortis de la maison sans qu'il s'éveillât. Auprès de la porte était un large banc de bois; je m'étendis dessus, et m'arrangeai de mon mieux pour achever ma nuit. J'allais fermer les yeux pour la 25

---

31. **ne soit,** *is* (**ne** after the verb **craindre,** not translated).

32. **saura-t-il,** inverted order after **peut-être** (as in English *not only is it*). The use of **Monsieur** (third-person address), still sometimes used by servants addressing their masters, is especially characteristic of Spain where the general form of address is *Usted* with third-person verb.

33. **en particulier,** *in private.*

34. **n'avait rien,** *had nothing the matter with him.*

35. **m'arrachèrent à,** literally, *snatched me from.*

seconde fois, quand il me sembla voir passer devant moi
l'ombre d'un homme et l'ombre d'un cheval marchant l'un et
l'autre sans faire le moindre bruit. Je crus reconnaître Antonio;
surpris de le voir hors de l'écurie à pareille heure, je me levai.
5 Il s'était arrêté, m'ayant aperçu d'abord.

—Où est-il? me demanda Antonio à voix basse.

—Dans la venta; il dort; il n'a pas peur des [36] punaises.
Pourquoi donc emmenez-vous ce cheval?

Je remarquai alors que, pour ne pas faire de bruit en sortant
10 du hangar, Antonio avait soigneusement enveloppé les pieds
de l'animal avec les débris d'une vieille couverture.

—Parlez plus bas, me dit Antonio, au nom de Dieu! Vous
ne savez donc pas qui est cet homme-là. C'est José Navarro,[37]
le plus célèbre bandit de l'Andalousie. Toute la journée je
15 vous ai fait des signes que vous n'avez pas voulu comprendre.

—Bandit ou non, que m'importe? répondis-je; il ne nous a
pas volés, et je parierais qu'il n'en a pas envie.

—A la bonne heure; [38] mais il y a deux cents ducats [39] pour

---

36. **il n'a pas peur des,** *he isn't bothered by.*

37. **Navarro,** here an epithet or nickname indicating his origin
(like "Yank" or "Dixie Joe"). The modern Spanish province of
Navarre, relic of a kingdom which once included part of France and
gave that country its great king, Henry IV (Henri de Navarre), is
situated in northeastern Spain with a two-hundred-mile frontier along
the French Pyrenees. Its principal city is Pamplona (*Pampéloune* in
French). While technically not one of the three Basque provinces
(Àlava, Guipùzcoa and Vizcaya), it is predominantly Basque in language, population and customs, and in modern times has kept these
customs more intact than its wealthier and more industrialized neighboring provinces. Note that in the story it is considered as one of the
(Basque) Provinces. (See map.)

38. **A la bonne heure,** *That may well be.*

39. **ducats,** in Spain not a coin but a term used in counting money
and equivalent to about fifty cents (gold).

qui le livrera. Je sais un poste de lanciers [40] à une lieue et demie d'ici, et avant qu'il soit jour, j'amènerai quelques gaillards solides. J'aurais pris son cheval, mais il est si méchant que nul que le Navarro ne [41] peut en approcher.

—Que le diable vous emporte! [42] lui dis-je. Quel mal vous a 5 fait ce pauvre homme pour le dénoncer? D'ailleurs, êtes-vous sûr qu'il soit le brigand que vous dites?

—Parfaitement sûr; il m'a suivi dans l'écurie et m'a dit: "Tu as l'air [43] de me connaître, si tu dis à ce bon monsieur qui je suis, je te fais sauter la cervelle." [44] Restez, monsieur, restez 10 auprès de lui; vous n'avez rien à craindre.

Tout en parlant nous nous étions déjà assez éloignés de la venta pour qu'on ne pût [45] entendre les fers du cheval. Antonio l'avait débarrassé des débris dont il lui avait enveloppé les pieds; il se préparait à monter. J'essayai prières et menaces 15 pour le retenir.

—Je suis un pauvre diable, monsieur, me disait-il; deux cents ducats ne sont pas à perdre, surtout quand il s'agit de délivrer le pays de pareille vermine. Mais prenez garde; si le Navarro se réveille, il sautera sur son espingole, et gare à vous! 20 Moi je suis trop avancé pour reculer; [46] arrangez-vous comme vous pourrez. Et il partit au galop.

J'étais fort irrité contre mon guide et passablement inquiet. Après un instant de réflexion, je me décidai et rentrai dans la venta. Don José dormait encore, réparant sans doute en ce 25 moment les fatigues de plusieurs journées aventureuses. Je

---

40. **lanciers,** *mounted police.*
41. **nul . . . ne,** *no one but Navarro.*
42. **Que le diable vous emporte,** (*May*) *the devil take you!*
43. **Tu as l'air,** *You* (familiar address) *seem.*
44. **Je te fais . . . cervelle,** *I'll blow your brains out.*
45. **pour qu'on ne pût,** *so that one couldn't.*
46. **Je suis . . . reculer,** *I've gone too far to turn back now.*

fus obligé de le secouer rudement pour l'éveiller. Jamais je
n'oublierai son regard farouche et le mouvement qu'il fit pour
saisir son espingole, que, par mesure de précaution, j'avais
mise à quelque distance de sa couche.

5 —Monsieur, lui dis-je, je vous demande pardon de vous
éveiller; mais j'ai une sotte question à vous faire: seriez-vous
bien content de voir arriver ici une demi-douzaine de lanciers?

Il sauta en pied, et d'une voix terrible:

—Qui vous l'a dit? me demanda-t-il. Ah! Votre guide m'a
10 trahi, mais il me le payera! Où est-il?

—Je ne sais . . . Dans l'écurie, je pense . . . mais quelqu'un
m'a dit . . .

—Qui vous a dit? . . .

—Quelqu'un que je ne connais pas . . . Sans plus de
15 paroles, avez-vous, oui ou non, des motifs pour ne pas attendre
les soldats? Si vous en avez, ne perdez pas de temps, sinon
bonsoir, et je vous demande pardon d'avoir interrompu votre
sommeil.

—Ah! votre guide! votre guide! . . . Adieu, monsieur. Je ne
20 suis pas tout à fait aussi mauvais que vous me croyez . . .
oui; il y a encore en moi quelque chose qui mérite la pitié d'un
galant homme . . . Adieu, monsieur . . . Je n'ai qu'un
regret, c'est de ne pouvoir m'acquitter envers vous.

—Pour prix du service que je vous ai rendu, promettez-moi,
25 don José, de ne soupçonner personne, de ne pas songer à la
vengeance. Tenez, voilà des cigares pour votre route; bon
voyage!

Et je lui tendis la main.

Il me la serra sans répondre, prit son espingole et son sac,
30 et, après avoir dit quelques mots à la vieille dans un argot que
je ne pus comprendre, il courut au hangar. Quelques instants
après, je l'entendais galoper dans la campagne.

Pour moi, je me recouchai sur mon banc, mais je ne me

rendormis point. Je me demandais si j'avais eu raison de
sauver un voleur, et peut-être un meurtrier, et cela seulement
parce que j'avais mangé du jambon avec lui. N'avais-je pas
trahi mon guide qui soutenait la cause des lois; ne l'avais-je pas
exposé à la vengeance d'un scélérat? Mais les devoirs de l'hos- 5
pitalité! . . . Je flottais encore dans la plus grande incertitude
au sujet de la moralité de mon action, lorsque je vis paraître
une demi-douzaine de cavaliers avec Antonio, qui se tenait
prudemment à l'arrière-garde. Je leur dis que le bandit avait
pris la fuite depuis plus de deux heures. La vieille, interrogée, 10
répondit qu'elle connaissait le Navarro, mais que, vivant seule,
elle n'aurait jamais osé risquer sa vie en le dénonçant. Elle
ajouta que son habitude,[47] lorsqu'il venait chez elle, était de
partir toujours au milieu de la nuit. Pour moi, il me fallut
aller, à quelques lieues de là, exhiber mon passeport et 15
signer une déclaration, après quoi on me permit de reprendre
mes recherches archéologiques. Antonio soupçonnait que
c'était moi qui l'avais empêché de gagner les deux cents ducats.
Pourtant nous nous séparâmes bons amis à Cordoue; là, je lui
donnai une gratification aussi forte que l'état de mes finances 20
pouvait me le permettre.

II

Je passai quelques jours à Cordoue. On m'avait indiqué
certain manuscrit de la bibliothèque des dominicains,[1] où je

---

47. **son habitude,** *his habit.* This story was probably suggested to
her by José as he left.

1. **dominicains,** friars of the order of St. Dominic or Order of
Preachers (O.P.), founded in Spain by St. Dominic (San Domingo),
1170–1222; since the time of its greatest theologian, St. Thomas
Aquinas (1225–1274), the order has had a leading place in the teaching and philosophical and scholarly work of the Catholic Church.

devais [2] trouver des renseignements intéressants sur l'antique
Munda. Fort bien accueilli par les bons pères, je passais les
journées dans leur couvent, et le soir je me promenais par la
ville. A Cordoue, vers le coucher du soleil, il y a quantité
5 d'oisifs sur le quai qui borde la rive droite du Guadalquivir.

Un soir je fumais, appuyé sur le parapet du quai, lorsqu'une
femme, remontant l'escalier qui conduit à la rivière,[3] vint
s'asseoir près de moi. Elle avait dans les cheveux un gros
bouquet de jasmin, dont les pétales exhalent le soir une odeur
10 enivrante. Elle était simplement, peut-être pauvrement vêtue,
tout en noir, comme la plupart des grisettes dans la soirée.
Les femmes comme il faut [4] ne portent le noir que le matin;
le soir elles s'habillent *à la francesa*.[5] En arrivant auprès de
moi, elle laissa glisser sur ses épaules la mantille qui lui couvrait
15 la tête, et je vis qu'elle était petite, jeune, bien faite, et qu'elle
avait de très grands yeux. Je jetai mon cigare aussitôt. Elle
comprit cette attention d'une politesse toute [6] française, et se
hâta de me dire qu'elle aimait beaucoup l'odeur du tabac, et
que même elle fumait, quand elle trouvait des *papelitos* [7] bien
20 doux. Par bonheur, j'en avais de tels, et je lui en offris un, qu'elle
daigna prendre et alluma. Mêlant nos fumées, nous causâmes

---

2. **devais,** *could expect to.*

3. **à la rivière,** *to the lower embankment of the river* (for mooring
boats, fishing, washing clothes, etc.).

4. **comme il faut,** *respectable,* as distinguished from **grisettes**
(*working-girls*).

5. *à la francesa,* so written by Mérimée, but properly only the
word *francesa* (Spanish for *French*) should be italicized: *in the French
manner.*

6. **toute,** *so characteristically.* Note the delicate irony of the whole
passage.

7. *papelitos* (Spanish), *cigarettes,* wrapped in paper (*papel*) instead of coarse tobacco, a luxury for a professional cigar-wrapper as
was Carmen at the time.

si longtemps que nous nous trouvâmes presque seuls sur le quai. Je crus n'être point indiscret en lui offrant d'aller prendre des glaces à la *nevería*.[8] Après une hésitation modeste [9] elle accepta; mais avant de se décider, elle désira savoir quelle heure il était. Je fis sonner ma montre,[10] et cette sonnerie parut l'éton- 5 ner beaucoup.

—Quelles inventions on a chez vous, messieurs les étrangers! De quel pays êtes-vous, monsieur? Anglais sans doute?

—Français [11] et votre grand serviteur. Et vous mademoiselle, ou madame, vous êtes probablement de Cordoue? 10

—Non.[12]

—Vous êtes du moins Andalouse. Il me semble le reconnaître à votre doux parler.

—Si vous remarquez si bien l'accent du monde, vous devez bien deviner qui je suis. 15

—Je crois que vous êtes du pays de Jésus, à deux pas du para-

---

8. *nevería* (Spanish), a place where they could get ice cream, presumably sherbets or the Spanish equivalent of ice cream; originally a café where snow (*neve*) was available for cooling drinks.

9. **modeste,** note the irony here.

10. **Je fis sonner ma montre,** *I made my watch strike.* The "repeater" watch, a highly-prized luxury before the days of irradiated dials, would when pressed strike the hour, then the quarter, and in the better watches then strike the minutes after the quarter. Several hundred specimens may be seen in the museum of the Edison Institute established by Henry Ford in Dearborn, Michigan. Obviously, aside from her interest in its value, Carmen takes a childish delight in hearing this "toy" work.

11. **Anglais . . . Français,** note that the watch was probably Swiss. By 1845, the term English was general in southern Europe for tourist.

12. **Non,** in this and the following reply, Carmen does show **hésitation modeste** in revealing her origin as one of a socially outcast group. Note that when she does reveal it, she claims to be well-known.

dis. (J'avais appris cette métaphore, qui désigne l'Andalousie,
de mon ami Francisco Sevilla, picador bien connu.)

—Bah! le paradis . . . les gens d'ici disent qu'il n'est pas
fait pour nous.

5   —Alors, vous seriez donc Mauresque,[13] ou . . .

—Allons, allons! vous voyez bien que je suis bohémienne; [14]
voulez-vous que je vous dise *la baji*? [15] Avez-vous entendu
parler de la Carmencita? C'est moi.

Je ne reculai pas d'horreur en me voyant à côté d'une
10 sorcière. "Bon! me dis-je; la semaine passée, j'ai soupé avec un
voleur de grands chemins, allons aujourd'hui prendre des
glaces avec une servante du diable. En voyage il faut tout
voir."

Tout en causant,[16] nous étions entrés dans la *nevería*, et
15 nous nous étions assis à une petite table. J'eus alors tout le
loisir d'examiner ma *gitana*.

Je doute fort que mademoiselle Carmen fût de race pure,[17]

---

13. **donc Mauresque,** *therefore* (since refused entrance to Christian heaven), *a Moorish girl* (of Mohammedan faith).

14. **bohémienne,** one of the common French terms for a gypsy. The term **gitane** (Spanish **gitana;** diminutive, **gitanilla**) is also used, while they call themselves **calés** (the dark-skinned people) or **romi** (literally, *the married people*), or *Egyptiens* (hence English *gypsy*). All these terms occur frequently in the story, accompanied in the original by learned notes by Mérimée who concludes the tale with a scholarly chapter on gypsy customs and language. *Chipe calle* is their language.

15. **dise la** *baji*, (gypsy), *tell your fortune*. **Carmencita** is a Spanish diminutive of the name Carmen: the article is commonly used with women's names but especially when they are well known as artists or entertainers, as suggested here.

16. **tout en causant,** the **tout** limits the meaning of **en** to *while.*

17. **de race pure,** elsewhere Mérimée expresses a low opinion of Spanish gypsy women and of their beauty; writing at the time of the publication of *Carmen* to the Countess de Montijo (see Introduction) he said: "Most of these women are horribly ugly. . . . In the savage

du moins elle était infiniment plus jolie que toutes les femmes
de sa nation que j'aie jamais rencontrées. Pour qu'une femme
soit belle, disent les Espagnols, il faut qu'elle réunisse trente
si,[18] ou, si l'on veut, qu'on puisse la définir au moyen de dix
adjectifs applicables chacun à trois parties de sa personne. Par 5
exemple, elle doit avoir trois chose noires: les yeux, les paupières
et les sourcils; trois fines, les doigts, les lèvres, les cheveux, etc.
Ma bohémienne ne pouvait prétendre à tant de perfections.
Sa peau approchait fort de la teinte du cuivre. Ses yeux étaient
obliques, mais admirablement fendus; ses lèvres un peu fortes 10
mais bien dessinées et laissant voir des plus blanches que des
amandes sans leur peau. Ses cheveux, peut-être un peu gros,
étaient noirs, à [19] reflets bleus, longs et luisants. C'était une
beauté étrange et sauvage, une figure qui étonnait d'abord, mais
qu'on ne pouvait oublier. Ses yeux surtout avaient une expres- 15
sion à la fois voluptueuse et farouche que je n'ai trouvée
depuis à aucun regard humain. Oeil de bohémien, oeil de loup,
c'est un dicton espagnol qui dénote une bonne observation.
Si vous n'avez pas le temps d'étudier le regard d'un loup,
considèrez votre chat quand il guette un moineau. 20

On sent qu'il eût été ridicule de se faire tirer la bonne aventure dans un café.[20] Aussi [21] je priai la jolie sorcière de me per-

---

state, women are beasts of burden and so ill-treated that they are
necessarily ugly. . . . The gypsy women sleep outdoors . . ., eat
only their husband's leavings, and know nothing of soap and
water. . . ."

18. **si**, the use of the Spanish for *yes* in this context is sufficiently
explained by what follows.

19. **à**, *with*—the hair was blue-black, not merely a very dark
brown.

20. **On sent . . . aventure dans un café**, *obviously it would have
been silly to have my fortune told in a (mere) café.* For the irony,
see note 9 and compare Carmen's behavior on the two occasions.

21. **Aussi**, *So (Consequently)*, as usual when it introduces a
phrase; it usually requires inversion of subject after verb, but not with
je as here.

mettre de l'accompagner à son domicile; elle y consentit sans difficulté, mais elle me pria de nouveau de faire sonner ma montre.

—Est-elle vraiment d'or? dit-elle en la considérant avec une
5 excessive attention.

Quand nous nous remîmes en marche, il était nuit close; [22] la plupart des boutiques étaient fermées et les rues presque désertes. Nous passâmes le pont du Guadalquivir, et nous nous arrêtâmes devant une maison qui n'avait nullement l'apparence
10 d'un palais. Un enfant nous ouvrit. La bohémienne lui dit quelques mots dans une langue à moi inconnue, que je sus depuis être la *rommani* ou *chipe calli*, l'idiome des gitanos.[23] Aussitôt l'enfant disparut, nous laissant dans une chambre assez vaste, meublée d'une petite table, de deux tabourets et
15 d'un coffre. Je ne dois point oublier une jarre d'eau, un tas d'oranges et une botte d'ognons.

Dès que nous fûmes seuls, la bohémienne tira de son coffre des cartes qui paraissaient avoir beaucoup servi,[24] un aimant,[25] un caméléon desséché, et quelques autres objets nécessaires à
20 son art. Puis elle me dit de faire la croix dans ma main gauche avec une pièce de monnaie,[26] et les cérémonies magiques commencèrent. Il est inutile de vous rapporter ses prédictions, et, quant à sa manière d'opérer, il était évident qu'elle n'était pas sorcière à demi.

---

22. **nuit close,** *after dark;* since the Spanish rest in the afternoon and keep late hours at night, it was probably approaching midnight.

23. **je sus . . . gitanos,** *I learned later was the dialect of the Spanish gypsies.*   24. **servi,** *been used.*

25. **aimant,** *magnetic stone* (*loadstone*), referred to later in the story for its supposedly magic qualities. This word is derived from *diamond* (*adamantine*) and has no relation to the verb **aimer.**

26. **faire la croix . . . monnaie,** *to "cross my left palm with gold"* as a modern fortune-teller might say. The gold changed hands.

Malheureusement nous fûmes bientôt dérangés. La porte s'ouvrit tout à coup avec violence, et un homme enveloppé jusqu'aux yeux dans un manteau brun entra [27] dans la chambre en criant à la bohémienne d'une façon peu gracieuse. Je n'entendais pas ce qu'il disait, mais le ton de sa voix indiquait 5 qu'il était de fort mauvaise humeur. La gitana ne montra ni surprise ni colère, mais, avec une volubilité extraordinaire, elle lui adressa quelques phrases dans la langue mystérieuse dont elle s'était déjà servie devant moi. Le mot *payllo*,[28] souvent répété, était le seul mot que je comprisse.[29] Je savais que les 10 bohémiens désignent ainsi tout homme étranger à leur race. Supposant qu'il s'agissait de moi, je m'attendais à une explication délicate; déjà j'avais la main sur le pied d'un des tabourets, et je cherchais à deviner le moment précis où il conviendrait de le jeter à la tête de l'intrus. Celui-ci repoussa rudement la 15 bohémienne, et s'avança vers moi; puis, reculant d'un pas:

—Ah! monsieur, dit-il, c'est vous!

Je le regardai à mon tour, et reconnus mon ami don José. En ce moment, je regrettais un peu de ne pas l'avoir laissé pendre.[30] 20

—Eh! c'est vous, mon brave, m'écriai-je en riant le moins jaune que je pus;[31] vous avez interrompu mademoiselle au moment où elle m'annonçait des choses bien intéressantes.

---

27. **un homme . . . entra,** we may suppose that while his behavior was not as expected, his arrival was arranged between Carmen and the boy who opened the door for her.

28. *payllo,* a gypsy term explained in the next sentence.

29. **seul . . . comprisse,** the subjunctive (not translated as such in English) is used to complete the thought of a superlative or words equivalent such as *only, first, last.*

30. **je regrettais . . . pendre,** *I was sorry to have saved him from hanging;* ironic since except for this fact José might well have followed Carmen's orders and slit his throat for his money and ring.

31. **Le moins jaune que je pus,** *as bravely as I could.* As in English, **jaune** (*yellow*) suggests cowardice.

—Toujours la même! Ça finira,[32] dit-il entre ses dents, attachant sur elle un regard farouche.

Cependant la bohémienne continuait à lui parler dans sa langue. Elle s'animait par degrés. Son oeil devenait terrible, ses
5 traits se contractaient, elle frappait du pied. Il me sembla qu'elle le pressait vivement de faire quelque chose à quoi [33] il montrait de l'hésitation. Ce que c'était, je croyais ne le comprendre que trop à la voir passer et repasser rapidement sa petite main sous son menton. J'étais tenté de croire qu'il
10 s'agissait d'une gorge à couper,[34] et j'avais quelques soupçons que cette gorge ne fût [35] la mienne.

A tout ce torrent d'éloquence, don José ne répondit que par deux ou trois mots prononcés d'un ton bref. Alors la bohémienne lui lança un regard de profond mépris; puis
15 s'asseyant dans un coin de la chambre, elle choisit une orange, la pela et se mit à la manger.

Don José me prit le bras, ouvrit la porte et me conduisit dans la rue. Nous fîmes environ deux cents pas dans le plus profond silence. Puis, étendant la main:

—Toujours tout droit,[36] dit-il, et vous trouverez le pont.

20 Aussitôt il me tourna le dos et s'éloigna rapidement. Je revins à mon auberge d'assez mauvaise humeur. Le pire fut qu'en me déshabillant, je m'aperçus que ma montre me manquait.

Diverses considérations m'empêchèrent d'aller la réclamer
25

---

32. **Ça finira,** *This will have to stop*—a significant remark as we learn in the last pages of the story.

33. **à quoi,** used instead of **auquel** when the antecedent is indefinite.   34. **à couper,** *to be slit.*

35. **ne fût, ne,** after the expression indicating suspicion, not translated.

36. **tout droit,** *straight ahead,* usual term in giving (very general and often inaccurate) instructions to lost tourists.

le lendemain. Je terminai mon travail sur le manuscrit des dominicains et je partis pour Séville.[37] Après plusieurs mois [38] de courses errantes en Andalousie, je voulus retourner à Madrid, et il me fallut repasser par Cordoue.

Dès que je reparus au couvent des dominicains, un des pères qui m'avait toujours monté un vif intérêt dans mes recherches, m'accueillit les bras ouverts en s'écriant:

—Soyez le bienvenu, mon cher ami. Nous vous croyions tous mort, et moi, qui vous parle, j'ai récité bien des *Pater* et des *Ave*,[39] que je ne regrette pas, pour le salut de votre âme. Ainsi vous n'êtes pas assassiné, car pour volé [40] nous savons que vous l'êtes?

—Comment cela? demandai-je un peu surpris.

—Oui, vous savez bien, cette belle montre à répétition que vous faisiez sonner dans la bibliothèque. Eh bien! elle est retrouvée, on vous la rendra.

—C'est-à-dire, interrompis-je un peu embarrassé, que je l'avais perdue . . .

—Le coquin est emprisonné. J'irai avec vous chez le juge, et nous vous ferons rendre [41] votre belle montre.

—Je vous avoue, lui dis-je, que j'aimerais mieux perdre ma montre que de témoigner en justice [42] pour faire pendre un pauvre diable, surtout parce que . . . parce que . . .

—Oh! n'ayez aucune inquiétude. Un vol de plus ou de moins

---

37. **Seville,** the principal city of Andalusia and one of the main cities of Spain; famous in drama for its legendary barber, *Figaro*.

38. **plusieurs mois,** these correspond to the final events in the story José is about to relate.

39. *Pater* (*noster*) . . . *Ave* (*Maria*), the two commonest Catholic prayers, the *Our Father* and *Hail Mary*.

40. **pour volé,** (*as*) *for* (*having been*) *robbed*.

41. **ferons rendre,** *have* (*your watch*) *returned*.

42. **témoigner en justice,** *appear as complaining witness* (in police court).

ne changera rien à son affaire. Il a commis plusieurs meurtres, tous plus horribles les uns que les autres.

—Comment se nomme-t-il?

—On le connaît dans le pays sous le nom de José Navarro,
5 mais il a encore un autre nom basque, que ni vous ni moi ne prononcerons jamais.[43] Tenez, c'est un homme à voir,[44] et vous qui aimez à connaître les singularités du pays, vous ne devez pas négliger d'apprendre comment en Espagne les coquins sortent de ce monde. Il est en chapelle,[45] et le père
10 Martinez vous y conduira.

J'allai voir le prisonnier, muni d'un paquet de cigares. On m'introduisit auprès de don José, au moment où il prenait son repas. Il me fit un signe de tête assez froid, et me remercia poliment du cadeau que je lui apportais. Après avoir compté
15 les cigares du paquet que j'avais mis entre ses mains, il en choisit un certain nombre, et me rendit le reste, observant qu'il n'avait pas besoin d'en prendre davantage.[46]

Je lui demandai si, avec un peu d'argent, ou par le crédit de mes amis, je pourrais faire quelque chose pour lui. Il me pria de
20 faire dire une messe pour le salut de son âme.

---

43. **ne prononcerons jamais,** *will never* (*be able to*) *pronounce:* it is given later by José himself.

44. **à voir,** *to be seen.*

45. **chapelle,** *death chamber.* Spanish prisoners condemned to death awaited their execution in the prison chapel.

46. **pas besoin . . . davantage,** compare the simple eloquence of every gesture here to the opening scenes of the story. Mérimée is perhaps unique in his ability to pack meaning into every line of a story without seeming to overdo it. As in the opening scene, the most eloquent things are those that remain unsaid: José will not have time for many cigars; the author will not admit that José or Carmen did him wrong in stealing his watch; and José shakes his hand silently to express his appreciation. Carmen's name is not mentioned but her presence is unmistakable.

—Voudriez-vous, ajouta-t-il timidement, voudriez-vous en faire dire une autre pour une personne qui vous a offensé?

—Assurément, mon cher, lui dis-je; mais personne, que je sache, ne m'a offensé en ce pays.

Il me prit la main et la serra d'un air grave. Après un 5 moment de silence, il reprit:

—Oserai-je encore vous demander un service? . . . Quand vous reviendrez dans votre pays, peut-être passerez-vous par la Navarre, au moins vous passerez par Vitoria, qui n'en est pas fort éloignée. 10

—Oui, lui dis-je, je passerai certainement par Vitoria; mais il n'est pas impossible que je me détourne pour aller à Pampelune, et, à cause de vous, je crois que je ferais volontiers ce détour.

—Eh bien! si vous allez à Pampelune, vous y verrez plus 15 d'une chose qui vous intéressera . . . C'est une belle ville . . . Je vous donnerai cette médaille (il me montrait une petite médaille d'argent qu'il portait au cou), vous l'envelopperez dans du papier . . . il s'arrêta un instant pour maîtriser son émotion . . . et vous la remettrez ou vous la ferez 20 remettre à une bonne femme [47] dont je vous dirai l'adresse. —Vous direz que je suis mort, vous ne direz pas comment.

Je promis d'exécuter sa commission. Je le revis le lendemain, et je passai une partie de la journée avec lui. C'est de sa bouche [48] que j'ai appris les tristes aventures qu'on va lire. 25

---

47. **une bonne femme**, obviously José's mother but, as with Carmen, his emotion makes him reserved of speech.

48. **C'est de sa bouche**, *It is from his own lips.* This introductory portion of the story is not only told with matchless art, but its main incidents later play a role in the story told by José. Mérimée's fame as creator of the short story is due to his skill in preparing the events in such a way as to make them fully credible: his own mission in Spain, the identity of José Navarro as a bandit, and some of the main incidents he relates, were actual historical facts.

III

Je suis né, dit-il, à Elizondo, dans la vallée de Baztan. Je
m'appelle don [1] José Lizzarrabengoa, et vous connaissez assez
l'Espagne, monsieur, pour que mon nom vous dise aussitôt
que je suis Basque et vieux chrétien.[2] Si je prends le *don* c'est
5 que j'en ai le droit, et si j'étais à Elizondo, je vous montrerais
ma généalogie sur un parchemin. On voulait que je fusse
d'église,[3] et l'on me fit étudier, mais je ne profitais guère.
J'aimais trop à jouer à la paume,[4] c'est ce qui m'a perdu. Quand
nous jouons à la paume, nous autres Navarrais, nous oublions
10 tout. Un jour que j'avais gagné, un gars de l'Alava me chercha
querelle; nous prîmes nos *maquilas*, et j'eus encore l'avantage;[5]
mais cela m'obligea de quitter le pays. Je rencontrai des
dragons, et je m'engageai dans le régiment d'Almanza, cava-
lerie. Les gens de nos montagnes apprennent vite le métier
15 militaire. Je devins bientôt brigadier, et on me promettait de

---

1. **don,** Spanish word that corresponds variously to English *Mr.,*
Sir, and *Lord;* even when used most freely it indicates distinguished
origin or position.

2. **Basque et vieux chrétien,** *Basque* because of the peculiar name,
and old Christian because the Basque population has for centuries
been one of the most devotedly Catholic in the world.

3. **que je fusse d'église,** *that I should become a priest,* as usually
planned for one or more younger sons (**cadets**) of large families. This
was particularly common in poor families as it was often the only way
to obtain a classical education at little or no cost. It will be noted that
José profited little from this opportunity.

4. **jouer à la paume,** the correct translation is *"play tennis,"*
but the Basque game—in which they are recognized as champions in
all Spanish-speaking countries—is **pelote** (French) or **jai-alai,** an out-
door form of squash or handball.

5. **j'eus encore l'avantage,** *I won out again*—obviously leaving his
adversary dead or wounded; note the typically Spanish sobriety of
statement. The *maquila* (basque) is a kind of iron-tipped club.

me faire maréchal des logis,[6] quand, pour mon malheur, on me mit de garde à la manufacture de tabacs à Séville. Si vous êtes à Séville, vous aurez vu ce grand bâtiment-là, hors de remparts, près du Guadalquivir. Il me semble en voir encore la porte et le corps de garde auprès. Quand ils sont de service,[7] les Espagnols jouent aux cartes, ou dorment; moi, comme un franc Navarrais, je tâchais toujours de m'occuper. Je faisais donc une chaîne pour tenir mon épinglette.[8] Tout d'un coup les camarades disent: Voilà la cloche qui sonne; les filles vont rentrer à l'ouvrage. Vous saurez,[9] monsieur, qu'il y a bien [10] quatre à cinq cents femmes occupées dans la manufacture. Ce sont elles qui roulent les cigares dans une grande salle, où les hommes n'entrent pas sans permission, parce qu'elles se mettent à leur aise, les jeunes surtout, quand il fait chaud. A l'heure où les ouvrières rentrent, après leur dîner, bien des jeunes gens vont les voir passer, et leur en content de toutes les couleurs.[11] Pendant que les autres regardaient, moi, je restais sur mon banc, près de la porte. J'étais jeune alors; je pensais toujours au pays,[12] et je ne croyais pas qu'il y eût de jolies filles sans jupes bleues et sans nattes [13] tombant sur les épaules. D'ailleurs, les Andalouses me faisaient peur; je n'étais pas encore accoutumé à leurs manières: toujours à railler, jamais un mot de raison. J'étais donc le nez sur ma chaîne,[14]

6. **brigadier . . . maréchal des logis,** *corporal . . . sergeant.*

7. **de service,** *on duty.*

8. **épinglette,** *priming-wire* or *priming-pin* (**épingle,** *pin*), used in cleaning his breech-loading espingole.

9. **Vous saurez,** *You should know* (literally, *shall learn*).

10. **bien,** used to intensify meaning; here: *all of.*

11. **leur . . . couleurs,** "*hand them every imaginable sort of line.*"

12. **au pays,** *of home.*

13. **jupes bleues . . . nattes,** *blue skirts . . . braided hair,* characteristic of Basque girls in the mountain regions.

14. **le nez sur ma chaîne,** *absorbed in* (*making*) *my chain.*

quand j'entends des bourgeois qui disaient: Voilà la gitanilla! [15]
Je levai les yeux, et je la vis. C'était un vendredi, et je ne
l'oublierai jamais. Je vis cette Carmen que vous connaissez,
chez qui je vous ai rencontré il y a quelques mois.

5   Elle avait un jupon rouge fort court qui laissait voir des
bas de soie blancs avec plus d'un trou, et des souliers de maroquin rouge attachés avec des rubans couleur de feu. Elle
écartait sa mantille afin de montrer ses épaules et un gros
bouquet de cassie [16] qui sortait de sa chemise. Elle avait une
10 fleur de cassie dans le coin de la bouche, et elle s'avançait en
se balançant sur ses hanches. Dans mon pays, une femme en
ce costume aurait obligé le monde à se signer.[17] A Séville, chacun
lui adressait quelque compliment gaillard sur sa tournure; elle
répondait à chacun, faisant les yeux en coulisse,[18] le poing
15 sur la hanche, effrontée comme une vraie bohémienne qu'elle
était. D'abord elle ne me plut pas, et je repris mon ouvrage;
mais elle, suivant l'usage des femmes et des chats qui ne
viennent pas quand on les appelle et qui viennent quand on
ne les appelle pas, s'arrêta devant moi et m'addressa la
20 parole:

    —Compère, me dit-elle à la façon andalouse, veux-tu me
donner ta chaîne pour tenir les clefs de mon coffre-fort?

    —C'est pour attacher mon épinglette, lui répondis-je.

    —Ton épinglette! s'écria-t-elle en riant. Ah! monsieur fait
25 de la dentelle, puisqu'il a besoin d'épingles!

---

    15. **la gitanilla**, *the gypsy girl*—here, as when Carmen introduced
herself as "**la Carmencita**," she is unique. Note the deeply felt phrasing
of José. Her flashy appearance was particularly striking, to the devout
Basque, because it was Friday (crucifixion day).

    16. **cassie**, *acacia*. The flower is white or yellow. Note the per-
sistence with which this word recurs; it seems to characterize the
intensity of José's recollection of the entire incident.

    17. **se signer**, *make the sign of the cross* (to ward off the devil).

    18. **faisant les yeux en coulisse**, *making sheep's eyes, leering*.

Tout le monde qui était là se mit à rire, et moi je me sentais rougir, et je ne pouvais trouver rien à lui répondre.

—Allons, mon cœur, reprit-elle, fais-moi de la dentelle noire pour une mantille!

Et prenant la fleur de cassie qu'elle avait à la bouche, elle me 5 la lança d'un mouvement de pouce, juste entre les deux yeux. Monsieur, cela me fit l'effet d'une balle qui m'arrivait [19] . . . Je ne savais où me cacher, je demeurais immobile comme une planche. Quand elle fut entrée dans la manufacture, je vis la fleur de cassie qui était tombée à terre entre mes pieds; je ne 10 sais ce qui me prit,[20] mais je la ramassai sans que mes camarades s'en aperçussent et je la mis précieusement dans ma veste. Première sottise!

Deux ou trois heures après, j'y pensais encore, quand arrive dans le corps de garde un portier tout haletant. Il nous dit que 15 dans la grande salle des cigares il y avait une femme assassinée,[21] et qu'il fallait y envoyer la garde. Le maréchal me dit de prendre deux hommes et d'y aller voir. Je prends mes deux hommes et je monte. Figurez-vous, monsieur, qu'entré dans la salle je trouve d'abord trois cents femmes, toutes criant, 20 gesticulant. D'un côté, il y en avait une, les quatre fers en l'air,[22] couverte de sang, avec un X sur la figure qu'on venait de lui marquer en deux coups de couteau. En face de la blessée, que secouraient [23] les meilleures de la bande, je vois Carmen tenue par cinq ou six vieilles femmes. La femme blessée 25

---

19. **qui m'arrivait,** *hitting me.*

20. **prit,** *possessed.*

21. **il y avait une femme assassinée,** freely, *there was a woman being murdered*—note that the wound is probably not serious.

22. **les quatre fers en l'air,** a vivid if vulgar way for a cavalryman like José to say *flat on her back*—**fers,** *horse-shoes.*

23. **que secouraient,** (*who was being*) *helped by;* in constructions where **que** is followed by the verb, it is usually desirable to keep the same word order and change to a passive construction as here.

criait: "Confession! confession! je suis morte!" [24] Carmen ne disait rien. "Qu'est-ce que c'est?" demandai-je. J'eus grand'-peine à savoir ce qui s'était passé,[25] car toutes les ouvrières me parlaient à la fois. Il paraît que la femme blessée s'était vantée
5 d'avoir assez d'argent en poche pour acheter un âne au marché. "Tiens, dit Carmen qui avait une langue, tu n'as donc pas assez d'un balai?" [26] L'autre lui répond qu'elle ne se connaissait pas en [27] balais, n'ayant pas l'honneur d'être bohémienne ni filleule de Satan.[28] Là-dessus, vli vlan![29] elle commence, avec
10 le couteau dont elle coupait le bout des cigares, à lui dessiner des croix sur la figure.

Le cas était clair; je pris Carmen par le bras: —Ma soeur, lui dis-je poliment, il faut me suivre. Elle me lança un regard comme si elle me reconnaissait; mais elle dit d'un air résigné:
15 —Marchons.[30] Où est ma mantille? [31] Elle la mit sur sa tête de façon à ne montrer qu'un seul de ses grands yeux, et suivit mes deux hommes, douce comme un mouton. Arrivés au corps de garde, le maréchal des logis dit que c'était grave, et qu'il fallait la mener à la prison. C'était encore moi qui devais la con-
20 duire.[32] Je la mis entre deux dragons, et je marchais derrière

---

24. **Confession! confession! je suis morte!**, *Call a priest! Call a priest! I'm dying!*

25. **J'eus . . . passé,** *I had a hard time finding out what had happened.*

26. **tu . . . balai,** *you* (*witch*), *can't you get along on a broom?*

27. **ne se connaissait pas en,** *was no authority on.*

28. **filleule de Satan,** *hellion* (**filleule,** literally, *god-daughter*).

29. **vli vlan!,** *bing, bang!*

30. **Marchons!,** *Let's go!* with the added shade of meaning that "**marcher**" in common speech means to "*ride along*" or "*cooperate.*"

31. **mantille,** the author depicts Carmen by her gestures with the **mantilla** as he did José by his **espingole.**

32. **qui devais la conduire,** *who was* (*assigned*) *to take her* (*there*).

comme un brigadier doit faire. Nous nous mîmes en route pour la ville. D'abord la bohémienne avait gardé le silence; mais dans la rue du Serpent, —vous la connaissez, elle mérite bien son nom par les détours qu'elle fait, —dans la rue du Serpent elle commence par laisser tomber sa mantille sur les épaules, 5 afin de me montrer son visage séduisant, et, se tournant vers moi autant qu'elle pouvait, elle me dit:

—Mon officier, où me menez-vous?

—A la prison, ma pauvre enfant, lui répondis-je le plus douce-ment que je pus, comme un bon soldat doit parler à un 10 prisonnier, surtout à une femme.

—Hélas! Seigneur officier, ayez pitié de moi. Vous êtes si jeune, si gentil! . . . Puis, d'un ton plus bas: Laissez-moi m'échapper, dit-elle, je vous donnerai un morceau de la *bar lachi*,[33] qui vous fera aimer de toutes les femmes. 15

La *bar lachi*, monsieur, c'est la pierre d'aimant, avec laquelle les bohémiens prétendent qu'on fait quantité de sortilèges quand on sait s'en servir. Moi, je lui répondis le plus sérieuse-ment que je pus:

—Nous ne sommes pas ici pour dire des sottises; il faut 20 aller à la prison, c'est la consigne, et il n'y a pas de remède.

Nous autres gens du pays basque, nous avons un accent qui nous fait reconnaître facilement des Espagnols; Carmen donc n'eut pas de peine à deviner que je venais des Provinces. Vous saurez, monsieur, que les bohémiens, comme n'étant d'aucun 25 pays, voyageant toujours, parlent toutes langues, et la plupart sont chez eux [34] en Portugal, en France, dans les Provinces, en Catalogne,[35] partout; même avec les Maures et les Anglais, ils se font entendre. Carmen savait assez bien le basque.

---

33. **bar lachi,** (gypsy), *magnet.*   34. **chez eux,** (*quite*) *at home.*
35. **Catalogne,** *Catalonia* the wealthiest of Spanish provinces, capital, Barcelona, in Northeastern Spain; the Catalan language spoken there is distinct from Spanish.

—*Laguna ene bihotsarena*,[36] camarade de mon coeur, me dit-elle tout à coup, êtes-vous du pays?

Notre langue, monsieur, est si belle, que, lorsque nous l'entendons en pays étranger, cela nous fait tressaillir . . .

5   Il reprit après un silence:

—Je suis d'Elizondo, lui répondis-je en basque, fort ému de l'entendre parler ma langue.

—Moi, je suis d'Etchalar, dit-elle. (C'est un pays [37] à quatre heures de chez nous.) J'ai été emmenée par des bohémiens [38] 10 à Séville. Je travaillais à la manufacture pour gagner de quoi [39] retourner en Navarre, près de ma pauvre mère qui n'a que moi pour soutien. Ah! si [40] j'étais au pays, devant la montagne blanche! On m'a insultée parce que je ne suis pas de ce pays de voleurs, et parce que je leur ai dit que tous leurs garçons de 15 Séville, avec leurs couteaux, ne feraient pas peur à un gars de chez nous avec son béret bleu et son *maquila*.[41] Camarade, mon ami, ne ferez-vous rien pour une payse? [42]

Elle mentait, monsieur, elle a toujours menti. Je ne sais pas si dans sa vie cette fille-là a jamais dit un mot de vérité; mais 20 quand elle parlait, je la croyais: c'était plus fort que moi. Elle estropiait [43] le basque, et je la crus Navarraise; ses yeux seuls et sa bouche et son teint la disaient bohémienne. J'étais fou,

---

36. *laguna ene bihotsarena*, (basque) *pal of mine, friend of my heart*, as translated by Carmen herself.

37. **pays**, *town*.

38. **J'ai été emmenée par des bohémiens**, fiction and history are full of tales of children kidnapped by gypsies; Carmen's is of course in the former class.

39. **de quoi**, *enough to*.   40. **si**, *if only*.

41. **couteaux . . . maquila**, this difference in regional weapons will appear later in the fight with García. Note the skill of Carmen's appeal to his personal as well as his racial pride.

42. **payse**, feminine of **pays** in the colloquial sense of *fellow-townsman* or *one from the same region* (**pays**).

43. **estropiait**, *butchered* (literally, *crippled*).

je ne faisais plus attention à rien. Je pensais que, si des Espagnols avaient mal parlé de mon pays, je leur aurais coupé la figure, tout comme elle venait de faire à sa camarade. Bref, j'étais comme un homme ivre.

—Si je vous poussais, et si vous tombiez, mon pays, reprit-elle 5 en basque, ce ne seraient pas ces deux conscrits de Castillans [44] qui me retiendraient . . .

Ma foi, j'oubliai la consigne et tout, et je lui dis:

—Eh bien m'amie,[45] ma payse, essayez, et que Notre-Dame de la Montagne vous soit en aide! [46] 10

En ce moment, nous passions devant une de ces rues étroites comme il y en a tant à Séville. Tout à coup Carmen se retourne et me lance un coup de poing dans la poitrine. Je me laissai tomber exprès. D'un bond, elle saute par-dessus moi et se met à courir en nous montrant une paire de jambes! . . . Moi, je 15 me relève aussitôt; mais je mets ma lance en travers, de façon à barrer la rue, si bien que les camarades furent arrêtés au moment de la poursuivre. Puis je me mis moi-même à courir, et eux après moi; mais l'atteindre! [47] Il n'y avait pas de risque, avec nos éperons, nos sabres et nos lances! En moins de temps 20

---

44. **conscrits de Castillans,** *conscripts from Castille*—playing again on his feelings by reminding him that their companions are from the province that is the political capital (Castille—compare American suspicion of Washington, D. C.) and are mere conscripts while she can assume he is a volunteer since the mountaineer Basques commonly seek an army career.

45. **m'amie,** *my dear,* expression surviving from Old French usage which permitted elision of **ma** before **amie** (modern French, **mon amie**). As this is now ungrammatical, the phrase is more usually (though incorrectly) written **ma mie.**

46. **que Notre-Dame . . . en aide,** *may Our Lady of the Mountain help you!* Reference is presumably to a church or shrine, dedicated to the Virgin Mary, in the region of the **Montagne Blanche** which separates Elizondo from Etchalar.

47. **mais l'atteindre,** *but (just try) to catch her!*

que je n'en [48] mets à vous le dire, la prisonnière avait disparu.
D'ailleurs, toutes les vieilles femmes du quartier favorisaient sa
fuite, et se moquaient de nous, et nous indiquaient la fausse
voie. Il fallut retourner au corps de garde.

5   Mes hommes, pour n'être pas punis, dirent que Carmen
m'avait parlé basque; et il ne paraissait pas trop naturel, pour
dire la vérité, qu'un coup de poing d'une tant petite fille eût
renversé si facilement un gaillard de ma force. En descendant
la garde,[49] je fus dégradé [50] et envoyé pour un mois à la prison.
10 C'était ma première punition depuis que j'étais au service.
Adieu les galons de maréchal des logis que je croyais déjà
tenir!

Mes premiers jours de prison se passèrent fort tristement. En
me faisant soldat, je m'étais figuré que je deviendrais tout au
15 moins officier. Maintenant je me disais: Tout le temps que tu
as servi sans punition, c'est du temps perdu. Te voilà mal
noté; [51] pour te remettre bien dans l'esprit des chefs, il te
faudra travailler dix fois plus que lorsque tu es venu comme
conscrit! Et pourquoi me suis-je fait punir? [52] Pour une coquine
20 de bohémienne qui s'est moquée de moi, et qui, dans ce
moment, est à voler [53] dans quelque coin de la ville. Pourtant
je ne pouvais m'empêcher de penser à elle. Le croiriez-vous,
monsieur? ses bas de soie troués, je les avais toujours devant
les yeux. Et puis, malgré moi, je sentais la fleur de cassie qu'elle
25 m'avait jetée, et qui, sèche, gardait toujours sa bonne odeur
. . . S'il y a des sorcières, cette fille-là en était une!

Un jour, le geôlier entre, et me donne un pain.

---

48. **n'en,** do not translate.
49. **En descendant la garde,** At the (next) change of guard.
50. **dégradé,** "broken," stripped of my corporal's stripes (**galons**).
51. **Te voilà mal noté,** Now there's a blot on your record.
52. **me suis-je fait punir,** did I let myself be punished.
53. **est à voler,** is stealing.

—Tenez, me dit-il, voilà ce que votre cousine vous envoie.

Je pris le pain, fort étonné, car je n'avais pas de cousine à Séville. C'est peut-être une erreur, pensai-je en regardant le pain; mais il était si appétissant, il sentait si bon, que, sans m'inquiéter de savoir d'où il venait et à qui il était destiné, je 5 résolus de le manger. En voulant le couper, mon couteau rencontra quelque chose de dur. Je regarde, et je trouve une petite lime qu'on y avait glissée. Il y avait encore dans le pain une pièce d'or de deux piastres.[54] Plus de doute alors, c'était un cadeau de Carmen. Pour les gens de sa race, la liberté[55] 10 est tout, et ils mettraient le feu à une ville pour s'épargner un jour de prison. Mais je ne voulais pas m'échapper. J'avais encore mon honneur de soldat, et déserter me semblait un grand crime. Seulement, je fus touché. Quand on est en prison, on aime à penser qu'on a dehors un ami qui s'intéresse à vous. 15 La pièce d'or m'offensait un peu, j'aurais bien voulu la rendre; mais où trouver mon créancier? Cela ne me semblait pas facile.

Après la cérémonie de la dégradation, je croyais n'avoir plus rien à souffrir; mais il me restait encore[56] une humiliation à 20 dévorer: ce fut à ma sortie de prison, lorsqu'on me mit en faction[57] comme un simple soldat. Vous ne pouvez vous figurer[58] ce qu'un homme éprouve en pareille occasion. Je crois que j'aurais aimé autant à être fusillé. Au moins on marche seul, en avant de son peloton; on se sent quelque 25 chose; le monde vous regarde.[59]

---

54. **piastres,** (Spanish *piastra*), now a coin of little value, then the equivalent of $1 gold.

55. **liberté,** rather than the soldier's code of **honneur,** still that of José.   56. **il me restait encore,** *I still had.*

57. **en faction,** *on sentinel duty.*

58. **Vous . . . figurez,** *You can't imagine.*

59. **On se sent quelque chose; le monde vous regarde,** *You feel you are somebody* (of *importance*); *people look at you.*

Je fus mis en faction à la porte du colonel. C'était un jeune homme riche, bon enfant,[60] qui aimait à s'amuser. Tous les jeunes officiers étaient chez lui, des femmes aussi, des actrices, à ce qu'on disait.[61] Pour moi, il me semblait que toute la ville 5 était à sa porte pour me regarder. Voilà qu'arrive la voiture du colonel. Qu'est-ce que je vois descendre? . . . la gitanilla. Elle était toute vêtue, cette fois, d'or et de rubans. Elle avait un tambour de basque [62] à la main. Avec elle il y avait deux autres bohémiennes, une jeune et une vielle. Il y a toujours une 10 vieille pour les mener; puis un vieux avec une guitare, bohémien aussi, pour jouer et les faire danser. Vous savez qu'on s'amuse souvent à faire venir des bohémiennes dans les sociétés, afin de leur faire danser la *romalis,*[63] c'est leur danse.

Carmen me reconnut, et nous échangeâmes un regard. Je ne 15 sais, mais, en ce moment, j'aurais voulu être à cent pieds sous terre.

—*Agur laguna,*[64] dit-elle. Mon officier, tu montes la garde comme un conscrit!

Et, avant que j'eusse trouvé un mot à répondre, elle était 20 dans la maison.

Toute la société était dans le patio, et, malgré la foule, je voyais à peu près tout ce qui se passait.[65] J'entendais les castagnettes, le tambour, les rires et les bravos; parfois j'apercevais sa tête quand elle sautait avec son tambour. Puis j'entendais 25 encore des officiers qui lui disaient bien des choses [66] qui me faisaient monter le rouge à la figure. Ce qu'elle répondait,

---

60. **bon enfant,** *a good fellow.*
61. **à ce qu'on disait,** *according to what was said.*
62. **tambour de basque,** *tambourine.*
63. *romalis* (gypsy), *a gypsy dance.*
64. *Agur laguna* (gypsy) = **Bonjour, camarade** (note by Mérimée).
65. **à peu près . . . passait,** *just about everything that went on.*
66. **bien des choses = beaucoup de choses.**

je n'en savais rien. C'est de ce jour-là, je pense, que je me mis à l'aimer pour tout de bon; car l'idée me vint trois ou quatre fois d'entrer dans le patio, et de donner de mon sabre dans le ventre à tout ce monde-là. Ma torture dura une bonne heure; puis les bohémiens sortirent. Carmen, en passant, me regarda ₅ encore avec les yeux que vous savez, et me dit très bas:

—Pays, quand on aime la bonne friture, on en va manger à Triana,[67] chez Lillas Pastia.

Elle s'élança dans la voiture, et toute la bande joyeuse s'en alla je ne sais où. ₁₀

Vous devinez bien qu'en descendant ma garde j'allai à Triana; mais d'abord je me fis raser et je me brossai comme pour un jour de parade. Elle était chez Lillas Pastia, un vieux marchand de friture, bohémien, noir [68] comme un Maure, chez qui beaucoup de bourgeois venaient manger du poisson frit, ₁₅ surtout, je crois, depuis que Carmen y avait pris ses quartiers.

—Lillas, dit-elle sitôt qu'elle me vit, je ne fais plus rien de la journée.[69] Allons, pays, allons nous promener.

Elle mit sa mantille devant son nez, et nous voilà dans la rue, sans savoir où j'allais. ₂₀

—Mademoiselle, lui dis-je, je crois que j'ai à vous remercier d'un présent que vous m'avez envoyé quand j'étais en prison. J'ai mangé le pain; la lime me servira pour affiler ma lance, et je la garde comme souvenir de vous; mais l'argent, le voilà. ₂₅

—Tiens! Il a gardé l'argent, s'écria-t-elle en éclatant de rire. Au reste tant mieux, car je ne suis guère en fonds. Allons, mangeons tout.

---

67. **Triana,** a suburb of Seville.

68. **noir,** *dark.*

69. **je ne fais . . . journée,** *I'm through for the day.* She helped entertain (and attract) customers for Pastia.

Nous avions repris le chemin de [70] Séville. A l'entrée de la rue Serpent, elle acheta une douzaine d'oranges, qu'elle me fit mettre dans mon mouchoir. Un peu plus loin, elle acheta encore un pain, du saucisson, une bouteille de manzanilla; [71]
5 puis enfin elle entra chez un confiseur. Là, elle jeta sur le comptoir la pièce d'or que je lui avais rendue, une autre encore qu'elle avait dans sa poche, avec quelque argent blanc; enfin elle me demanda tout ce que j'avais. Je crus qu'elle voulait emporter toute la boutique. Elle prit tout ce qu'il y avait de
10 plus beau et de plus cher. Tout cela, il fallut encore que je le portasse [72] dans des sacs de papier. Vous connaissez peut-être la rue du Candilejo. Nous nous arrêtâmes, dans cette rue-là, devant une vieille maison. Elle entra dans l'allée, et frappa au rez-de-chaussée. Une bohémienne,[73] vraie servante de Satan,
15 vint nous ouvrir. Carmen lui dit quelques mots en romain.[74] La vieille grogna d'abord. Pour l'apaiser, Carmen lui donna deux oranges et des bonbons et lui permit de goûter au vin. Puis elle lui mit sa mante sur le dos et la conduisit à la porte, qu'elle ferma avec la barre de bois. Dès que nous fûmes seuls,
20 elle se mit à danser et à rire comme une folle, en chantant:

—Tu es mon *rom*, je suis ta *romi*.[75]

Moi, j'étais au milieu de la chambre, chargé de toutes ses emplettes, ne sachant où les poser. Elle jeta tout par terre, et me sauta au cou [76] en me disant:

---

70. **le chemin de,** *the road to* (usual meaning).

71. **manzanilla,** a type of white sherry wine.

72. **il fallut encore que je le portasse,** *to make it worse, I had to carry it;* this scene, familiar to American husbands, would be most unusual and humiliating for any true Spaniard, particularly a soldier; José is still a "hick rookie."

73. **Une bohémienne,** later identified as Dorothée.

74. **romain,** *Gypsy* (dialect).

75. *rom . . . romi, husband, wife.*

76. **me sauta au cou,** *threw her arms around me;* the verb **embrasser,** which would appear to mean this = *to kiss.*

—Je paye mes dettes, je paye mes dettes! c'est la loi des *calés*!
Ah! monsieur, cette journée-là! cette journée-là! quand j'y
pense, j'oublie celle de demain.

Le bandit se tut un instant; puis, après avoir rallumé son
cigare, il reprit:

Nous passâmes ensemble toute la journée. Je lui dis que je
voudrais la voir danser; mais où trouver des castagnettes?
Aussitôt elle prend la seule assiette de la vieille, la casse en
morceaux, et la voilà qui danse la romalis en faisant claquer les
morceaux de faïence aussi bien que si elle avait eu des casta-[10]
gnettes d'ébène ou d'ivoire. On ne s'ennuyait pas auprès de [77]
cette fille-là, je vous en réponds.[78] Le soir vint, et j'entendis les
tambours qui battaient la retraite.[79]

—Il faut que j'aille au quartier pour l'appel, lui dis-je.

—Au quartier? dit-elle d'un air de mépris. Tu es un vrai [15]
canari,[80] d'habit et de caractère. Va, tu as un coeur de
poulet.

Je restai résigné d'avance à la salle de police.[81] Le matin, ce
fut elle qui parla la première de nous séparer.

—Ecoute, Joseito,[82] dit-elle; t'ai-je payé? D'après notre loi, [20]
je ne te devais rien, puisque tu es un *payllo*;[83] mais tu es un joli
garçon, et tu m'as plu.[84] Nous sommes quittes. Bonjour.

Je lui demandai quand je la reverrais.

—Quand tu seras moins bête, répondit-elle en riant. Puis,

---

77. **auprès de,** *in the company of.*

78. **je vous en réponds,** *I can assure you.*

79. **qui battaient la retraite,** *sounding "tattoo"* (final roll call
of the day).

80. **canari,** *canary.* Contemptuous reference to the yellow uniform
(**habit**) of Spanish dragoons and to Don José's lack of bravery.

81. **salle de police,** *guard-house,* for being absent without leave.

82. **Joseito,** diminutive (cf. **Carmencita,** etc.)—*Joey.*

83. *payllo, outsider* (not a *gypsy*).

84. **tu m'as plu,** *I liked you.*

d'un ton plus sérieux: Sais-tu, mon fils, que je crois que je t'aime un peu? Mais cela ne peut durer. Chien et loup ne font pas longtemps bon ménage. Peut-être que, si tu prenais la loi d'Egypte,[85] j'aimerais à devenir ta romi. Mais, ce sont des
5 bêtises: cela ne se peut pas.[86] Allons, adieu encore une fois. Ne pense plus à Carmencita, ou elle te ferait pendre.[87]

En parlant ainsi, elle défaisait la barre qui fermait la porte, et une fois dans la rue elle s'enveloppa dans sa mantille et me tourna les talons.

10 Elle disait vrai. J'aurais été sage de ne plus penser à elle; mais depuis cette journée dans la rue du Candilejo, je ne pouvais plus songer à autre chose. Je me promenais tout le jour, espérant la rencontrer. J'en demandais des nouvelles à la vieille et au marchand de friture. L'un et l'autre répondaient qu'elle
15 était partie pour Laloro,[88] c'est ainsi qu'ils appellent le Portugal. Probablement c'était d'après les instructions de Carmen qu'ils parlaient de la sorte,[89] mais je ne tardai pas à savoir qu'ils mentaient. Quelques semaines après ma journée de la rue du Candilejo, je fus de faction à une des portes de la
20 ville. A peu de distance de cette porte, il y avait une brèche dans le mur; on y travaillait à la réparer pendant le jour, et la nuit on y mettait un factionnaire pour empêcher les fraudeurs. Pendant le jour, je vis Lillas Pastia passer et repasser autour du corps de garde, et causer avec quelques-uns de mes camarades;
25 tous le connaissaient. Il s'approcha de moi et me demanda si j'avais des nouvelles de Carmen.

—Non, lui dis-je.

---

85. **la loi d'Egypte,** *gypsy law,* of which José and the reader will learn more as the story progresses.
86. **Cela ne se peut pas,** *That can't be.*
87. **te ferait pendre,** *would get you hanged.*
88. **Laloro,** (gypsy), literally, *the Red Land.*
89. **de la sorte,** *in that way.*

—Eh bien, vous en aurez, compère.

Il ne se trompait pas. La nuit, je fus mis de faction à la brèche. Dès que le brigadier se fut retiré, je vis venir à moi une femme. Le coeur me disait que c'était Carmen. Cependant je criai: 5

—On ne passe pas!

—Ne faites donc pas le méchant, me dit-elle en se faisant connaître à moi.

—Quoi! vous voilà, Carmen!

—Oui, mon pays. Parlons peu, parlons bien. Veux-tu gagner 10 un douro? [90] Il va venir [91] des gens avec des paquets; laisse-les faire.[92]

—Non, répondis-je. Je dois les empêcher de passer; c'est la consigne.

—La consigne! la consigne! Tu n'y pensais pas rue du Candi- 15 lejo.[93]

—Ah! répondis-je, tout bouleversé par ce seul souvenir. Mais je ne veux pas de l'argent des contrebandiers.

—Voyons, si tu ne veux pas d'argent, veux-tu que nous allions encore dîner chez la vieille Dorothée?   20

—Non! dis-je à moitié étranglé par l'effort que je faisais. Je ne puis pas.

—Fort bien. Si tu es si difficile, je sais à qui m'adresser. J'offrirai à ton officier d'aller chez Dorothée. Il a l'air d'un bon enfant, et il fera mettre en sentinelle un gaillard qui ne 25 verra que ce qu'il faudra voir. Adieu, canari. Je rirai bien le jour où la consigne sera de te pendre.

J'eus la faiblesse de la rappeler, et je promis de laisser passer

---

90. **douro** (Spanish **duro**), Spanish silver dollar.

91. **Il va venir,** the real subject is **des gens.**

92. **Laisse-les faire,** *Let them be, Don't interfere with them.*

93. **rue de Candilejo,** used adverbially, *on C. St.;* a little later the same phrase means *to it,* after the verb **venir.**

toute la Bohême,[94] s'il le fallait. Elle courut prévenir ses amis, qui étaient à deux pas.[95] Il y en avait cinq, dont était Pastia, tous bien chargés de marchandises anglaises. Carmen faisait le guet. Elle devait[96] avertir avec ses castagnettes dès qu'elle
5 apercevrait la ronde, mais elle n'en eut pas besoin. Les fraudeurs firent leur affaire en un instant.

Le lendemain, j'allai rue du Candilejo. Carmen se fit attendre,[97] et vint d'assez mauvaise humeur.

—Je n'aime pas les gens qui se font prier,[98] dit-elle. Tu m'as
10 rendu un plus grand service la première fois, sans savoir si tu y gagnerais quelque chose. Hier, tu as marchandé avec moi. Je ne sais pas pourquoi je suis venue, car je ne t'aime plus. Tiens, va-t'en,[99] voilà un douro pour ta peine.

Je fus obligé de faire un effort violent sur moi-même pour
15 ne pas la battre. Après nous être disputés[100] pendant une heure, je sortis furieux. J'errai quelque temps par la ville, marchant comme un fou; enfin j'entrai dans une église, et m'étant mis dans le coin le plus obscur, je pleurai à chaudes larmes.[101] Tout d'un coup j'entends une voix; je lève les yeux,
20 c'était Carmen en face de moi.

—Eh bien, mon pays, me dit-elle. Il faut bien que je vous aime,[102] car, depuis que vous m'avez quittée, je ne sais ce que

---

94. **Bohème = Egypte**, *gypsydom.*
95. **à deux pas**, *"just around the corner."*
96. **devait**, *was* (*assigned*) *to.*
97. **se fit attendre**, *kept me waiting.*
98. **se font prier**, *have to be begged.*
99. **va-t'en**, *get out.*
100. **Après nous être disputés**, *After we had quarrelled.*
101. **à chaudes larmes**, the "characteristic" **à**—*with*, need not be translated here.
102. **Il faut bien que je vous aime**, *Something drives me to love you.*

j'ai.[103] Voyons, maintenant c'est moi qui te demande si tu veux venir rue du Candilejo.

Nous fîmes donc la paix; mais Carmen avait l'humeur comme est le temps [104] chez nous. Jamais l'orage n'est si près dans nos montagnes que lorsque le soleil est le plus brillant. 5 Elle m'avait promis de me revoir chez Dorothée, et elle ne vint pas.

Je cherchais Carmen partout où je croyais qu'elle pouvait être, et je passais vingt fois par jour dans la rue du Candilejo. Un soir, j'étais chez Dorothée lorsque Carmen entra suivie 10 d'un jeune homme, lieutenant dans notre régiment.

—Va-t'en vite, me dit-elle en basque.

Je restai stupéfait, la rage dans le coeur.

—Qu'est-ce que tu fais ici? me dit le lieutenant. Décampe, hors d'ici!   15

Je ne pouvais faire un pas. L'officier, en colère, voyant que je ne me retirais pas, me prit au collet et me secoua rudement. Je ne sais ce que je lui dis. Il tira son épée, et je tirai la mienne. La vieille me saisit le bras, et le lieutenant me donna un coup au front, dont je porte encore la marque. Je reculai, et d'un 20 coup de coude je jetai Dorothée à la renverse; puis, comme le lieutenant me poursuivait, je lui mis la pointe au corps, et il s'enferra.[105] Carmen alors éteignit la lampe, et dit dans sa langue à Dorothée de s'enfuir. Moi-même je me sauvai dans la rue,[106] et me mis à courir sans savoir où. Il me semblait que 25 quelqu'un me suivait. Quand je revins à moi,[107] je trouvai que Carmen ne m'avait pas quitté.

—Grand canari! me dit-elle, tu ne sais faire que des bêtises.

---

103. **ce que j'ai,** *what's the matter with me.*
104. **temps,** *weather.*
105. **s'enferra,** *was run through* (by his own forward motion).
106. **je me sauvai dans la rue,** *I ran (away) into the street.*
107. **je revins à moi,** *I came to my senses again.*

Je te l'ai dit que je te porterais malheur. Allons, il y a remède à
tout. Commence à [108] mettre ce mouchoir sur ta tête, et
attends-moi dans cette allée. Je reviens dans deux minutes.

Elle disparut, et me rapporta bientôt une mante qu'elle était
5 allée chercher je ne sais où. Elle me fit quitter mon uniforme,
et mettre la mante par-dessus ma chemise. Ainsi accoutré, avec
le mouchoir dont elle avait bandé la plaie que j'avais à la tête,
je ressemblais assez à un paysan. Puis elle me mena dans une
maison assez semblable à celle de Dorothée, au fond d'une
10 petite rue. Elle et une autre bohémienne me lavèrent, me pan-
sèrent, me firent boire je ne sais quoi; enfin, on me mit sur un
matelas, et je m'endormis.

IV

Probablement ces femmes avaient mêlé dans ma boisson
quelques-unes de ces drogues dont elles ont le secret, car je ne
15 m'éveillai que fort tard le lendemain. J'avais un grand mal de
tête et un peu de fièvre. Il fallut [1] quelque temps pour que le
souvenir me revînt de la terrible scène où j'avais pris part.
Après avoir pansé ma plaie, Carmen et son amie échangèrent
quelques mots de *chipe calli*, qui paraissaient être une con-
20 sultation médicale. Puis toutes les deux m'assurèrent que je
serais guéri avant peu,[2] mais qu'il fallait quitter Séville le plus
tôt possible; car si l'on [3] m'y attrapait, j'y serais fusillé.

—Mon garçon, me dit Carmen, il faut que tu fasses quelque
chose; il faut que tu songes à gagner ta vie. Tu es trop bête
25 pour voler; mais tu es fort: si tu as du coeur, va-t'en à la côte,
et fais-toi contrebandier. Ne t'ai-je promis de te faire pendre?

---

108. **Commence à,** *Start by.*
1. **Il fallut,** *It took.*
2. **avant peu,** *before long.*
3. **l'on = on.**

Cela vaut mieux que d'être fusillé. D'ailleurs, tu vivras comme un prince.

Ce fut de cette façon engageante que cette diable de fille me montra la nouvelle carrière qu'elle me destinait, la seule, à vrai dire, qui me restât,[4] maintenant que j'avais encouru la peine 5 de mort. Vous le dirai-je, monsieur? elle me détermina [5] sans beaucoup de peine. Il me semblait que je m'unissais à elle plus intimement par cette vie de hasards et de rébellion. Désormais je crus m'assurer [6] son amour. J'avais entendu souvent parler de quelques contrebandiers qui parcouraient l'Andalousie, 10 montés sur un bon cheval, l'espingole au poing.[7] Je me voyais déjà trottant avec la gentille bohémienne montée derrière moi.

Pour le faire court, monsieur, Carmen me procura un habit bourgeois, avec lequel je sortis de Séville sans être reconnu. 15 J'allai à Jerez [8] avec une lettre de Pastia pour un marchand chez qui se réunissaient des contrebandiers. On me présenta à ces gens-là, dont le chef, surnommé le Dancaïre,[9] me reçut dans sa troupe. Nous partîmes pour Gaucin,[10] où je retrouvai Carmen, qui m'y avait donné rendez-vous. Dans les expé- 20

---

4. **la seule . . . qui me restât,** *the only career still open to me.*

5. **détermina,** *persuaded.*

6. **je crus m'assurer,** *I thought I could be sure of.*

7. **au poing = à la main.**

8. **Jerez,** Andalusian city, near Cadiz, known to the English-speaking world for its sherry wine.

9. **le Dancaïre,** a nickname derived from the Spanish slang term **el dancairo,** *one who places bets on another's behalf*—and presumably offers tips on the best bets, like a racing "tout." Hence the name must always be used with article—*"the tout."*

10. **Gaucin,** for this and following place-names, see map. They are important by their proximity to Gibraltar, which constitutes an international frontier favorable for smuggling, since it is not under Spanish control but its waters are continuous with Spanish waters.

ditions, elle servait d'espion à nos gens. Elle revenait de Gibraltar, et déjà elle avait arrangé avec un patron de navire l'embarquement de marchandises anglaises que nous devions recevoir sur la côte. Nous allâmes les attendre près d'Estepona,
5 puis nous en cachâmes une partie dans la montagne; chargés du reste, nous nous rendîmes à Ronda. Carmen nous y avait précédés. Ce fut elle encore qui nous indiqua le moment où nous entrerions en ville. Ce premier voyage et quelques autres après furent heureux.[11] La vie de contrebandier me plaisait
10 mieux que la vie de soldat; j'avais de l'argent et je faisais des cadeaux à Carmen. Je n'avais guère de remords. Partout nous étions bien reçus; mes compagnons me traitaient bien, et même me témoignaient de la considération. La raison, c'était que j'avais tué un homme, et parmi eux il y en avait[12] qui
15 n'avaient pas un pareil exploit sur la conscience.

Mais ce qui me touchait[13] davantage dans ma nouvelle vie, c'est que je voyais souvent Carmen. Elle me montrait plus d'amitié[14] que jamais. J'étais si faible devant cette créature, que j'obéissais à tous ses caprices.

20 Notre troupe, qui se composait de huit ou dix hommes, ne se réunissait guère que[15] dans les moments décisifs, et d'ordinaire nous étions dispersés deux à deux, trois à trois, dans les villes et les villages. Chacun de nous prétendait avoir un métier. Un jour, ou plutôt une nuit, notre rendez-vous était
25 au bas de Véger. Le Dancaïre et moi nous nous y trouvâmes avant les autres. Il paraissait fort gai.

—Nous allons avoir un camarade de plus, me dit-il. Carmen

---

11. **heureux,** *lucky.*
12. **il y en avait** = **il y en avait beaucoup** (or **plusieurs**).
13. **touchait** = **plaisait.**
14. **amitié,** affection.
15. **ne . . . guère que,** *seldom except.*

vient de faire un de ses meilleurs tours.[16] Elle vient de faire échapper son rom qui était au presidio [17] à Tarifa.

Je commençais déjà à comprendre le bohémien, que parlaient [18] presque tous mes camarades, et ce mot de rom me causa un saisissement.   5

—Comment! son mari! elle est donc mariée? demandai-je au capitaine.[19]

—Oui, répondit-il, à Garcia le Borgne,[20] un bohémien aussi rusé qu'elle. Le pauvre garçon était aux galères.[21] Carmen a si bien charmé le chirurgien du presidio, qu'elle en a obtenu la 10 liberté de son rom.

Vous vous imaginez le plaisir que me fit cette nouvelle.[22] Je vis bientôt Garcia le Borgne; c'était bien le plus vilain monstre que la Bohême ait nourri: noir de peau et plus noir d'âme, c'était le plus franc scélérat que j'aie recontré dans ma 15 vie. Carmen vint avec lui; et, lorsqu'elle l'appelait son rom devant moi, il fallait voir [23] les yeux qu'elle me faisait, et ses grimaces quand Garcia tournait la tête. J'étais indigné, et je ne lui parlais pas de la nuit.[24] Le matin nous avions fait nos ballots,[25] et nous étions déjà en route, quand nous nous aper- 20 çûmes qu'une douzaine de cavaliers nous poursuivaient. Ce fut

---

16. **tours,** *tricks.*   17. **presidio,** (Spanish), *prison.*

18. **le bohémien, que parlaient,** *the gypsy dialect* (or *patois* [characterized by its abundance of "secret" words but fundamentally a form of Spanish]), *spoken by.*

19. **capitaine** = **chef** = **le Dancaïre.**

20. **le Borgne,** *one-eyed.*

21. **aux galères,** (*condemned to hard labor*) *in the galleys, a galley-slave.*

22. **que me fit,** the subject is **cette nouvelle.**

23. **il fallait voir,** *you should have seen.*

24. **de la nuit,** *all that night.*

25. **ballots,** *bales* or *packs* (of contraband).

un sauve-qui-peut général. Le Dancaïre, Garcia, et Carmen ne perdirent pas la tête. Le reste avait abandonné les mulets, et s'était jeté dans les ravins où les chevaux ne pouvaient les suivre. Nous ne pouvions conserver nos bêtes, et nous nous
5 hâtâmes de défaire le meilleur de notre butin, et de la charger sur nos épaules, puis nous essayâmes de nous sauver[26] au travers des rochers. Nous jetions nos ballots devant nous, et nous les suivions de notre mieux en glissant sur les talons. C'était la première fois que j'entendais siffler les balles, et cela
10 ne me fit pas grand'chose.[27] A la fin nous nous échappâmes.

Voilà, monsieur, la belle vie que j'ai menée.[28] Le soir, nous nous trouvâmes épuisés de fatigue, n'ayant rien à manger et ruinés par la perte de nos mulets. Que fit cet infernal Garcia?[29] il tira un paquet de cartes de sa poche, et se mit à
15 jouer avec le Dancaïre à la lueur d'un feu qu'ils allumèrent. Pendant ce temps-là, moi, j'étais couché, regardant les étoiles. Carmen était près de moi, et de temps en temps elle faisait un roulement de castagnettes en chantonnant. Puis, s'approchant comme pour me parler à l'oreille, elle m'embrassa, presque
20 malgré moi, deux ou trois fois.

—Tu es le diable, lui disais-je.

—Oui, me répondait-elle.

Après quelques heures de repos, elle partit pour Gaucin, et le lendemain matin un petit garçon vint nous porter du pain.
25 Nous demeurâmes là tout le jour, et la nuit nous nous rapprochâmes de Gaucin. Nous attendions des nouvelles de Car-

---

26. **nous sauver,** *escape.*

27. **ne me fit pas grand'chose,** *didn't affect me much.*

28. **que j'ai menée,** *that I led* (i.e., *have led until my arrest*); note contrast with the *passé simple,* **nous nous trouvâmes** (i.e., *at that time*), in next line.

29. **Que fit cet infernal García, García** is the subject.

men. Rien ne venait. Au jour, nous voyons un muletier qui menait une femme bien habillée, avec un parasol, et une petite fille qui paraissait sa domestique. Garcia nous dit:

—Voilà deux mules et deux femmes; j'aimerais mieux quatre mules; n'importe.

Il prit son espingole et descendit vers le sentier en se cachant dans les broussailles. Nous le suivions, le Dancaïre et moi, à peu de distance. Quand nous fûmes à portée,[30] nous nous montrâmes, et nous criâmes au muletier de s'arrêter. La femme, en nous voyant, au lieu de s'effrayer, et notre toilette [31] aurait suffi pour cela, fait un grand éclat de rire.

—Ah! les *lillipendi* qui me prennent pour une *erani*! [32]

C'était Carmen, mais si bien déguisée, que je ne l'aurais pas reconnue parlant une autre langue. Ella sauta en bas de sa mule, et causa quelque temps à vois basse avec le Dancaïre et Garcia, puis elle me dit:

—Canari, nous nous reverrons avant que tu sois pendu. Je vais à Gibraltar pour les affaires d'Egypte. Vous entendrez bientôt parler de [33] moi.

Nous nous séparâmes après qu'elle nous eut indiqué un lieu où nous pourrions trouver un abri pour quelques jours. Cette fille était la providence de notre troupe. Nous reçûmes bientôt quelque argent qu'elle nous envoya, et un avis qui valait mieux pour nous: c'était que tel jour partiaient deux milords anglais, allant de Gibraltar à Grenade par tel chemin. Ils avaient de belles et bonnes guinées. Garcia voulait les tuer, mais le Dancaïre et moi nous nous y opposâmes. Nous ne leur prîmes

---

30. à **portée,** *within (firing) range.*

31. **toilette,** *attire.*

32. *lillipendi,* . . . *erani* (gypsy) = **imbéciles,** . . . **femme comme il faut** (Mérimée's translation), *a (well-bred) lady.*

33. **parler de,** *from.*

que[34] l'argent et les montres, outre les chemises,[35] dont nous avions grand besoin.

Monsieur, on devient coquin sans y penser. Une jolie fille vous fait perdre la tête, on se bat pour elle, un malheur arrive, 5 il faut vivre à la montagne, et de contrebandier on devient voleur avant d'avoir réfléchi. Nous jugeâmes qu'il ne faisait pas bon[36] pour nous dans les environs de Gibraltar après l'affaire des milords,[37] et nous nous cachâmes dans la sierra[38] de Ronda. —Vous m'avez parlé de José Maria;[39] tenez, c'est là 10 que j'ai fait connaissance avec lui. Il était toujours à courir[40] après toutes les filles. Et puis, José Maria, par-dessus le marché,[41] était le plus mauvais camarade! . . . Dans une expédition que nous fîmes, il s'arrangea si bien,[42] que tout le profit lui en demeura, à nous les coups et l'embarras de 15 l'affaire. Mais je reprends mon histoire. Nous n'entendions plus parler de Carmen. Le Dancaïre dit:

—Il faut qu'un de nous aille à Gibraltar pour en avoir des nouvelles; elle doit avoir préparé quelque affaire. J'irais bien,[43] mais je suis trop connu à Gibraltar.

---

34. **ne leur prîmes que,** *took from them only.*

35. **chemises,** compare the passage above on their **toilette** at note 31. Note that this is José's first deliberate crime indicating "moral turpitude"; smuggling, among his native Basques who lived on both sides of the Pyrenees, was viewed rather like bootlegging in our Prohibition era and his crimes of violence had, until now, been acts of self-defense. Hence his apology in the next paragraph.

36. **il ne faisait pas bon,** *it wasn't healthy.*

37. **milords,** *English gentlemen.*

38. **sierra** (Spanish), *mountain-range.*

39. Recall that at the beginning of the story the author thought Don José Navarro was José Maria.

40. **était toujours à courir,** *was always running.*

41. **par-dessus le marché,** *besides* (*into the bargain*).

42. **il s'arrangea si bien,** *he arranged things so cleverly.*

43. **bien,** *gladly* (*enough*).

Le Borgne dit:

—Moi aussi, on m'y connaît. Comme je n'ai qu'un oeil, je suis difficile à déguiser.

—Il faut donc que j'y aille? dis-je à mon tour, enchanté à la seule idée de revoir Carmen; voyons, que faut-il faire? 5

Les autres me dirent:

—Lorsque tu seras à Gibraltar, demande sur le port où demeure une marchande de chocolat qui s'appelle la Rollona; quand tu l'auras trouvée, tu sauras [44] d'elle ce qui se passe là-bas. 10

Il fut convenu que nous partirions tous les trois pour la sierra de Gaucin, que j'y laisserais mes deux compagnons, et que je me rendrais à Gibraltar comme un marchand de fruits. A Ronda, un homme qui était à nous [45] m'avait procuré un passeport; à Gaucin, on me donna un âne: je le chargeai 15 d'oranges et de melons, et je me mis en route. Arrivé à Gibraltar, je trouvai qu'on y connaissait bien la Rollona, mais elle était morte, et sa disparition expliquait, à mon avis, comment nous avions perdu notre moyen de correspondre avec Carmen. Je mis mon âne dans une écurie, et, prenant mes 20 oranges, j'allais par la ville comme pour les vendre, mais, en effet, pour voir si je ne rencontrerais pas quelque figure de connaissance.[46] Il y a là de la canaille de tous les pays du monde, et c'est la tour de Babel,[47] car on ne saurait [48] faire dix pas dans une rue sans entendre parler autant de langues. Après 25 deux jours passés en courses inutiles, je n'avais rien appris

---

44. **sauras**, *find out.*

45. **à nous**, *with us* (literally, *ours*).

46. **figure de connaissance**, *familiar face.*

47. **tour de Babel**, *Tower of Babel* (Genesis, 11), because of the "confusion of tongues" as indicated in the following words.

48. **on ne saurait**, *one can't* (or *couldn't*, literally, *wouldn't know how*).

touchant la Rollona ni Carmen, et je pensais à retourner
auprès de mes camarades, lorsqu'en me promenant dans une
rue, au coucher du soleil, j'entends une voix de femme d'une
fenêtre qui me dit: "Marchand d'oranges! . . ." Je lève la
5 tête, et je vois à un balcon Carmen, avec un officier en rouge,
épaulettes d'or, cheveux frisés, tournure d'un gros milord. Pour
elle, elle était habillée superbement: un châle sur ses épaules,
un peigne d'or, toute en soie; et elle riait, toujours la même!
L'Anglais, en baragouinant l'espagnol,[49] me cria de monter,
10 que madame voulait des oranges; et Carmen me dit en basque:

—Monte, et ne t'étonne de rien.

Rien, en effet, ne devait [50] m'étonner de sa part. Je ne sais
si j'eus plus de joie que de chagrin en la retrouvant. Il y avait
à la porte un grand domestique anglais, qui me conduisit dans
15 un salon magnifique. Carmen me dit aussitôt en basque:

—Tu ne sais pas un mot d'espagnol, tu ne me connais pas.

Puis, se tournant vers l'Anglais:

—Je vous le disais bien, je l'ai tout de suite reconnu pour un
Basque; vous allez entendre quelle drôle de langue. Comme il
20 a l'air bête,[51] n'est-ce pas?

—Et toi, lui dis-je dans ma langue, tu as l'air d'une coquine,
et j'ai bien envie de te balafrer la figure devant ton galant.[52]

—Mon galant! dit-elle, tiens, tu as deviné cela tout seul? Et
tu es jaloux de cet imbécile-là? Tu es encore plus bête qu'avant
25 nos soirées de la rue du Candilejo. Ne vois-tu pas, sot que tu
es, que je fais en ce moment les affaires d'Egypte, et de la

---

49. **en baragouinant l'espagnol,** *speaking Spanish with a terrible* *accent.*

50. **ne devait,** *was (by now) likely.*

51. **Comme il a l'air bête,** *How stupid he looks.*

52. **j'ai bien envie . . . galant,** *I have a good mind to gash your* *face right in front of your sweetheart.*

façon la plus brillante? Cette maison est à moi, les guinées de l'Anglais seront à moi; je le mène par le bout du nez; je le mènerai d'où il ne sortira jamais.[53]

—Et moi, lui dis-je, si tu fais encore les affaires d'Egypte de cette manière-là, je ferai si bien que tu ne recommenceras plus. 5

—Ah! Ah! Es-tu mon rom, pour me commander? Le Borgne le trouve bon.[54]

—Qu'est-ce qu'il dit? demanda l'Anglais.

—Il dit qu'il a soif, répondit Carmen.

Et elle se renversa sur un canapé en éclatant de rire à sa 10 traduction.

Monsieur, quand cette fille-là riait, il n'y avait pas moyen de parler raison. Tout le monde riait avec elle. Ce grand Anglais se mit à rire aussi, comme un imbécile qu'il était, et ordonna qu'on m'apportât à boire. 15

Pendant que je buvais:

—Vois-tu cette bague qu'il a au doigt? dit-elle; si tu veux, je te la donnerai.

Moi je répondis:

—Je donnerais un doigt pour tenir ton milord dans la 20 montagne, chacun un maquila au poing.

—Maquila, qu'est-ce que cela veut dire? demanda l'Anglais.

—Maquila, dit Carmen riant toujours, c'est une orange. N'est-ce pas un bien drôle de mot pour une orange? Il dit qu'il voudrait vous faire manger du maquila. 25

—Oui? dit l'Anglais. Eh bien! apporte encore demain du maquila.

Pendant que nous parlions, le domestique entra et dit que le dîner était prêt. Alors l'Anglais se leva, me donna une

---

53. **d'où il ne sortira jamais,** (*into a "fix"*) *he'll never get out of.*
54. **le trouve bon,** *finds it all right* (*for me to act like this*).

piastre, et offrit son bras à Carmen, comme si elle ne pouvait pas marcher seule.[55] Carmen, riant toujours, me dit:[56]

—Mon garçon, je ne puis t'inviter à dîner; mais demain, dès que tu entendras le tambour pour la parade, viens ici avec des 5 oranges. Tu trouveras une chambre mieux meublée que celle de la rue du Candilejo, et tu verras si je suis toujours ta Carmencita. Et puis nous parlerons des affaires d'Egypte.

Je ne répondis rien, et j'étais dans la rue que [57] l'Anglais me criait:

10 —Apportez demain du maquila! et j'entendais les éclats de rire de Carmen.

Je sortis ne sachant ce que je ferais, je ne dormis guère, et le matin je me trouvais si en colère contre cette traîtresse que j'avais résolu de partir de Gibraltar sans la revoir; mais, au 15 premier roulement de tambour, tout mon courage [58] m'abandonna: je pris mes oranges et je courus chez Carmen. Le domestique m'introduisit aussitôt; dès que nous fûmes seuls, elle partit d'un de ses éclats de rire de crocodile,[59] et se jeta à mon cou. Je ne l'avais jamais vue si belle.

20 —Minchorrô! [60] disait Carmen, j'ai envie de tout casser ici, de mettre le feu à la maison et de m'enfuir à la sierra.

Et c'étaient des tendresses! . . . et puis des rires! . . . et elle dansait! Quand elle eut repris son sérieux:

---

55. **comme . . . seule,** *as if she couldn't walk by herself.* To many Europeans the custom of offering one's arm to a lady is unknown or else considered strange, provincial, or foreign. Note José's jealousy.

56. **me dit:** she is of course still speaking Basque!

57. **que = quand.**

58. **courage,** *resolution, firmness of purpose.*

59. **rire de crocodile,** *"silly laughter,"* a phrase coined in imitation of crocodile (insincere) tears. As a crocodile is a very bloodthirsty beast José may be thinking, in retrospect, of Carmen's suggestion regarding Garcia, a few paragraphs below.

60. **minchorrô** (gypsy), *"pet,"* (more literally, *"my whim"*).

—Ecoute, me dit-elle, il s'agit de l'Egypte. Je veux qu'il me mène à Ronda, où j'ai une soeur religieuse . . .[61] (Ici nouveaux éclats de rire.) Lorsque nous passons par un endroit que je te ferai dire,[62] vous tombez sur lui. Le mieux serait de le tuer, mais, ajoutat-elle avec un sourire diabolique qu'elle avait dans de certains moments, et ce sourire-là, personne n'avait alors envie de l'imiter,—sais-tu ce qu'il faudrait faire? Que le Borgne paraisse le premier.[63] Tenez-vous un peu en arrière; l'Anglais est brave et adroit: il a de bons pistolets . . . Comprends-tu? . . .

Elle s'interrompit par un nouvel éclat de rire qui me fit frissonner.

—Non, lui dis-je: je hais Garcia, mais c'est mon camarade. Un jour peut-être je t'en débarrasserai, mais nous réglerons nos comptes à la façon de mon pays. Je ne suis Egyptien que par hasard; et pour certaines choses, je serai toujours franc Navarrais.

Elle reprit:

—Tu es une bête, un vrai *payllo*. Tu ne m'aimes pas, va-t'en.

Quand elle me disait: Va-t'en, je ne pouvais m'en aller. Je promis de partir, de retourner auprès de mes camarades et d'attendre l'Anglais. Je demeurai encore deux jours à Gibraltar. Elle eut l'audace de me venir voir déguisée dans mon auberge. Je partis; moi aussi j'avais mon projet. Je retournai à notre rendez-vous, sachant le lieu et l'heure où l'Anglais et Carmen devaient [64] passer. Je trouvai le Dancaïre et Garcia qui m'attendaient. Nous passâmes la nuit dans un bois auprès d'un feu. Je proposai à Garcia de jouer aux cartes. Il accepta. A la seconde partie [65] je lui dis qu'il trichait; il se mit à rire. Je lui

---

61. **une soeur religieuse,** *a sister who's a nun.*

62. **que je te ferai dire,** *that I'll tell you about* (*later*).

63. **Que le Borgne paraisse le premier,** *Let One-Eye go first* (and get shot).

64. **devaient,** *were supposed to.*   65. **partie,** *game.*

jetai les cartes à la figure. Il voulut [66] prendre son espingole;
je mis le pied dessus, et je lui dis: "On dit que tu sais jouer
du couteau, veux-tu t'essayer avec moi?" Le Dancaïre voulut
nous séparer. J'avais donné deux ou trois coups de poing à
5 Garcia. La colère l'avait rendu brave; il avait tiré son couteau,
moi le mien. Nous dîmes tous deux au Dancaïre de nous laisser
place libre. Il vit qu'il n'y avait pas moyen de nous arrêter, et
il s'écarta. Garcia était déjà ployé en deux comme un chat prêt
à s'élancer contre une souris. Il tenait son chapeau de la main
10 gauche pour parer, son couteau en avant. C'est leur garde
andalouse. Moi, je me mis à la navarraise,[67] droit en face de
lui, le bras gauche levé, la jambe gauche en avant, le couteau
le long de la cuisse droite. Je me sentais plus fort qu'un géant.
Il se lança sur moi comme un trait; je tournai sur le pied
15 gauche et il ne trouva plus rien devant lui: mais je l'atteignis
à la gorge, et le couteau entra si avant,[68] que ma main était
sous son menton. Je retournai le couteau si fort qu'elle se
cassa. C'était fini. Le couteau sortit de la plaie lancée par un
bouillon de sang gros comme le bras. Il tomba sur le nez.

20   —Qu'as-tu fait? me dit le Dancaïre.

—Écoute, lui dis-je: nous ne pouvions vivre ensemble. J'aime
Carmen, et je veux être seul. D'ailleurs, Garcia était un coquin.
Nous ne sommes plus que deux, mais nous sommes de bons
garçons. Voyons, veux-tu de moi pour ami, à la vie à la
25 mort? [69]

Le Dancaïre me tendit la main. C'était un homme de
cinquante ans.[70]

---

66. **voulut,** *started* or *tried*, as also a few lines below.

67. **à la navarraise,** *Navarrese style* (similar to a fencer's defensive
stance).

68. **si avant,** *so far* (*in*).

69. **à la vie à la mort,** *through thick and thin, until the death.*

70. **cinquante ans,** to explain his next remarks.

—Au diable les amourettes! s'écria-t-il. Si tu lui avais demandé Carmen, il te l'aurait vendue pour une piastre. Nous
ne sommes plus que deux; comment ferons-nous demain?

—Laisse-moi faire tout seul, lui répondis-je. Maintenant je
me moque du monde entier.   5

Nous enterrâmes Garcia, et nous allâmes placer notre camp
deux cents pas plus loin. Le lendemain, Carmen et son Anglais
passèrent avec deux muletiers et un domestique. Je dis au
Dancaïre:

—Je me charge de l'Anglais. Fais peur aux autres, ils ne sont 10
pas armés.

L'Anglais avait du coeur.[71] Si Carmen ne lui eût poussé le
bras, il me tuait.[72] Bref, je reconquis Carmen en ce jour-là, et
mon premier mot fut de lui dire qu'elle était veuve. Quand
elle sut comment cela s'était passé: 15

—Tu seras toujours un *lillipendi!* [73] me dit-elle. Garcia devait [74] te tuer. C'est que son temps était venu.[75] Le tien
viendra.

—Et le tien, répondis-je, si tu n'es pas pour moi une vraie
romi.   20

—A la bonne heure! dit-elle; j'ai vu plus d'une fois dans
les cartes que nous devions finir ensemble.

Et elle fit claquer ses castagnettes, ce qu'elle faisait toujours
quand elle voulait chasser quelque idée désagréable.

On s'oublie quand on parle de soi. Tous ces détails-là vous 25

---

71. **coeur,** *courage.*

72. **eût . . . tuait,** *If Carmen hadn't pushed his arm, he would
have killed me.*

73. *lillipendi* (gypsy), *imbécile.*

74. **devait,** *should have.*

75. **son temps était venu,** *his (appointed) time was up.* This passage gives the first hint of the "fate theme" so central to the conclusion of the opera, and important if less prominent in the closing pages
of the story.

ennuient sans doute, mais j'ai bientôt fini.[76] La vie que nous
menions dura assez longtemps. Le Dancaïre et moi nous nous
étions associés quelques camarades plus sûrs [77] que les premiers,
et nous nous occupions de contrebande, et aussi parfois, il faut
5 bien l'avouer, nous arrêtions sur la grande route, mais à la
dernière extrémité,[78] et lorsque nous ne pouvions faire autrement. D'ailleurs, nous ne maltraitions pas les voyageurs, et
nous nous bornions à leur prendre leur argent. Pendant quelques mois je fus content de Carmen; elle continuait à nous
10 être utile pour nos opérations, en nous avertissant des bons
coups que nous pourrions faire. Elle se tenait, soit [79] à Malaga,
soit à Cordoue, soit à Grenade; mais, sur un mot de moi, elle
quittait tout, et venait me retrouver [80] dans une venta isolée.
Une fois seulement, c'était à Malaga, elle me donna quelque
15 inquiétude. Je sus qu'elle avait rencontré un marchand fort
riche, avec lequel probablement elle se proposait de recommencer l'affaire de Gibraltar. Malgré tout ce que le Dancaïre
put me dire pour m'arrêter, je partis et j'entrai dans Malaga
en plein jour, je cherchai Carmen et je l'emmenai aussitôt.
20 Nous eûmes une explication.

—Sais-tu, me dit-elle, que, depuis que tu es mon rom pour
tout de bon, je t'aime moins [81] que lorsque tu étais mon

---

76. **j'ai bientôt fini,** *I'll soon be through.*

77. **nous nous étions associés . . . sûrs,** *we had taken on a few
comrades more reliable.*

78. **nous arrêtions . . . extrémité,** *we did a bit of highway robbery,
but only when forced to it;* another instance of José's attempt to pal-
liate his guilt.

79. **soit = parfois** (*sometimes*).

80. **retrouver,** *join* or *meet.*

81. **je t'aime moins,** this is the main difference in motivation between Mérimée's story and the opera, where Carmen is romantically
in love with the toreador; here she simply shows her gypsy impatience
with constraint of any kind which, combined with her fatalism in re-

minchorrô? Je ne veux pas être tourmentée ni surtout commandée. Ce que je veux, c'est être libre et faire ce qui me plaît. Si tu m'ennuies,[82] je trouverai quelque bon garçon qui te fera comme tu as fait au Borgne.

Le Dancaïre nous raccommoda; mais nous nous étions dit [5] des choses qui nous restaient sur le coeur et nous n'étions plus comme auparavant. Peu après, un malheur nous arriva. Une troupe de soldats nous surprit. Le Dancaïre fut tué, ainsi que deux de mes camarades; deux autres furent pris. Moi, je fus grièvement blessé, et, sans mon bon cheval, je demeurais [83] [10] entre les mains des soldats. Exténué de fatigue, ayant une balle dans le corps, j'allai me cacher dans un bois avec le seul compagnon qui me restât. Je m'évanouis en descendant de cheval. Mon camarade me porta dans une grotte que nous connaissions, puis il alla chercher Carmen. Elle était à [15] Grenade, et aussitôt elle accourut. Pendant quinze jours,[84] elle ne me quitta pas d'un instant. Elle ne ferma pas l'oeil; elle me soigna avec une adresse et des attentions que jamais femme n'a eues pour l'homme le plus aimé. Dès que je pus me tenir sur mes jambes, elle me mena à Grenade dans le plus grand [20] secret. Les bohémiennes trouvent partout des asiles sûrs. Enfin je me rétablis; mais j'avais fait bien des réflexions [85] sur mon lit de douleur, et je projetais de changer de vie. Je parlai à

---

fusing to run away, lead to the catastrophe. **Minchorrô**, translated above as *pet*, is here equivalent to *lover*.

82. **ennuies**, here has the original classical meaning, to *annoy* (or even stronger, *grieve* or *afflict*), rather than the modern meaning to *bore*.

83. **demeurais**, *would have been left*.

84. **quinze jours**, *a fortnight*. As in classical tragedy, to arouse greater "pity and terror" the character, who has by her own fault brought death upon herself, is usually shown just before the catastrophe in a more sympathetic light. Here Carmen is at her best.

85. **fait bien des réflexions**, *done a lot of thinking*.

Carmen de quitter l'Espagne, et de chercher à vivre honnête-
ment dans le Nouveau Monde.[86] Elle se moqua de moi.

—Nous ne sommes pas faits pour planter des choux, dit-elle;
notre destin, à nous, c'est de vivre aux dépens des *payllos.*
5 Tiens, j'ai arrangé une affaire avec un marchand de Gibraltar.
Il a des marchandises qui n'attendent que toi pour passer. Il
compte sur toi. Que diraient nos correspondants de Gibraltar,
si tu leur manquais de parole? [87]

Je me laissai entraîner, et je repris mon vilain commerce.

10   Pendant que j'étais caché à Grenade, il y eut des courses de
taureaux où Carmen alla. En revenant, elle parla beaucoup
d'un picador [88] très adroit nommé Lucas. Elle savait le nom
de son cheval, et combien lui coûtait sa veste brodée. Je n'y
fis pas attention. Juanito, le camarade qui m'était resté, me
15 dit, quelques jours après, qu'il avait vu Carmen avec Lucas.
Cela commença à m'alarmer. Je demandai à Carmen comment et pourquoi elle avait fait connaissance avec le picador.

—C'est un garçon, me dit-elle, avec qui on peut faire une
affaire.[89] On peut l'enrôler dans notre bande. Un tel et un
20 tel [90] sont morts, tu as besoin de les remplacer. Prends-le avec
toi.

—Je ne le veux pas, répondis-je, et je te défends de lui parler.

---

86. **Nouveau Monde,** the Basque mountaineer to this day is, in
both France and Spain, more likely to seek a new life in America
(North or South) than his compatriots.

87. **leur manquais de parole,** *"let them down," didn't keep your
word.*

88. **picador,** one who goads on the bull for the bullfighter or toreador. Note the complete difference between the Lucas episode and the
role of Escamillo in the opera. Lucas appears here simply as "the last
straw."

89. **faire une affaire,** *make a deal.* Note that José is now the leader
of the band.

90. **un tel et un tel,** *so and so.*

—Prends garde, me dit-elle; lorsqu'on me défie de faire une chose, elle est bientôt faite!

Heureusement le picador partit pour Malaga, et moi, je me mis en devoir [91] de faire entrer les marchandises. J'eus fort [92] à faire dans cette expédition-là, Carmen aussi, et j'oubliai 5 Lucas; peut-être aussi l'oublia-t-elle, pour le moment du moins. C'est vers ce temps, monsieur, que je vous rencontrai d'abord près de Montilla, puis après à Cordoue. Je ne vous parlerai pas de notre dernière entrevue. Vous en savez peut-être plus long que moi.[93] Carmen vous vola votre montre; elle voulait encore 10 votre argent, et surtout cette bague que je vois à votre doigt, et qui, dit-elle, est un anneau magique qu'il lui importait beaucoup de posséder. Nous eûmes une violente dispute, et je la frappai.[94] Elle pâlit et pleura. C'était la première fois que je la voyais pleurer, et cela me fit un effet terrible. Je lui 15 demandai pardon, mais quand je repartis pour Montilla, elle ne voulut pas m'embrasser.[95] J'avais le coeur gros, lorsque, trois jours après, elle vint me trouver l'air riant. Tout était oublié, et nous avions l'air d'amoureux de deux jours. Au moment de nous séparer, elle me dit: 20

—Il y a une fête à Cordoue, je vais la voir, puis je saurai [96] les gens qui s'en vont avec de l'argent, et je te le dirai.

Je la laissai partir. Seul,[97] je pensai à cette fête et à ce changement d'humeur de Carmen. Il faut qu'elle se soit vengée déjà, me dis-je, puisqu'elle est revenue la première. Un 25

---

91. **me mis en devoir,** *set about.* 92. **fort,** *plenty.*

93. **Vous en savez . . . moi,** *Perhaps you are better informed than I.*

94. **je la frappai,** Mérimée is classical in his concentration, and draws all his motives from the two main characters; the rest are mere supernumeraries.

95. **ne voulut pas m'embrasser,** *refused to kiss me.*

96. **je saurai,** *I'll find out* (*who are*).

97. **Seul,** *Left alone* (*to my thoughts*).

paysan me dit qu'il y avait des taureaux à Cordoue. Voilà mon sang qui bouillonne, et, comme un fou, je pars, et je vais à la place. On me montra Lucas, et, sur le banc contre la barrière, je reconnus Carmen. Il me suffit de la voir une minute pour
5 être sûr de mon fait.[98] Lucas, au premier taureau, fit le joli coeur,[99] comme je l'avais prévu. Il arracha la cocarde [100] du taureau et la porta à Carmen. Le taureau se chargea de me venger. Lucas fut culbuté avec son cheval sur la poitrine, et le taureau par-dessus tous les deux. Je regardai Carmen, elle
10 n'était déjà plus à sa place. Il m'était impossible de sortir de celle où j'étais, et je fus obligé d'attendre la fin des courses. Alors j'allai à la maison que vous connaissez, et j'y restai toute la soirée et une partie de la nuit. Vers deux heures du matin Carmen revint, et fut un peu surprise de me voir.

15 —Viens avec moi, lui dis-je.

—Eh bien! dit-elle, partons!

J'allai prendre mon cheval, je la mis derrière moi, et nous marchâmes [101] tout le reste de la nuit sans nous dire un seul mot. Nous nous arrêtâmes au jour dans une venta isolée, assez
20 près d'un petit ermitage.[102] Là je dis à Carmen:

—Ecoute, j'oublie tout. Je ne te parlerai de rien; mais jure-moi une chose: c'est que tu vas me suivre en Amérique.

—Non, dit-elle, je ne veux pas aller en Amérique. Je me trouve bien [103] ici.

25 —C'est parce que tu es près de Lucas. Mais je suis fatigué de tuer tous tes amants; c'est toi que je tuerai.

---

98. **sûr de mon fait,** *confirmed in my suspicions.*

99. **fit le joli coeur,** *showed off.*

100. **cocarde,** *bow* or *ribbon.* Note the extreme economy of detail here; we never learn whether Lucas was killed or not.

101. **marchâmes,** *went (rode).*

102. **ermitage,** *rural chapel* as will be seen from the context later.

103. **bien,** *well off, satisfied.*

Elle me regarda fixement de son regard sauvage, et me dit:

—J'ai toujours pensé que tu me tuerais. Cette nuit, en sortant de Cordoue, un lièvre a traversé le chemin entre les pieds de ton cheval. C'est écrit.[104]

—Carmencita, lui demandais-je, est-ce que tu ne m'aimes plus?

Elle ne répondit rien. Elle était assise les jambes croisées et faisait des traits par terre avec son doigt.

—Changeons de vie, Carmen, lui dis-je d'un ton suppliant. Allons vivre quelque part où nous ne serons jamais séparés.

Elle se mit à sourire, et me dit:

—Moi, d'abord, toi ensuite. Je sais que cela doit arriver ainsi.

—Réfléchis, repris-je; je suis au bout de ma patience et de mon courage; prends ton parti [105] ou je prendrai le mien.

Je la quittai et j'allai me promener du côté de l'ermitage. Je trouvai l'ermite qui priait. J'attendis que sa prière fût finie; j'aurais bien voulu prier, mais je ne pouvais pas. Quand il se releva, j'allai à lui.

—Mon père, lui dis-je, voulez-vous prier pour quelqu'un qui est en grand péril?

—Je prie pour tous les affligés, dit-il.

—Pouvez-vous dire une messe pour une âme qui va peut-être paraître devant son Créateur?

—Oui, répondit-il en me regardant fixement.

—Et, comme il y avait dans mon air quelque chose d'étrange, il voulut me faire parler:

—Il me semble que je vous ai vu, dit-il.

Je mis une piastre sur son banc.

---

104. **C'est écrit**, *It is written* (*in the book of fate*), a fundamental motive in gypsy psychology and in the motivation of this story.

105. **prends ton parti**, *make up your mind*.

—Quand direz-vous la messe? lui demandai-je.

—Dans une demi-heure. Dites-moi, jeune homme, n'avez-vous pas quelque chose sur la conscience qui vous tourmente? voulez-vous écouter les conseils d'un chrétien?

5   Je me sentais près de pleurer. Je lui dis que je reviendrais, et je me sauvai.[106] J'allai me coucher sur l'herbe jusqu'à ce que j'entendisse la cloche.[107] Alors je m'approchai, mais je restai en dehors de [108] la chapelle. Quand la messe fut dite, je retournai à la venta. J'espérais que Carmen se serait enfuie; 10 elle aurait pu prendre mon cheval et se sauver . . . mais je la retrouvai. Elle ne voulait pas qu'on pût dire que je lui avais fait peur.

—Carmen, lui dis-je, voulez-vous venir avec moi?

Elle se leva, et mit sa mantille sur sa tête comme prête à 15 partir. On m'amena mon cheval, elle monta derrière moi et nous nous éloignâmes.

—Ainsi, lui dis-je, ma Carmen, après un bout de chemin,[109] tu veux bien me suivre, n'est-ce pas?

—Je te suis à la mort,[110] oui, mais je ne vivrai plus avec toi.

20   Nous étions dans une gorge solitaire; j'arrêtai mon cheval.

—Est-ce ici? [111] dit-elle.

Et d'un bond elle fut à terre. Elle ôta sa mantille, la jeta à

---

106. **je me sauvai,** *I left* (even weaker than *escaped*—a common use in present-day conversational French). The original meaning *save oneself* occurs in the final pages of the story.

107. **la cloche,** *the bell*, calling the inhabitants of the region to mass.

108. **je restai en dehors de,** *I stayed outside.* José's motives and behavior here are subtly depicted. Why does he stay outside? What did he hope on returning to the **venta?** Why did Carmen remain?

109. **un bout de chemin,** (*walking*) *a short distance.*

110. **Je te suis à la mort,** *I'll follow you to* (*the*) *death.* Note her fatalism: "it is written" and there is no sense in attempting to avoid it.

111. **Est-ce ici,** what does Carmen mean by this question?

ses pieds, et se tint immobile un poing sur la hanche, me regardant fixement.

—Tu veux me tuer, je le vois bien, dit-elle; c'est écrit, mais tu ne me feras pas céder.

—Je t'en prie, lui dis-je, sois raisonnable. Ecoute-moi! tout 5 le passé est oublié. Pourtant, tu le sais, c'est toi qui m'as perdu;[112] c'est pour toi que je suis devenu un voleur et un meurtrier. Carmen! ma Carmen! [113] laisse-moi te sauver et me sauver avec toi.

—José, répondit-elle, tu me demandes l'impossible. Je ne 10 t'aime plus; toi, tu m'aimes encore, et c'est pour cela que tu veux me tuer. Je pourrais bien encore te faire quelque mensonge; mais je ne veux pas m'en donner la peine.[114] Tout est fini entre nous. Comme mon rom, tu as le droit de tuer ta romi;[115] mais Carmen sera toujours libre. Calli [116] elle est 15 née, calli elle mourra.

---

112. **perdu,** *ruined.*

113. **Carmen! ma Carmen!** from this point on the story and the opera (from differently conceived motives, romantic love in the opera, passion for liberty in the story) are similar in the intensity of their feeling. The fatalism of Mérimée's heroine is expressed in the overwhelming "fate motive" of Bizet. "This music possesses the refinement of a race, not of an individual. Have more painful, more tragic accents ever been heard on the stage before? And how are they obtained? Without grimaces! Without counterfeiting of any kind! . . . I know of no case in which the tragic irony which constitutes the kernel of love is expressed with such severity, or in so terrible a formula, as in the last cry of Don José . . . *'C'est moi qui l'ai tuée! Ah! Carmen! Ma Carmen adorée!'* " From a letter of the German philosopher, Nietzsche.

114. **peine,** *trouble.* For Carmen the moment has come

115. **tu as le droit de tuer ta romi,** another instance of the *loi d'Egypte.*

116. **Calli,** we learn from Mérimée's notes that this is the feminine singular of the term **calés** (*gypsies*).

—Tu aimes donc Lucas? lui demandai-je.

—Oui, je l'ai aimé, comme toi, un instant, moins que toi peut-être. A présent, je n'aime plus rien, et je me hais pour t'avoir aimé.

5 Je me jetai à ses pieds, je lui pris les mains, je les arrosai de mes larmes. Je lui rappelai tous les moments de bonheur que nous avions passés ensemble. Je lui offris de rester brigand pour lui plaire. Tout, monsieur, tout; je lui offris tout, pourvu qu'elle voulût m'aimer encore!

10 Elle me dit:

—T'aimer encore, c'est impossible. Vivre avec toi, je ne le veux pas.

La fureur me possédait. Je tirai mon couteau. J'aurais voulu qu'elle eût peur et me demandât grâce,[117] mais cette femme 15 était un démon.[118]

—Pour la dernière fois, m'écriai-je, veux-tu rester avec moi!

—Non! non! non! dit-elle en frappant du pied.

Et elle tira de son doigt une bague que je lui avais donnée, 20 et la jeta dans les broussailles.

Je la frappai deux fois. C'était le couteau du Borgne que j'avais pris, ayant cassé le mien. Elle tomba au second coup sans crier. Je crois encore voir son grand oeil noir me regarder fixement; puis il devint trouble et se ferma. Je restai stupéfait 25 une bonne heure devant ce cadavre. Puis, je me rappelai que Carmen m'avait dit souvent qu'elle aimerait à être enterrée dans un bois. Je lui creusai une fosse avec mon couteau, et je l'y déposai. Je cherchai longtemps sa bague et je la trouvai à la fin. Je la mis dans la fosse auprès d'elle avec une petite croix.

---

117. grâce, *mercy.*

118. **cette femme était un démon,** does this remark reveal anything of José's character or motives?

Peut-être ai-je eu tort.[119] Ensuite je montai sur mon cheval, je galopai jusqu'à Cordoue, et au premier corps de garde je me fis connaître.[120] J'ai dit que j'avais tué Carmen; mais je n'ai pas voulu dire où était son corps. L'ermite était un saint homme. Il a prié pour elle! Il a dit une messe pour son âme 5 . . . Pauvre enfant! Ce sont les *Calé* qui sont coupables pour l'avoir élevée ainsi.

EXPRESSIONS FOR STUDY

I

1. Je fis une excursion pour éclaircir les doutes qui me restaient encore.

2. En m'approchant, je vis que la prétendue pelouse était un marécage où se perdait un ruisseau.

3. C'était un jeune homme de taille moyenne, au regard sombre et fier.

4. J'avais vu d'honnêtes fermiers s'armer jusqu'aux dents pour aller au marché.

5. Mon cigare allumé, je choisis le meilleur de ceux qui me restaient.

6. Ah! comme il y avait longtemps que je n'avais fumé!

7. En revanche, il se montra expert en matière de chevaux.

8. Mon guide me fit un nouveau signe des yeux.

9. J'étais parfaitement tranquille.

10. Je ne doutais pas que j'eusse affaire à un contrebandier.

11. D'ailleurs, j'étais bien content de savoir ce que c'est qu'un brigand.

12. Je mis la conversation sur les voleurs de grand chemin.

13. Oui, c'est bien lui . . . Plus de doute!

14. A vingt pas de la maison s'élevait une espèce de hangar servant d'écurie.

15. S'étant fait donner la mandoline, il chanta en s'accompagnant.

---

119. **Peut-être ai-je eu tort,** *Perhaps I was wrong* (to do all this which was "highly irregular" since he was about to surrender himself for the murder). 120. **je me fis connaître,** *I identified myself.*

16. Si je ne me trompe, ce n'est pas un air espagnol que vous venez de chanter.

17. Pour quoi faire? Les chevaux ont à manger.

18. Je répondis à Antonio que j'avais envie de dormir.

19. Le cheval n'avait rien.

20. Je gagnai la porte et sortis de la maison sans qu'il s'éveillât.

21. Je crus reconnaître Antonio.

22. Bandit ou non, qu'importe? il ne nous a pas volés, et je parierais qu'il n'en a pas envie.

23. Son cheval est si méchant que nul que le Navarro ne peut en approcher.

24. Quel mal vous a fait ce pauvre homme pour le dénoncer?

25. Moi je suis trop avancé pour reculer.

26. Arrangez-vous comme vous pourrez.

27. Il sauta en pied.

28. Pour moi, je me recouchai, mais je ne me rendormis point.

II

1. Les femmes comme il faut ne portent le noir que le matin.

2. Le soir elles s'habillent *à la francesa*.

3. Il me semble le reconnaître à votre doux parler.

4. Bon! me dis-je, en voyage il faut tout voir.

5. Tout en causant, nous nous étions assis à une petite table.

6. Pour qu'une femme soit belle, il faut qu'elle réunisse trente *si*.

7. Ses yeux surtout avaient une expression à la fois voluptueuse et farouche que je n'ai trouvée depuis à aucun regard humain.

8. On sent qu'il eût été ridicule de se faire tirer la bonne aventure dans un café.

9. Quand nous nous remîmes en marche, il était nuit close.

10. La bohémienne tira de son coffre des cartes qui paraissaient avoir beaucoup servi.

11. Quant à sa manière d'opérer, il était évident qu'elle n'était pas sorcière à demi.

12. La porte s'ouvrit tout à coup avec violence.

13. Supposant qu'il s'agissait de moi, je m'attendais à une explication délicate.

14. Ah! c'est vous, mon brave, m'écriai-je en riant le moins jaune que je pus.

15. Je croyais ne le comprendre que trop à la voir passer sa main sous son menton.

16. Il s'agissait d'une gorge à couper.

17. J'avais quelques soupçons que cette gorge ne fût la mienne.

18. En me déshabillant, je m'aperçus que ma montre me manquait.

19. Un des pères m'accueillit les bras ouverts.

20. Ainsi vous n'êtes pas assassiné, car pour volé nous savons que vous l'êtes?

21. Nous vous ferons rendre votre belle montre.

22. Un vol de plus ou de moins ne changera rien à son affaire.

23. Tenez, c'est un homme à voir.

24. Personne, que je sache, ne m'a offensé en ce pays.

25. Vous direz que je suis mort, vous ne direz pas comment.

III

1. Vous connaissez assez l'Espagne pour que mon nom vous dise aussitôt que je suis Basque et vieux chrétien.

2. Si je prends le *don*, c'est que j'en ai le droit.

3. Un jour que j'avais gagné, un gars me chercha querelle.

4. Si vous êtes allé à Séville, vous aurez vu ce bâtiment-là.

5. Bien des jeunes gens vont les voir passer, et leur en content de toutes les couleurs.

6. D'ailleurs, les Andalouses me faisaient peur.

7. Dans mon pays, une femme en ce costume aurait obligé le monde à se signer.

8. D'abord elle ne me plut pas.

9. Tout le monde qui était là se mit à rire.

10. Je ne sais ce qui me prit, mais je la ramassai sans que mes camarades s'en aperçussent.

11. Figurez-vous, monsieur, qu'entré dans la salle je trouve d'abord trois cents femmes, toutes criant.

12. Il y en avait une avec un X sur la figure qu'on venait de lui marquer avec deux coups de couteau.

13. J'eus grand'peine à savoir ce qui s'était passé.

14. Tiens, dit Carmen qui avait une langue, tu n'as donc pas assez d'un balai?

15. C'était encore moi qui devais la conduire.

16. On fait quantité de sortilèges quand on sait s'en servir.

17. C'est la consigne, et il n'y a pas de remède.

18. Nous autres gens du pays basque, nous avons un accent qui nous fait reconnaître facilement des Espagnols.

19. C'était plus fort que moi.

20. Elles se moquaient de nous en nous indiquant la fausse voie.

21. En voulant le couper, mon couteau rencontra quelque chose de dur.

22. Je croyais n'avoir plus rien à souffrir.

23. Mais il me restait encore une humiliation à dévorer.

24. On se sent quelque chose; le monde vous regarde.

25. Je voyais à peu près tout ce qui se passait.

26. C'est de ce jour-là que je me mis à l'aimer pour tout de bon.

27. Carmen, en passant, me regarda encore avec les yeux que vous savez.

28. Lillas, je ne fais plus rien de la journée.

29. Allons, pays, allons nous promener.

30. Au reste tant mieux, car je ne suis guère en fonds.

31. Elle jeta tout par terre et me sauta au cou.

32. Ce sont des bêtises: cela ne se peut pas.

33. J'en demandais des nouvelles à la vieille.

34. C'était d'après les instructions de Carmen qu'ils parlaient de la sorte.

35. Il a l'air d'un bon enfant.

36. Il fera mettre en sentinelle un gaillard qui ne verra que ce qu'il faudra voir.

37. Adieu, canari. Je rirai bien le jour où la consigne sera de te pendre.

38. Le lendemain, Carmen se fit attendre.

39. Il faut bien que je vous aime.

40. Je ne sais plus ce que j'ai.

41. Grand canari! tu ne sais faire que des bêtises.

42. Allons, il y a remède à tout.

IV

1. Désormais je crus m'assurer son amour.

2. Carmen vient de faire un de ses meilleurs tours.

3. Cela ne me fit pas grand'chose.

4. Quand tu l'auras trouvée, tu sauras d'elle ce qui se passe là-bas.

5. Rien, en effet, ne devait m'étonner de sa part.

6. Je le mènerai d'où il ne sortira jamais.

7. Je ferai si bien que tu ne recommenceras plus.

8. Nous passons par un endroit que je te ferais dire.

9. Que le Borgne paraisse le premier.

10. Nous dîmes tous deux au Dancaïre de nous laisser place libre.

11. Ecoute, lui dis-je: nous ne sommes plus que deux, mais nous sommes de bons garçons.

12. Voyons, veux-tu de moi pour ami, à la vie à la mort?

13. Laisse-moi faire tout seul.

14. L'Anglais avait du coeur.

15. Si Carmen ne lui eût poussé le bras, il me tuait.

16. Garcia devait te tuer. C'est que son temps était venu. Le tien viendra.

17. Tous ces détails vous ennuient sans doute, mais j'ai bientôt fini.

18. Nous nous étions associé quelques camarades plus sûrs que les premiers.

19. D'ailleurs, nous nous bornions à leur prendre leur argent.

20. Nous nous étions dit des choses qui nous restaient sur le coeur et nous n'étions plus comme auparavant.

21. Sans mon bon cheval, je demeurais entre les mains des soldats.

22. Je m'évanouis en descendant de cheval.

23. Elle me soigna avec une adresse et des attentions que jamais femme n'a eues pour l'homme le plus aimé.

24. Il a des marchandises qui n'attendent que toi pour passer.

25. C'est un garçon, me dit-elle, avec qui on peut faire une affaire.

26. Il me suffit de la voir une minute pour être sûr de mon fait.

27. Elle monta derrière moi, et nous marchâmes tout le reste de la nuit sans nous dire un seul mot.

28. Non, dit-elle, je me trouve bien ici.

29. Moi, d'abord, toi ensuite. Je sais que cela doit arriver ainsi.

30. Réfléchis, repris-je; je suis au bout de ma patience et de mon courage; prends ton parti ou je prendrai le mien.

31. Ainsi, lui dis-je après un bout de chemin, tu veux bien me suivre, n'est-ce pas?

32. Pourtant, tu le sais, c'est toi qui m'as perdu.

QUESTIONNAIRE

I

1. Où se trouvait Mérimée en 1830?
2. Où se trouve Monda? Cordoue?
3. Pourquoi Mérimée avait-il soif?
4. Décrivez l'homme qui se repose dans le cirque.
5. Quelle était la réaction du guide en le voyant?
6. Qu'est-ce que Mérimée demande à l'inconnu?
7. Qu'est-ce qu'il lui offre?
8. Où vont-ils passer la nuit?
9. Pourquoi Mérimée n'avait-il rien à craindre de l'inconnu?
10. Que dit la vieille en voyant l'inconnu?
11. Qu'est-ce qu'elle leur sert comme souper?
12. Que fait don José après souper?
13. En quelle langue chantait-il?
14. Où va le guide? Pourquoi y va-t-il?
15. Où se couche don José?
16. Pourquoi Mérimée se leve-t-il?
17. Qui croit-il reconnaître?
18. Pourquoi Antonio avait-il enveloppé les pieds du cheval avec les débris d'une vieille couverture?
19. L'inconnu est-il don José Maria?
20. Qu'y a-t-il pour qui le livrera?
21. Que fait Mérimée en rentrant dans la venta?
22. Quel prix demanda-t-il du service qu'il rend à don José?
23. Que voit-il paraître avec Antonio?
24. Quelle était l'habitude de don José?
25. Qu'est-ce que Mérimée donne à Antonio, et pourquoi?

II

1. Où Mérimée passait-il ses journées à Cordoue? Pourquoi?
2. Où fumait-il un soir?
3. Pourquoi jette-t-il son cigare?
4. Qu'est-ce que c'est que les *papelitos?*
5. A quoi Mérimée invite-t-il l'inconnue?
6. Qu'est-ce qui l'étonne beaucoup?

7. Pourquoi Mérimée la croit-il Mauresque?
8. L'est-elle vraiment?
9. Pourquoi ne la croit-il pas de race pure?
10. Etait-elle blonde?
11. Quelle heure était-il quand ils ont quitté la *nevería*?
12. Comment s'appelle l'idiome des *gitanos*?
13. Qui entre tout à coup?
14. De quoi Mérimée avait-il quelques soupçons?
15. Qu'est-ce qu'il remarque en se déshabillant?
16. Où va-t-il en quittant Cordoue?
17. Quand y retourne-t-il?
18. Où va-t-il pour voir don José?
19. Pourquoi José n'accepte-t-il qu'un certain nombre de cigares?
20. Quels services José demande-t-il à Mérimée?

III

1. Où est né don José?
2. Quel est le jeu national des basques?
3. Qu'est-ce qui oblige José de quitter son pays?
4. A quel grade s'est-il élevé?
5. Où le met-on de garde?
6. Qu'est-ce qu'un Navarrais?
7. Qui était Henri de Navarre?
8. Tous les basques sont-ils espagnols?
9. Que font les femmes dans la manufacture?
10. Pourquoi José avait-il peur des Andalouses?
11. Quel est le costume des Navarraises?
12. Quel était le costume de *la gitanilla*?
13. Que demande-t-elle à José?
14. Qu'avait-elle à la bouche?
15. Qu'en fait-elle?
16. Qu'en fait José?
17. Pourquoi fallait-il envoyer la garde dans la manufacture?
18. Qu'est-ce que Carmen avait dit à la blessée?
19. Comment celle-ci avait-elle répondu?
20. Qu'est-ce que Carmen demande avant de sortir avec la garde?
21. Quelle est l'importance de la *bar lachi*?
22. Comment Carmen mentait-elle dans sa conversation avec José?

23. Comment s'échappe-t-elle?
24. Comment José en est-il puni?
25. Qu'est-ce que le geôlier lui donne?
26. Avait-il des cousines à Séville?
27. Qu'est-ce que son couteau rencontre?
28. Pourquoi ne veut-il pas s'échapper?
29. Quelle est sa dernière humiliation comme soldat?
30. Qui était son colonel?
31. Qu'est-ce que la *romalis*?
32. Pourquoi José alla-t-il chez Lillas Pastia?
33. Que rend-il à Carmen?
34. Qu'en fait-elle?
35. Où faut-il que José aille le soir?
36. Y est-il allé? Pourquoi?
37. Où et quand revoit-il Carmen?
38. Que lui demande-t-elle?
39. Y consent-il?
40. Quelle sorte de gens Carmen n'aime-t-elle pas?
41. Quelle était son humeur?
42. Qui accompagne Carmen chez Dorothée?
43. Pourquoi faut-il maintenant que José se fasse déserteur?

IV

1. Pourquoi faut-il quitter Séville le plus tôt possible?
2. Quelle est la nouvelle carrière que Carmen indique à José?
3. Qui est le Dancaïre?
4. Que faisait Carmen pour les contrebandiers?
5. Qu'est-ce que José aimait surtout dans cette nouvelle vie?
6. Comment se composait sa troupe?
7. Qui est le Borgne?
8. D'où sort-il?
9. Etait-il beau?
10. Pourquoi Carmen va-t-elle à Gibraltar?
11. Qu'est-ce qu'elle leur en envoie?
12. Pourquoi faut-il y envoyer quelqu'un?
13. Pourquoi le Dancaïre n'y va-t-il pas? Le Borgne?
14. Comment José y retrouve-t-il Carmen?
15. Comment était-elle habillée?

16. Qu'est-ce qu'un maquila?

17. Comment Carmen traduit-elle ce mot, et pourquoi?

18. Où va-t-elle avec l'Anglais?

19. Que fera José sur la route de Ronda?

20. Pourquoi le Borgne devait-il paraître le premier?

21. Pourquoi José n'y consent-il pas?

22. Comment cherche-t-il querelle avec le Borgne?

23. Avec quelles armes combattent-ils?

24. Fallait-il tuer Garcia pour avoir Carmen?

25. Comment Carmen montre-t-elle son fatalisme après l'attaque sur l'Anglais?

26. Qu'est-ce qui s'est passé à Malaga?

27. Qu'est-ce que cet incident nous montre du caractère de Carmen?

28. Quelle est l'effet de la maladie sur José?

29. Qu'est-ce qu'il propose alors à Carmen?

30. Pourquoi refuse-t-elle?

31. Comment s'appelle le picador?

32. Un picador est-il plus important qu'un matador?

33. Comment s'appelle le matador dans l'opéra de *Carmen*?

34. Qu'est-ce que Carmen avait surtout désiré de Mérimée ce soir à Cordoue?

35. Qu'est-ce qui s'était passé après le départ de Mérimée ce soir-là?

36. Comment Carmen voulait-elle s'en venger?

37. Où José va-t-il pour attendre Carmen?

38. Où vont-ils ensemble?

39. Où s'arrêtent-ils enfin?

40. Qu'est-ce que José demande à Carmen?

41. Pourquoi, à votre avis, refuse-t-elle?

42. Racontez la mort de Carmen.

43. Que fait José aprés sa mort?

44. Croyez-vous que Carmen, ou une femme toute semblable à elle, ait vraiment existé?

Vocabulary

A

a, (third pers. sing. pres. indic. of **avoir**), *has;* **il y —,** *there is, there are, ago* (with expression of time)

à, prep., *to, on, in, with;* **— travers,** *through;* **— ce que,** *according to what;* **— peine,** *scarcely, hardly*

abbaye, *abbey, monastery*

abbé, *abbé* (church title)

abolir, *to abolish*

abord: d'—, *at first*

abri, *shelter;* **à l'— de,** *sheltered from*

abriter, *to shelter*

abrupt, *steep*

absous, *absolved*

accommoder, *to mix, to blend, to accommodate*

accompagner, *to accompany*

accomplir, *to accomplish*

accorder, *to grant, to harmonize, to attune*

accourut, (third pers. sing. past def. of **accourir**), *hastened up, hurried up*

accoutrer, *to accouter, to outfit*

accoutumer, *to accustom*

accrocher, *to catch*

accueillir, *to welcome*

acheter, *to buy*

acheteur, *purchaser*

achever, *to finish*

acier, *steel*

acquérir, *to acquire*

acquiert (third pers. sing. pres. indic. of **acquérir**), *acquires*

acquiescer, *to acquiesce;* **— de la tête,** *to nod agreement*

acquis (past part. of **acquérir**), *acquired*

acquit, *acquittal, relief*

acquitter: s'—, *to pay one's debt, to get out of a fix, to redeem oneself*

actuel, *present*

additionné: est — de, *is mixed with*

adhésion, *consent, adhesion*

adieu, *farewell, good-bye*

Adjectivum concordat in generi et numerum (approximate Latin), *The adjective agrees in gender and number*

admettre, *to admit*

adresse, *skill, address*

adroit, *clever*

affaiblir, *to weaken*

affaire, *affair, job;* **avoir — à,** *to deal with;* **voyait son —,** *saw what he was looking for;* **faire son —,** *to do a stroke of business, to handle an affair;* **homme d'—s,** *businessman*

affamé, *starving*

affecter, *to affect, to assume*

affectueux, -se, *affectionate*

afficher, *to post*

affiler, *to sharpen*

affligé, *afflicted*

affreux, -se, *terrible, frightful*

affronter, *to confront*

afin de, *in order to*

âgé, *aged, old*

agence, *agency, branch*

agenouiller, *to kneel*

agir, *to act;* **s'— de,** *to be a question of*

agiter, *to disturb, to shake, to agitate*

agreste, *rural, rustic*

agur laguna (Basque), good-day comrade

ai (first pers. sing. pres. indic. of **avoir**), *have*

aide, *aid, help;* **venir en — à,** *to help*

aider, *to aid, to help*

aie, (pres. subjunc. forms of **avoir**), *have;* **—soin,** *take care*

aile, *wing*

aille (pres. subjunc. forms of **aller**), *go*

ailleurs: d'—, *besides*

aimable, *amiable*

aimant, *magnet, loadstone;* **pierre d'—,** *loadstone*

aimé(e), bien —, *sweetheart*

aimer, *to like, to love;* **— mieux,** *to prefer*

aîné, *elder, eldest*

ainsi, *thus;* **pour — dire,** *so to say;* **— que,** *as well as*

air, *air, look, appearance;* **au grand —,** *in the open air*

aise, *ease;* **se mettre à leur —,** *to make themselves comfortable*

aisé, *easy*

ajouter, *to add*

Alava, province in northern Spain; Vitoria is the main city

allée, *alley*

aller, *to go;* **s'en —,** *to go away*

allonger, *to lengthen, to stretch, to extend*

allons, interjection, *come now! well then!* etc.

allumer, *to light*

almanach, *almanac* (indicating the phases of the moon, the weather, etc.)

alors, *then*

altération, *change, changed impression*

altérer, *to change, to alter*

amande, *almond*

ambroisie, *ambrosia* (the food of the gods)

âme, *soul*

améliorer, *to improve*

amener, *to bring, to lead, to bring about*

amertume, *bitterness*

ameublement, *furnishings*

ami, amie, *friend, sweetheart*

amitié, *friendship*

amour, *love*

amourette, *love affair, flirtation*

amoureux, -se, *in love, sweetheart*

amuser, *to amuse;* s'—, *to amuse oneself, to have a good time*

an, *year*

analogie, *analogy, comparison*

ancêtre, *ancestor*

ancien, -nne, *ancient, former, old*

Andalou, *Andalusian*

Andalouse, *Andalusian*

âne, *donkey*

ange, *angel*

anglais(e), *English, Englishman, Englishwoman*

Angleterre, *England*

angoisse, *anguish*

animaux, *animals*

anneau, *ring*

année, *year*

annonce, *advertisement*

annoncer, *to announce*

antichambre, *antechamber, small room*

apaiser, *to appease*

apercevoir, *to perceive, to notice;* s'— de, *to notice, to see*

apercevr- (fut. and condit. stem of **apercevoir**)

aperçu, (past def. stem, imperf. subjunc. stem, past. part of **apercevoir**)

apothicaire, *druggist*

apparaître, *to appear*

apparition, (*sudden*) *appearance*

appartenir, *to belong*

appartiens, -t, -nent (pres. indic. forms of **appartenir**)

appel, *roll-call*

appeler, *to call;* s'—, *to be named*

appliquer, *to apply*

apporter, *to bring*

appréciable, *valuable*

apprendre, *to learn, to teach*

apprenne (pres. subjunc. of **apprendre**)

apprentissage, *apprenticeship*

appris, (past part., past def. stem of **apprendre**)

approcher, *to approach, to bring near;* s'—, *to approach*

appuyer, *to rest, to lean*

après, *after, later;* d'—, *according to*

âpreté, *toughness*

arbre, *tree*

arc, *arch;* — **de Triomphe,** *famous triumphal arch on the Champs-Elysées;* — **-en-ciel,** *rainbow*

archéologue, *archeologist*

argent, *money, silver;* — **blanc,** *silver*

argot, *argot, dialect*

arme, *weapon;* **maître d'—s,** *fencing master;* **sous les —s,** *fully armed;* — **à feu,** *firearm*

armé, *armed;* à **main —e,** *by armed robbery*

armée, *army*

armoire, *wardrobe*

armure, *armor*

arracher, *to snatch, to take*

arrêter, *to arrest, to stop;* **s'—,** *to stop*

arrière, *rear;* **en —,** *to the rear;* — **-boutique,** *rear-shop*

arrivée, *arrival*

arriver, *to arrive, to manage, to happen, to come*

arrondi, *rounded*

arroser, *to water*

artisan, *artisan, craftsman*

as (second pers. sing. pres. indic. of **avoir**); **qu'— -tu?** *what is the matter with you?*

ascenseur, *elevator*

asile, *refuge*

assaillir, *to assail, to attack*

assassiner, *to kill, to wound*

asseoir: **s' —,** *to sit down*

assey- (stem of pres. indic., imperf. indic., pres. part., imperative of **asseoir**)

assez, *enough, quite, rather, quite well*

assiette, *plate*

assis (past. part., past def. stem of **asseoir**)

assister, *to assist;* — **à,** *to attend*

assoient (from pres. indic. of **asseoir**)

assurément, *of course*

astéroïde, *small planet*

astiquage, *polishing* (of brass, etc.)

athée, *atheist*

attacher, *to attach, to tie*

attaquer, *to attack, to be stricken*

atteigni- (past def. stem of **atteindre**)

atteindre, *to overtake, to attain, to reach, to "get"*

attendre, *to wait* (for), *to await;* **s'— à,** *to expect;* **se faire —,** *to be late*

attente, *wait, waiting*

attirer, *to draw, to attract*

attrait, *attraction*

attraper, *to catch*

au (contraction of à and **le**), *in the, to the, at the;* — **juste,** *exactly;* — **revoir,** *good-bye*

auberge, *inn*

aucun, *any;* with **ne,** *no, not any, none*

au-dessus, *above*

augmenter, *to increase*

auparavant, *previously, before*

auprès (**de**), *to the presence* (of), *nearby, near, to, with*

auquel, *to which, in which*

aur- (fut. and condit. stem of avoir)

aurore boréale, *aurora borealis, Northern lights*

aussi, *as, also, so, therefore*

aussitôt, *immediately;* — que, *as soon as*

autant, *as much, as many, so many*

autel, *altar*

auteur, *author*

automne, *autumn*

autoriser, *to authorize*

autour (de), *around*

autre, *other;* d'— part, *on the other hand*

autrefois, *formerly*

autrement, *otherwise*

av- (stem of first and second pers. plu. pres. indic., imperf. indic. of avoir)

avaler, *to swallow*

avance, *advance;* d'—, *in advance*

avancer, *to advance, to put forward*

avant (de), *before, in front;* en —, *ahead;* — peu, *before long;* si —, *so deep*

Ave (Ave Maria), *Hail Mary*

avec, *with*

avenir, *future;* à l'—, *in the future*

aventure, *adventure;* se faire tirer la bonne —, *to have one's fortune told*

avertir, *to warn*

aveugle, *blind*

avion, *airplane*

avis, *information, opinion, bit of news*

aviser, *to notice*

avocat, *lawyer*

avoir, *to have;* — affaire à, *to deal with;* — lieu, *to take place;* — coutume, *to be in the habit;* — raison, *to be right;* — tort, *to be wrong;* — beau (with infinitive), *to be useless, to be in vain;* — hâte, *to be in a hurry;* — froid, *to be cold;* — du coeur, *to have courage;* — soif, *to be thirsty;* qu'avez-vous? *what is the matter with you?*

avouer, *to tell, to confess, to admit*

avril, *April*

ay- (stem of imperative, some forms of the pres. subjunc. and the pres. part. of avoir)

B

badinage, *joking, jesting*

bague, *ring*

baiser, *kiss*

baisser, *to lower*

baji (Gypsy), *fortune*

bal, *ball, dance*

balafrer, *to gash, to slash*

balai, *broom*

balancer, *to balance, to sway*

balbutier, *to stammer*

balcon, *balcony*

baleine, *whale*

balle, *bullet*

ballot, *bale* (of merchandise), *pack*

banal, *commonplace, banal*

banc, *bench*

bande, *band, wrapper, group*

bander, *to bandage, to bind*

banque, *bank;* billet de —, *bank note*

banquette, *seat* (of a car)

barbe, *beard*

bar lachi (Gypsy), *loadstone, magnetic stone*

baragouiner, *to cripple* (*a language*)

barre, *bar*

barrer, *to bar*

barrière, *fence, barrier*

bas, *stocking*

bas, basse, *low, in a low tone, lower;* en —, *below, down;* là- —, *over there;* au — de, *below*

basque, *Basque;* tambour de —, *tambourine*

bassin, *pool*

bataille, *battle*

bâtiment, *building*

bâtir, *to build*

bâton, *stick*

battre, *to beat;* se —, *to fight;* se — en duel, *to fight a duel*

beau, *fine, beautiful, handsome;* avoir —, *to be in vain, to be useless*

beaucoup, *a great deal, much, many*

beauté, *beauty;* produit de —, *beauty product, cosmetic*

beaux, *fine, beautiful, handsome*

bec, *jet;* — de gaz, *gaslight, streetlight*

bêcher, *to spade*

bel, belle, *fine, beautiful, handsome*

bélier, *ram*

Bénédictin, *Benedictine* (monk)

besoin, *need, want;* avoir — de, *to need*

bête (as an adj.), *stupid;* (as a noun), *animal, beast, stupid person*

bêtise, *stupidity*

beurre, *butter*

bibliothèque, *library*

bien (adv.), *well, indeed, very, fine;* eh —, *well;* ça va —, *all right;* ou —, *or else;* — -aimé(e), *sweetheart;* — que, *although;* — portant, *healthy;* — de (with def. art.), *many;* — entendu, *of course;* tant — que mal, *as well as one can;* (as a noun), *wealth, property*

bientôt, *soon*

bienvenu, *welcome*

bijou, *jewel*

bijoutier, *jeweller*

billet, *note, promissory note, ticket;* **— de banque,** *bank note*

bipède, *biped, two-footed creature*

bizarre, *odd, strange*

blanc, blanche, *white;* **argent blanc,** *silver*

blanchir, *to whiten*

blessé, *wounded, wounded man, wounded one*

blesser, *to wound, to insult*

blessure, *wound*

bleu, *blue*

boa, *boa constrictor*

bobo (child's language), *pain*

Bohême, *Gypsydom, the kingdom of the gypsies*

bohémien, -nne, *Gypsy*

boire, *to drink*

bois, *wood*

boisson, *drink*

boîte, *box*

bon, bonne, *kind, good;* **de bonne heure,** *early;* **bon vivant,** *playboy;* **bon enfant,** *good fellow;* **tout de bon,** *completely*

bond, *bound, leap*

bonheur, *happiness;* **par —,** *luckily*

bonhomme, *fellow*

bonjour, *good-day*

bonne, *maid*

bonnet, *sweater-cap;* **— de nuit,** *night-cap*

bonsoir, *good evening*

bonté, *kindness*

Bonus, bona, bonum, partial declension of the Latin word for *good*

bord, *bank, edge*

border, *to border*

borgne, *one-eyed*

borne, *limit*

borner, *to limit*

botte, *bunch*

bouche, *mouth*

boucher, *butcher*

bouchon, *cork*

boue, *mud*

bouffée, *puff*

bouger, *to budge, to stir*

bougie, *candle*

bouillant, *boiling*

bouillir, *to boil*

bouillon, *bouillon* (clear soup), *gush, gushing*

bouillonner, *to boil*

bouleverser, *to upset, to put in disorder*

bouquet, *bouquet, aroma*

bourgeois, *citizen, middle-class*

bourreau, *executioner*

bourse, *purse*

bout, *end, bit;* **— de chemin,** *short distance*

bouteille, *bottle*

boutique, *shop;* **arrière- —,** *rear-shop*

boutiquier, *shopkeeper*

brandir, *to brandish, to flourish*

braquer, *to point*

bras, *arm;* **lever les — au ciel,** *to throw up one's arms*

brave (before noun), *good;* (after noun), *brave;* (as a noun), *a good man*

bravo! *good!*

bravoure, *bravery*

brèche, *breach, opening*

bref, *in short, brief*

bréviaire, *breviary, prayer-book*

brider, *to bridle*

brigadier, *corporal* (cavalry)

brigand, *brigand, outlaw*

brique, *brick*

briquet, *flint and steel* (to make a fire)

briser, *to break*

britannique, *British*

broche, *broach*

broder, *to embroider*

brosser, *to brush*

brouillard, *fog, mist*

broussaille, *brush*

bruit, *noise*

brûler, *to burn*

brun, *brown*

brusquement, *quickly, suddenly, bruskly*

bu (past part. of **boire**), *drunk*

bûcheron, *woodcutter*

bulle, *bubble*

bureau, *office, desk*

but (pronounce final **t**), *goal, aim*

butin, *booty*

buv- (stem of some forms of the pres. indic, of the imperf. indic. and the present part. of **boire**)

C

c' = ce, *it, he, she, they, this, that;* **c'est que,** *the fact is, the truth is*

ça (contraction of **cela**), *that;* **— y est,** *you did it!;* **— va bien,** *all right*

cabaret, *inn, tavern*

cabinet, *office*

cacher, *to hide*

cachet, *seal*

cachette, *hiding place*

cadavre, *corpse*

cadeau, *gift*

caisse, *box, case*

calcul, *arithmetic, calculation*

calé (Gypsy), *black* (referring to the complexion of the Gypsies)

calli (Gypsy), *Gypsy*

camarade, *comrade*

cambrioleur, *burglar*

caméléon, *chameleon, lizard*

campagne, *country, countryside*

canaille, *low-life, riffraff*

canapé, *sofa, couch*

canari, *canary*

canne, *cane*

capacité, *capacity, ability, talent*

capitaine, *captain*

car, *for*

carré, *square*

carrière, *career*

carte, *card;* **jouer aux —s,** *to play cards;* **— civique,** *identity card*

carton, *cardboard*

cas, *case;* **en — de,** *in an instance of, having the right of*

casque, *helmet*

casser, *to break*

casserole, *saucepan*

cassie, *acacia*

Castillan, *Castilian*

cause, *cause;* **à — de,** *because of;* **à — de cela même,** *for that very reason*

causer, *to chat, to cause*

cavalier, *horseman*

ce, *this, that, it, he, she, they;* **— qui, — que,** *what, that which;* **à — que,** *according to what;* **c'est que,** *the truth is, the fact is;* **n'est- — pas?** (translates any question immediately following a statement)

ceci, *this*

céder, *to yield, to give in*

cela, *that;* **— ne fait rien,** *that makes no difference*

celle(s), *that, the one(s), she;* **—(s)-ci,** *the latter, she, these;* **—(s)-là,** *the former,* etc.

cellule, *cell*

celui, *that one, he who*

cendre, *ash*

cent, *(a) hundred*

centaine, *hundred, about a hundred*

cependant, *meanwhile, however*

certain, *certain, certain people*

certes, *certainly*

cervelle, *brain;* **faire sauter la —,** *to blow out one's brains*

cet, cette, *this, that;* **cette nuit,** *last night*

ces, *these, those*

cesse, *cease;* **sans —,** *endlessly, ceaselessly*

cesser, *to cease, to stop*

c'est-à-dire, *that is to say, i.e.*

ceux, *those, the ones, these, the former, the latter*

chacun, *each, each one*

chagrin, *sorrow, grief*

chair, *flesh*

chaise, *chair;* **— longue,** *chaise longue, couch*

châle, *shawl*

chaleur, *heat*

chambre, *room;* **femme de —,** *maid;* **— à coucher,** *bedroom*

champ, *field*

Champs-Élysées, famous avenue in Paris

chance, *chance, luck, fortune;* **tenter la —,** *to try one's luck*

chanceler, *to stumble, to totter*

chandelle, *candle*

changement, *change*

changer (de), *to change*
chanson, *song*
chanter, *to sing, to tell of*
chantonner, *to hum*
chapeau, *hat*
chapelle, *chapel*
chapitre, *chapter*
chaque, *each*
charbon, *carbon*
chargé, *loaded, laden, in charge of*
charger, *to load, to put in charge of;* **se — de,** *to take care of*
charmer, *to charm, to delight*
charpentier, *carpenter*
charrette, *cart*
chasse, *hunt*
chasser, *to hunt, to drive out*
chat, *cat*
chaud, *warm*
chaudière, *cauldron*
chauffer, *to warm, to heat*
chef, *leader, chief*
chef-d'oeuvre, *masterpiece*
chemin, *way, road;* **passer leur (votre) —,** *to go on their (your) way;* **se mettre en —,** *to set out, to start;* **grand —,** *highway;* **bout de —,** *short distance*
cheminée, *fireplace, smokestack*
chemise, *shirt, chemise*
chêne, *oak*
chenille, *caterpillar*
cher, chère, *dear, expensive*

chercher, *to seek, to look for;* **venir —,** *to come and get*
chéri, *dear*
cheval (plural **chevaux**), *horse*
cheveux, *hair*
chevreau, *kid* (young goat)
chevron, *chevron, stripe* (military)
chez, *to* (*at, in*) *the home of, among*
chic, *chic, stylish*
chien, *dog;* **"du —,"** *dash, chic, style*
chiffre, *figure, number*
chipe calli (Gypsy), *Gypsy language* (literally, *black language*)
chirurgien, *surgeon*
choc, *shock, jolt*
choisir, *to choose, to select*
choix, *choice*
choquer, *to shock*
chose, *thing;* **je sais les choses,** *I know how matters stand;* **grand'—,** *very much*
chou, *cabbage*
chrétien, -nne, *Christian*
chrysalide, *chrysalis, pupa*
chut (pronounce final **t**), *hush! ssh!*
chute, *fall*
ciel, *heaven, sky;* **arc-en- —,** *rainbow;* **lever les bras au —,** *to throw up one's arms*
cierge, *candle*
cieux, *heavens*

cinq, *five*

cinquante, *fifty*

cirque, *amphitheater*

cité, *city* (usually refers to the older sections of cities)

citoyen, -nne, *citizen*

civilité, *respect, courtesy*

civique, *civic;* carte —, *identity card*

clair, *clear, light* (in color); au — de la lune, *in the moonlight;* il fait — de lune, *it is moonlight*

clairement, *clearly*

clairvoyant, *shrewd*

claquer, *to clap*

clarté, *light, brightness, clarity*

classement, *classification*

clef, *key*

clientèle, *people*

clignoter, *to blink*

cloche, *bell*

clocher, *steeple*

clos, *closed;* nuit close, *pitch dark*

cocarde, *bow, cocade*

cocher, *coachman*

coeur, *heart;* avoir du —, *to have courage;* faire le joli —, *to show off;* de —, *at heart*

coffre, *chest, strong-box*

coffre-fort, *strong-box*

coiffure, *head-dress*

coin, *corner*

colère, *anger;* se mettre en —, *to get angry*

collectionner, *to collect*

collège, *school*

coller, *to stick*

collet, *collar*

collier, *necklace*

colline, *hill*

colombe, *dove*

colonne, *column*

colorant, *coloring*

combattre, *to fight*

combien (de), *how much, how many*

combinaison, *combination*

commander, *to order*

comme, *as, like, how;* — il faut, *proper, properly;* — il vous plaira, *as you like*

commencement, *beginning, commencement, rudiment*

comment, *what! how's that? how;* — ça lui a-t-il pris? *how did it start?*

commerce, *commerce, dealing*

commettre, *to commit*

commis, *clerk*

commisération, *compassion*

commission, *task, errand*

commode, *dresser*

commun, *common*

communauté, *community*

compagnie, *company;* en —, *with some one*

compagnon, *companion*

compère, *partner*

complet (as an adj.), *complete;* (as a noun), *suit*

complètement, *completely*

complice, *accomplice*

compliqué, *complicated*

comporter, *to require;* **se —,** *to behave, to act*

compréhensif, -ve, *intelligent*

comprenant (pres. part. of **comprendre**), *understanding*

comprendre, *to understand*

compris (past part., past def. of **comprendre**), *understood*

comprisse (imperf. subjunc. of **comprendre**), *(might) understand*

compte, *account;* **sur le —,** *to the account;* **se rendre —,** *to realize*

compter, *to count, to intend*

comptoir, *counter*

concevoir, *to conceive, to think*

concierge, *concierge, porter, doorkeeper*

conclure, *to conclude*

conçois, -t (pres. indic. forms of **concevoir,** *to conceive*)

concourir, *to cooperate*

concours, *competition*

conçu (past part. of **concevoir**), *conceived*

concurrence, *competition*

condamné, *condemned man*

condamner, *to condemn;* **— à mort,** *to condemn to death*

conduire, *to lead, to conduct*

conduit (past part. of **conduire**), *led, conducted*

cône, *cone*

conférence, *meeting, conference, lecture*

confiance, *confidence*

confidence, *secret, confidence;* **faire une —,** *to confide*

confier, *to confide, to entrust*

confiseur, *confectioner*

confort, *comfort*

connais, -aît (pres. indic. forms of **connaître**) *know, knows*

connaissance, *knowledge, consciousness, acquaintance*

connaissant (pres. part. of **connaître**), *knowing*

connaître, *to know;* **se — en,** *to be a judge of*

connu (past part. of **connaître**), *known*

connus, -t (past def. forms of **connaître**), *knew*

conquête, *conquest*

conscient, *conscious, aware*

conscrit, *conscript*

conseil, *advice*

conseiller, *to advise, to counsel*

conséquence, *consequence, conclusion*

conséquent; **par —,** *consequently*

conservateur, *conservative*

conserver, *to keep*

consigne, *order*

consonne, *consonant*

constant, *constant quality, permanent value, constant*

constater, *to ascertain, to perceive*

construit, *constructed, built*

conte, *tale*

contenance, *countenance*

conter, *to tell, to relate;* — de toutes les couleurs, *to say all sorts of things*

contenu (past part. of contenir), *contained*

contiens, -t, -nent (forms of the pres. indic of contenir, *to contain*)

continu, *continuous*

contrebande, *smuggling*

contrebandier, *smuggler*

convaincu, *convinced*

convenable, *suitable, appropriate*

convenir, *to be suitable*

convenu, *agreed (upon)*

converti, *convert*

convient, (form of the pres. indic. of convenir), *is suitable*

convoiter, *to covet*

convoquer, *to call together*

coq, *rooster*

coquille, *shell;* — d'huître, *oyster shell*

coquin, -ne, *rascal*

corde, *rope, cord*

cordon, *filament*

corne, *horn*

cornet: — à dés, *dice-box*

corps, *body;* — de garde, *guardhouse*

correct, *proper, correct*

cortège, *procession*

corvée, *duty*

côte, *coast*

côté, *side;* de mon —, *for my part;* du — de, *toward, next to;* à — de, *beside;* de —, *aside*

cou, *neck;* se jeter à son —, *to throw his arms around him;* sauter au —, *to embrace*

couche, *layer*

coucher du soleil, *sunset*

coucher, *to lay down;* se —, *to go to bed;* chambre à —, *bedroom*

coude, *elbow*

couler, *to flow*

couleur, *color;* conter de toutes les —s, *to say all sorts of things*

coulisse, *wings* (theater); faire les yeux en —, *to look out of the corner of one's eyes*

coup, *blow, shot, undertaking, job, thrust;* tout à —, tout d'un —, *suddenly;* — de feu, *shot;* — de téléphone, *telephone call;* — d'oeil, *glance*

coupable, *guilty, guilty party*

couper, *to cut*

cour, *court-yard, court* (royal)

courant, *common, current*

courir, *to run, to flow*

couronne, *crown*

courrier, *mail*

cours, *course*

course, *trip;* — de taureaux, *bullfight*

court (pres. indic. third pers. sing. of courir), *runs, flows*

court, *short*

courtisane, *courtesan, prostitute*

couru (past. part. of courir), *run*

courus, -t (past def. forms of courir), *ran*

coussin, *cushion, pillow*

couteau, *knife*

coûter, *to cost*

coûteux, *costly*

coutume, *custom, habit;* avoir —, *to be in the habit*

couturier, *couturier, dressmaker*

couvent, *convent, monastery*

couvercle, *cover*

couvert (past. part. of couvrir), *covered*

couvert, *shelter*

couverture, *cover, blanket*

couvrir, *to cover*

couvrit (past def. third pers. sing. of couvrir), *covered*

craignant (pres. part of craindre), *fearing*

craindre, *to fear*

crains, -t (pres. indic. forms of craindre), *fear, fears, am afraid, is afraid*

crainte, *fear*

crâne, *cranium*

cravate, *necktie*

crayon, *pencil, crayon*

créancier, *creditor*

créer, *to create*

crème, *cream;* glace à la —, *ice cream;* — glacée, *ice cream*

creuser, *to dig*

cri, *cry*

crier, *to shout, to cry out, to yell*

criquet, *locust*

croc (final c is silent), *hook*

crocodile, *crocodile;* rire de —, *meaningless laughter, hollow laughter*

croire, *to believe*

croiser, *to cross*

croix, *cross;* faire la —, *to make the sign of the cross*

croy- (imperf. indic. stem of croire), *believed, was (were) believing*

croyance, *belief*

croyant, *believer* (religious)

cru (past part. of croire), *believed*

crus, -t, -rent (past def. forms of croire), *believed*

crustacé, *shellfish*

cubile (Latin—not Hebrew), *bed*

cuisine, *cooking, kitchen*

cuisinière, *cooker, cook*

cuisse, *thigh*

cuivre, *copper*

culbuter, *to knock down*

curieux, -se, *curious*

cuve, *vat, vat room*

cuvier, *tub, vat*

D

d' = de, *of, by, from, with, in, for, some, any*

d'abord, *at first, first of all;* tout —, *right at first*

daigner, *to deign*

d'ailleurs, *besides*

dame, *lady*

damné, *damned*

Dancaïre, a proper name taken from a Spanish word which denotes a person who gambles for someone else

dans, *in, into*

davantage, *more, furthermore*

de, *of, by, in for, with, from, some, any, as;* — . . . en, *from . . . to*

débarrasser, *to free;* se — de, *to get rid of*

débarquer, *to land*

débat, *debate*

débauche, *debauchery*

débile, *sickly, weak*

débouché, *uncorked*

debout, *standing*

débris, *remains*

début, *beginning*

décamper, *to get out*

déceler, *to discover*

décider, *to decide;* se —, *to make up one's mind*

déchirer, *to tear open, to tear off*

décor, *surrounding*

décourager, *to discourage*

découvert (past part. of découvrir), *discovered*

découvrir, *to discover*

décrire, *to describe*

décrit (past part. of décrire), *described*

dédaigner, *to disdain, to scorn*

dedans, *inside;* là- —, *in all that*

défaire, *to undo*

défaut, *defect*

défendre, *to forbid, to defend*

défenseur, *defender*

défi, *challenge, defiance*

défier, *to defy, to challenge*

défilé, *parade, marching off*

définir, *to define*

déformation, *change of shape*

défunt, *deceased*

dégagé, *free and easy, nonchalant*

dégager, *to free, to set free*

dégât, *damage*

dégoût, *disgust*

dégradation, *lowering of rank*

dégrader, *to strip* (of military rank); *to "break"* (military)

déguiser, *to disguise*

dehors, *outside;* en —, *outward;* au — (de), *outside;* en — de, *besides* déjà, *already*

déjeuner, *lunch, breakfast;* — d'affaires, *business luncheon*

delà: au — de, *beyond*

délicatesse, *fineness, refinement*

délire, *delirium*

demain, *tomorrow*

demande, *order, request*

demander, *to ask (for);* se —, *to wonder*

démangeaison, *itching*

demeurer, *to live, to remain*

démenti, *denial*

demi, *half;* à —, *inefficient(ly)*

démontage, *taking apart*

démontrer, *to demonstrate*

denier, *farthing* (coin)

dénouement, *ending*

dent, *tooth*

dentelle, *lace*

départ, *departure*

dépasser, *to overtake, to pass by, to surpass*

dépêcher: se —, *to hasten, to hurry*

dépendre, *to depend*

dépens: aux —, *at the expense*

dépenser, *to spend*

déplier, *to unfold*

déposer, *to deposit, to testify, to put down, to put*

dépouiller, *to rob, to despoil*

dépourvu, *deprived*

depuis, *from, since, for*

dérangé, *wild* (in the moral sense)

déranger, *to disturb*

dernier, dernière, *last, utmost*

derrière, *behind*

des, *of the, from the, some, any*

dès, *(right) from, upon, at the moment of, as early as;* — que, *as soon as*

dés, *dice*

descendre, *to descend, to get off, to get out, to go off;* — la garde, *to go off guard duty*

désert, *deserted, empty*

désespéré, *desperate*

désespérer, *to despair*

désespoir, *despair*

déshabiller, *to undress*

déshériter, *to disinherit*

désigner, *to designate, to indicate*

désobéir, *to disobey*

désolé, *upset, grieved*

désormais, *henceforth*

dès que, *as soon as*

desséché, *dried (up)*

dessein, *plan, design*

dessication, *drying*

dessin, *design, drawing*

dessinateur, *designer*

dessiner, *to design, to outline, to sketch, to draw*

dessous, *beneath, underneath*

dessus, *above, on it, on top;* là- — *on that matter*

destin, *destiny, fate*

déterminer, *to determine, to decide*

détour, *detour, turn, twist*

détourné, *round about*

détourner, *to turn aside*

détresse, *distress*

détruire, *to destroy*

dette, *debt*

Deus Sanctus (Latin), *Holy God*

deux, *two;* tous les —, *both;* une auto à — places, *an auto with one seat* (room for two)

devais, -t (forms of the imperf. indic. of devoir), *must, was to, had to*

devant, *in front of, before, facing, in the face of;* (as a noun), *front*

devenir, *to become*

devenu (past part. of devenir), *become*

dévêtir, *to undress*

deviendr- (stem of the fut. and the condit. of devenir)

deviens, -t, -nent (forms of the pres. indic. of devenir)

deviner, *to guess, to sense*

devins, -t (forms of the past def. of devenir), *became*

devoir, *to owe, must;* (as a noun), *duty;* se mettre en —, *to set about*

dévorer, *to devour, to swallow*

dévoué, *devoted*

dévouement, *devotion*

diable, *devil*

diagnostic, *diagnosis*

diamant, *diamond*

dicter, *to dictate*

dicton, *saying, proverb*

Dieu, *God;* — merci, *thank God*

difficile, *difficult*

digérer, *to digest*

digne, *worthy*

dimanche, *Sunday;* tous les —s, *every Sunday*

diminuer, *to lessen*

diminution, *lessening*

dîner, *to dine;* (as a noun), *dinner*

dire, *to say;* à vrai —, *to tell the truth;* vouloir —, *to mean;* pour ainsi —, *so to say;* c'est-à- —, *that is to say*

dirent (third pers. pl. past def. of dire), *said*

diriger, *to direct*

dis (first pers. sing. pres. indic. and past def. of dire), *say, said*

disais, -t, ent (forms of the imperf. indic. of dire), *was (were) saying, etc.*

disant (pres. part. of dire), *saying*

discourir (de), *to discourse (upon)*

discours, *talk, speech*

discuter, *to discuss*

dise (first and third pers. sing. pres. subjunc. of dire), *say*

disent (third pers. pl. pres. indic. and pres. subjunc. of **dire**)

disparaissent (third pers. pl. pres. indic. of **disparaître**)

disparaître, *to disappear*

disparition, *disappearance*

disparu (past part. of **disparaître**), *disappeared*

disparut (past def. third pers. sing. of **disparaître**), *disappeared*

disposer (de), *to dispose, to have in one's power, to guide, to arrange, to control*

dissimuler, *to hide*

dissiper, *to waste, to disperse*

dissolution, *solution*

dissolvant, *dissolving*

dissoudre, *to dissolve*

dissous (past. part. of **dissoudre**), *dissolved*

dissout (third pers. sing. pres. indic. of **dissoudre**), *dissolves*

distinguer, *to distinguish*

dit (third pers. sing. pres. indic. of **dire**) *says*; (third pers. sing. past def.), *said*, (past part.), *said*; **proprement —**, *properly speaking*

dites (sec. pers. pl. pres. indic. of **dire**), *say*

divers, *different*

diviser, *to divide*

dix, *ten*

dogme, *dogma, belief*

doigt, *finger*

dois, -t, -vent (forms of the pres. indic. of **devoir**), *has (have) to, is (are) to, owe(s), should, must*

domestique, *servant*

dommage, *pity*

dominicain, *Dominican monk*

don, *gift*

donc, *then, so, therefore* (a word used to give emphasis)

donner, *to give*; **se — la main**, *to shake hands*

dont, *in which, of which, with which, from which, whose, of whom, etc.*

d'ordinaire, *ordinarily*

dormir, *to sleep*

dort (third pers. sing. pres. indic. of **dormir**), *sleeps, is sleeping*

dos, *back*

dot (final **t** pronounced), *dowery*

doubler, *to increase, to hasten*; **— le pas**, *to hurry on, to quicken one's pace*

douce, *soft, gentle, sweet, mild*

douceur, *gentleness, kindness*

douer, *to endow*

douleur, *grief, pain*

douleureux, -se, *painful*

douro (Spanish), *silver dollar*

doute, *doubt*; **sans —**, *no doubt, of course, without doubt* douter, *to doubt;* se — de, *to suspect*

doux, *mild, soft*

douzaine, *dozen, about twelve*

douze, *twelve*

dragon, *dragoon* (mounted trooper)

dresser, *to straighten up, to set up*

drogue, *drug*

droit, *right, straight;* tout —, *straight ahead;* (as a noun), *law;* en —, *legally*

droite, *right*

drôle(de), *funny, odd, queer;* (as a noun), *rascal;* une — de, *a comical, a funny*

du (contraction of de and le), *of the, from the, some, any*

dû (past. part. of devoir); aurais —, *ought to have*

duc, *duke*

duel, *duel;* se battre en —, *to fight a duel*

dur, *hard, resistant*

durant, *during*

durcir, *to harden*

durer, *to last*

E

eau, *water*

ébène, *ebony*

ébullition, *boiling*

écarter, *to separate, to part, to put to one side*

ecclésiastique, *ecclesiastic, priest*

échafaud, *scaffold*

échanger, *to exchange*

échantillon, *sample*

échapper, *to escape*

échauffer: s'—, *to heat*

éclair, *lightning*

éclaircir, *to clear up, to clarify*

éclairer, *to light*

éclat, *outburst*

éclater, *to burst;* — de rire, *to break into laughter, to burst with laughter*

éclosion, *hatching*

école, *school*

économie, *restraint, economy*

écorcher: s'—, *to shed skin*

écouler: s'—, *to flow*

écouter, *to listen* (to)

économe, *economical*

économiser, *to save*

écorce, *bark*

écran, *screen*

écraser, *to crush*

écrier: s'— *to exclaim*

écrire, *to write*

écrit (third pers. sing. pres. indic., past part. of écrire), *writes, written*

écrivain, *writer*

écume, *foam*

écurie, *shed, stable*

effectuer, *to effect;* s'—, *to occur*

éditeur, *publisher*

effet, *effect;* en —, *in fact*

efforcer: s'—, *to strive*

effrayer, *to frighten*

effroi, *fright*

effronté, *bold, brazen*

effroyable, *frightful*

égal, *equal*

égaliser, *to equalize*

égalité, *equality*

égard, *regard;* à l'— de, *in regard to, with respect to*

égaré, *lost*

égarer: s'—, *to get lost*

église, *church;* être d'—, *to be a churchman* (priest)

Egypte, *Gypsydom*

Egyptien, *Gypsy*

eh bien, *well*

élancer: s'—, *to rush*

élargir, *to enlarge*

électrice, *voter*

élevé, *high, elevated*

élever, *to raise;* s'—, *to rise*

elle, *she, it, her*

elles, *they, them*

éloigné, *distant*

éloigner: s'—, *to go away*

embarquement, embarcation, *shipment*

embarras, *embarrassment*

embonpoint, *girth, plumpness*

embrasure, *recess, embrasure*

émietter, *to crumble*

emmener, *to lead off, to lead away, to take, to take away*

empêcher, *to prevent*

emplette, *purchase*

employé, *employee*

employer, *to use*

emporter, *to carry off*

emprunter, *to borrow*

ému, *moved, touched with pity*

en, *in, into, some, any, of it, of them, at it, from it, as* a(n); de . . . —, *from . . . to*

encombrant, *encumbering*

encore, *again, further, longer, still;* — une fois, *once again;* — un(e), *another*

encourir, *to incur*

encouru (past part. of encourir), *incurred*

encre, *ink*

endormi, *sleeping, asleep*

endormir: s'—, *to go to sleep*

endroit, *location, place*

enfance, *childhood*

enfant, *child;* bon —, *good fellow*

enfantin, *childish, childlike*

enfer, *hell*

enfermer, *to close up, to enclose*

enferrer, *to run through, to impale*

enfin, *finally*

enfoncer, *to bury, to sink*

enfuir: s'—, *to flee*

engager: s'—, *to enlist*

enivrer, *to intoxicate;* s'—, *to get drunk*

enjamber, *to step over*

enlever, *to take away*

ennui, *trouble, annoyance*

ennuyer, *to bother, to bore, to annoy;* s'—, *to be bored*

enseigner, *to teach*

ensemble, *together;* (as a noun), *grouping*

ensevelir, *to bury*

ensuite, *then, next*

entendre, *to hear, to understand;* — parler de, *to hear of*

entendu (past part. of entendre), *understood;* c'est —, *all right;* bien —, *of course*

enterrer, *to bury*

entier, entière, *entire, complete;* tout —, *completely*

entourer, *to surround*

entraîner, *to draw along, to sweep along, to drag along, to lead along, to send forth*

entre, *between, among*

entrée, *entrance*

entrer, *to enter*

entrevis (past def. of entrevoir), *glimpsed*

entrevue, *interview*

envahir, *to overcome, to invade*

envelopper, *to wrap, to envelope*

enverr- (stem of fut. and condit. of envoyer, *to send*)

envers, *towards*

envie, *desire;* quand il m'en prend —, *when I want*

envier, *to envy*

environner, *to surround*

envoyer, *to send*

épais, *thick*

épargner, *to spare*

épaule, *shoulder*

épée, *sword*

éperon, *spur*

épicerie, *grocery* (store)

épicier, *grocer*

épier, *to spy, to spy upon*

épigramme, (*clever*) *saying*

épingle, *pin*

épinglette, *priming-wire* (to clean the hole through which the spark reached the gunpowder)

époque, *time, epoch, era*

épouser, *to marry, to wed*

épouvantable, *frightful*

épouvante, *frightened*

époux, *husband, husband and wife*

éprouver, *to try out, to experience, to feel, to test*

épuisé, *exhausted*

erani (Gypsy), *proper* (*well-mannered*) *woman*

ère, *era*

ermitage, *hermitage, hermit's dwelling*

ermite, *hermit*

errer, *to wander*

erreur, *error*

es (sec. pers. sing. pres. indic. of avoir), *are*

escalier, *stairs*

escarpement, *escarpement, slope*

escrime, *fencing*

espace, *space*

espagnol, *Spanish*

espèce, *species, kind*

espérance, *hope*

espérer, *to hope*

espingole, *blunderbuss*

espion, *spy*

espoir, *hope*

esprit, *mind, wit, cleverness, spirit*

essayer, *to try* (*on*)

essuyer, *to wipe*

est (third pers. sing. pres. indic. of **être**), *is*; qu' — -ce que? qu' — -ce que c' — que? *what?*; c' — que, *it is because, the truth is, the fact is*; n' — -ce pas? (translates any question after a statement); c' — - à-dire, *that is to say*

est (t pronounced), *east*

Estepona, port northeast of Gibraltar, Spain

estomac (c silent), *stomach*

estropier, *to cripple, to "butcher"* (a language)

et, *and*

établir, *to establish*

étage, *story*; premier —, *second story, second floor*

étais, -t, -ent (forms of the imperf. indic. of **être**), *was, were*

étant (pres. part. of **être**), *being*

état, *state, connection*

Etats-Unis, *United States*

été, *summer*

été (past part. of **être**), *been*

éteign- (stem of some forms of the pres. indic. and all the imperf. indic. of **éteindre**)

éteindre, *to extinguish*

éteint (past part. of **éteindre**), *extinguished*

étendre, *to stretch* (*out*), *to lengthen*

êtes (sec. pers. pl. pres. indic. of **être**), *are*

étirer, *to stretch*

étoile, *star*

étonnement, *astonishment*

étonner, *to astonish*; s' —, *to be astonished*

étrange, *strange*

étranger, étrangère (as a noun), *foreigner, stranger*; (as an adj.), *foreign, strange*

étrangler, *to strangle*

extravagant, *extraordinary, flourishing*

être, *to be*; peut- —, *perhaps*; (as a noun), *being*

étroit, *narrow*

étude, *study*

étudiant, -te, *student*

étudier, *to study*

eu (past part. of **avoir**), *had*

eu- (stem of past def. and imperf. subjunc. of **avoir**), *had*

eux, *them, they*; chez —, *to their home*

Evangile, *Gospel*

évanouir, *to faint*

évanouissement, *fainting, faint*

évasion, *escape, escapism*

éveiller, *to awaken*

événement, *event*

évêque, *bishop*

évidemment, *apparently, seemingly*

éviter, *to avoid*

examen, *examination*

exclure, *to exclude*

exercer, *to exercise, to put to use*

exhaler, *to exhale, to pass off*

exigeant, *exacting, demanding*

exiger, *to require*

expérience, *experiment, experience*

expiatoire, *expiatory*

explication, *explanation*

expliquer, *to explain*

exposition, *exhibition, exposition*

exprès, *on purpose*

exprimer, *to express, to squeeze out*

exquis, *exquisite*

exténuer, *to wear out*

extraire, *to extract*

extrémité, *extreme*

F

fabrication, *manufacture*

fabriquer, *to make, to manufacture*

face, *face, front;* en — de, *opposite*

façade, *façade, front*

fâché, *sorry, angry*

fâcher, *to anger;* se —, *to get angry*

facile, *easy*

façon, *manner, way;* de — à, *so as to*

façonner, *to shape, to fashion*

facteur, *postman*

faction: de —, *on guard duty*

factionnaire, *sentry*

faible, *feeble, weak*

faiblesse, *weakness*

faïence, *porcelaine*

faille (pres. subjunc. of **falloir**), *is (will be) necessary*

faim, *hunger;* mourir de —, *to starve to death*

faire, *to do, to make, to cause, to practice;* — venir, *to send for;* se —, *to occur;* — with infinitive, *to have* (and past part. meaning of infinitive); — semblant de, *to pretend;* — honneur, *to honor;* — un tour, *to take a walk;* — observer, *to point out;* — des questions, *to ask questions;* — froid, *to be cold;* — route, *to go along, to journey;* — du feu, *to make a light* (for a cigar, etc.); — fête, *to cele-*

brate, to feast; — **sauter la cervelle,** *to blow out one's brains;* **se** — **tirer la bonne aventure,** *to have one's fortune told;* — **la croix,** *to make the sign of the cross;* — **peur,** *to frighten;* — **les yeux en coulisse,** *to look out of the corner of one's eyes;* — **le méchant,** *to be mean;* **laisser** —, *to leave alone;* — **pitié,** *to be pitiful;* — **le guet,** *to keep watch;* **se** — **attendre,** *to be late;* — **le joli coeur,** *to show off*

fais (first and sec. pers. sing. pres. indic. of **faire**), *do, make,* etc.

fais- (stem of the first pers. pl. pres. indic., of the imperative first pers. pl., of the imperfect indic. and the pres. part. of **faire**)

fait (past part. of **faire**), *made, done,* etc.; (third pers. sing. pres. indic. of **faire**), *does, makes, performs,* etc.; **il** — **clair de lune,** *it is moonlight;* **il n'y a rien de** —, *nothing is accomplished;* **il** — **de son mieux,** *he does his best;* **cela ne** — **rien,** *that makes no difference;* (as a noun), *fact;* **tout à** —, *entirely;* **sûr de mon** —, *sure of my suspicions*

fallait (imperf. indic. of **falloir**), *was necessary*

falloir, *to be necessary*

fallut (past def. of **falloir**), *was necessary, took*

famille, *family*

fardeau, *burden*

farineux,-se, *farinaceous, starchy*

farouche, *fierce*

fasse (first and third pers. sing. pres. subjunc. of **faire**), *make;* — **une confidence,** *confide(s)*

faudr- (stem of the fut. and condit. of **falloir**), *will (would) be necessary, will (would) take*

fausse, *false*

faut (third pers. sing. pres. indic. of **falloir**), *is necessary, takes;* **il nous** —, *we need;* **comme il** —, *proper(ly)*

faute, *mistake, fault;* — **de,** *for lack of*

fauteuil, *armchair*

fauve, *wild animal*

faux, *false;* — **pas,** *misstep*

favorisé, *favored*

favoriser, *to favor*

fée, *fairy*

feign- (stem of the pres. part., the pl. of the pres. indic., and the imperf. indic. of **feindre,** *to feign, to pretend*)

félicité, *happiness*

femme, *woman, wife;* — **de chambre,** *maid*

fendu, *well-formed*

fenêtre, *window*

fer, *shoe* (of a horse), *iron*; chemin de —, *railroad*

fer- (stem of the fut. and condit. of faire)

ferme, *firm, steady*

fermeture, *clasp*

fermier, *farmer*

ferveur, *fervor, enthusiasm*

festin, *feat, festival*

festoyer, *to feast with*

fête, *party, celebration, festival*; faire —, *to feast, to celebrate*; se faire une —, *to anticipate the pleasure*

feu, *fire*; faire du —, *to make a light* (for a cigar, etc.); mettre le —, *to set fire*; arme à —, *firearm*; coup de —, *shot*

feuille, *sheet*

ficelle, *string*

fidèle, *faithful*

fier, fière, *proud*

fierté, *pride*

fièvre, *fever*

figure, *face*

figurer, *to appear*; se —, *to imagine*

fille, *daughter*; jeune —, *girl*

filleule, *god-daughter*

fils, *son*

fîmes (first pers. pl. past def. of faire), *made, did*

fin, *end*; à la —, *finally*

fin, fine, *fine*

finesse, *finesse, fineness*

finir, *to finish, to end*

firent (third pers. pl. past def. of faire), *made, did*

fis, fit (sing. past def. forms of faire), *made, had, gave*

flacon, *flask*

fleur, *flower*

flot, *wave*

flotter, *to float, to hesitate*

foi, *faith*; (par) ma —, *upon my word*

foie, *liver*

fois, *time*; encore une —, *once again*; une —, *once, once upon a time*; (tout) à la —, *at one and the same time*; à la —, *at a time*

folie, *madness*

folle (as an adj.), *bad, crazy*; (as a noun), *crazy person*

foncé, *dark*

fonctionner, *to function*

fond, *end, bottom*; à —, *thoroughly*; au —, *basically*

fondé, *found(ed)*

fondre, *to melt*

fonds, *funds*

font (third pers. pl. pres. indic. of faire), *make, do*; — le tour de, *to circle, to go around*; se —, *occur*

force, *strength, force*

forêt, *forest*

formule, *form*

fort (as an adverb), *very, very much, heavy, hard, loud;* (as an adj.), *strong, big, wide;* **de plus en plus —,** *louder and louder*

fortune, *fortune, lot, fate*

fosse, *grave*

fossé, *ditch*

fou (as an adj.), *crazy, foolish;* (as a noun), *fool, madman*

foudre, *thunderbolt, lightning*

fouet, *whip*

fouetter, *to whip*

fouiller, *to search*

foulage, *treading, trampling*

foule, *crowd*

fournir, *to furnish*

fourreau, *scabbard*

fourrer, *to cram, to thrust, to put*

fourrure, *fur*

frais, fraîche, *fresh*

franc, -che, *honest, downright, frank*

français, -se, *French, Frenchman, Frenchwoman*

frapper, *to be stricken, to strike, to beat, to stamp, to knock*

fraudeur, *smuggler*

frayeur, *fright*

frère, *brother*

fricassé, *cut in pieces (and fried)*

fripon, *cheat*

friser, *to curl*

frissonner, *to shiver*

frit, *fried*

friture, *fried food*

froid, *cold;* **faire —,** *to be cold;* **avoir —,** *to be cold*

froissé, *vexed*

front, *forehead*

frotter, *to rub*

fruitier, *fruit dealer*

fuite, *flight*

fumée, *smoke, mist*

fumer, *to smoke*

fûmes (first pers. pl. past def. of **être**), *were*

funèbre, *funeral*

funéraire, *funeral*

furent (third pers. pl. past def. of **être**), *were*

fureur, *fury*

fus (first pers. sing. past def. of **être**), *was*

fusil, *gun*

fusiller, *to shoot*

fusion, *fusion, melting;* **en —,** *melting*

fut (third pers. sing. past def. of **être**), *was*

fût (third pers. sing. imperf. subjunc. of **être**), *was*

G

gage, *pledge;* **en —,** *in pawn*

gagner, *to win, to earn, to gain, to win over, to overcome, to reach;* **— la vie,** *to earn one's living* gaité, *gayety, happiness*

gaillard, *stout* (robust) *fellow*

gain, *gain, winning*

galant, *sweetheart, gallant*

galère, *galley* (prison boat where the prisoners rowed)

galon, *stripe* (military)

garçon, *boy, bachelor, waiter, fellow*

garde, m., *guard;* f. *guard duty, guardhouse;* en (de) —, *on guard;* prendre —, *to take care;* corps de —, *guardhouse;* monter la —, *to go on guard duty, to do guard duty;* descendre la —, *to go off guard duty*

garder, *to keep, to guard;* se — bien de, *to be careful not to*

gare, *look out!*

gars, *fellow*

gâter, *to spoil*

gauche, *left, awkward*

Gaucin, village north of Gibraltar

gaz, *gas;* bec de —, *gaslight, streetlight*

gazeux, *gaseous*

géant, *giant*

gémir, *to groan, to moan*

génie, *genius*

géomètre, *geometrician, mathematician*

gendarme, *policeman*

gêner, *to bother*

genou, *knee*

gens, *people, servants*

gentil, -lle, *nice, gentle*

gentilhomme, *nobleman*

gentiment, *pleasantly, in a kindly manner*

géographe, *geographer*

geôlier, *jailer*

germer, *to grow, to sprout, to germinate*

geste, *gesture*

gilet, *vest*

gitana (Spanish), *Gypsy*

gitanilla (Spanish), *little Gypsy*

glace, *mirror, ice, ice-cream, cold drink;* — à la crème, *ice-cream*

glacer, *to chill*

glisser, *to slip*

gloire, *glory*

gomme, *gum*

gorge, *throat, gorge*

gousse, *husk*

goût, *taste, liking*

goûter, *to taste, to enjoy*

goutte, *drop*

grâce, *favor, pardon*

graisse, *grease, fat*

grand, *great, tall, wide;* au — air, *in the open air*

grandeur, *size, grandeur, greatness*

grandir, *to grow*

grappe, *cluster, bunch*

gras, -sse, *fatted, fat*

gratification, *bonus*

gratter, *to scrape*

graver, *to engrave*

grec, grecque, *Greek*

grêle, *hail*

Grenade, *Granada* (city in Andalusia, Spain)

grièvement, *seriously*

griffonner, *to scribble, to scrawl*

grimace, (*wry*) *face*

gris, *grey*

grisette, *shop-girl*

grogner, *to grumble*

gros, -sse, (as an adj.), *heavy, big, large, fat, coarse;* gros lot, *big prize, first prize;* (as a noun), *bulk, major part*

grosseur, *size, girth*

grossier, grossière, *coarse*

grossir, *to grow*

grotte, *grotto*

guère (with ne), *hardly, scarcely*

guéridon, *small table*

guérir, *to cure*

guérison, *cure, recovery*

guerre, *war*

guet, *watch;* faire le —, *to keep watch*

guetter, *to watch, to be in wait for*

guinée, *guinea* (not a coin but a monetary value in England)

H

habile, *clever*

habiller, *to dress*

habit, *clothing, suit*

habitant, *inhabitant*

habiter, *to inhabit, to live in*

habitude, *habit*

hais, -t (pres. indic. forms of haïr) *hate, hates*

haletant, *panting, out of breath*

hanche, *haunch, hip*

hangar, *shed*

haranguer, *to harangue, to make a speech*

hasard, *chance*

hâte, *haste;* avoir —, *to be in a hurry*

hâter, *to hasten*

hausser, *to shrug*

haut (as an adj.), *aloud, loud, upper;* à —e voix, *out loud;* (as a noun), *height;* en —, *above*

hautement, *loudly*

hauteur, *height*

hein, *huh? now then!*

héler, *to hail* (a taxi)

hennir, *to neigh, to whinny*

hennissement, *neighing, whinnying*

herbe, *grass*

héritage, *inheritance*

hériter, *to inherit*

héritier, *heir*

heure, *hour, o'clock, time;* de bonne —, *early;* à la bonne —, *all right*

heureux, -se, *happy, lucky, fortunate*

heurter, to hit, to bump against

hier, yesterday

hiérarchie, hierarchy, series of levels

histoire, story, history, nonsense

hiver, winter

hocher, to shake (one's head)

hommage, homage, attention

homme, man; — **d'affaires,** businessman

honnête, honest

honneur, honor; **faire — à,** to honor

honte, shame

hôpital, hospital

hors de, outside, beside; — **lui,** beside himself

hostie, host, holy wafer

hôte, host, guest, owner

hôtel, mansion, (public) building

hôtellerie, hostelry

huile, oil

huit, eight; —**jours,** a week

huître, oyster

hum, hm!

humecter, to wet

humiliant, humiliating

hurler, to howl, to shriek

I

ici, here

idée, idea

idiot, idiot, idiotic

il, he, it, there; — **y a,** there is, there are, ago (with expressions of time)

illimité, unlimited

illuminer, to light up

illustre, illustrious, famous

ils, they

image, picture

imaginer: s'— to imagine

immobile, motionless

immobilité, motionlessness, immobility

immodéré, wild, immoderate

imparfait, imperfect

impatiemment, impatiently

impitoyable, pitiless

importer, to matter, to be important; **n'importe,** no matter; **qu'importe,** what difference does it make?; **n'importe où,** wherever it wants, no matter where

importuner, to bother, to annoy

imposer, to impose, to order

imprégner, to impregnate

impressionnant, impressive

impressionner, to impress

imprimer, to print

impunément, with impunity, without punishment

inaltérable, constant, unchanging, inalterable

inapte, unfit, inapt

inattendu, unexpected

inclination, nod, inclination

incommode, inconvenient

inconnu, *unknown, unknown person, stranger*

indécis, *undecided*

indescriptible, *indescribable*

indigné, *indignant, outraged*

indiquer, *to indicate*

industriel, -lle, *industrial, manufacturer*

inégal, *unequal*

inférieur, *lower, inferior*

infini, *infinite, extreme*

inhospitalier, *inhospitable*

ininterrompu, *uninterrupted*

inné, *innate, inborn*

inquiet, inquiète, *restless, anxious, worried*

inquiéter, *to worry, to bother*

inquiétude, *anxiety*

insaisissable, *that cannot be grasped, ungraspable*

inscrire, *to inscribe, to register*

inscrit, *inscribed, registered*

insensiblement, *imperceptibly*

insensibilité, *insensibility, lack of feeling*

instruire, *to inform, to instruct*

insuccès, *lack of success*

instruis- (stem of the imperf. indic. of instruire), *instructed*

instruit (past part. of instruire), *instructed*

intérêt, *interest, self-interest*

interlocuteur, *interlocutor, speaker*

interroger, *to question, to interrogate*

interrompre, *to interrupt*

intimement, *intimately*

introduire, *to introduce, to get admitted, to show in, to insert*

introuvable, *unfindable*

intrus, *intruder*

inutile, *useless*

inventaire, *inventory, appraisal*

invité, *guest*

involontairement, *without thinking, thoughtlessly, instinctively*

ir- (stem of the fut. and condit. of aller), *will (would) go*

issue, *outlet*

ivre, *drunk*

ivresse, *intoxication*

J

jamais, *ever;* (with ne), *never*

jambe, *leg;* à toutes —, *as fast as he could;* on tient sur ses —s, *they can stand*

jambon, *ham*

janvier, *January*

jardin, *garden*

jarre, *jar*

jasmin, *jasmine*

jaune, *yellow;* rire —, *to laugh sheepishly, to give a hollow laugh*

je, *I;* ce — ne sais quoi, *that certain something*

Jean, *John*

Jeanne, *Jean, Joan*

Jerez, city south of Seville, Spain

jeter, *to throw, to cast, to utter;* se — à son cou, *to throw his arms around him*

jeu, —x, *gambling, play, games*

jeune, *young;* — fille, *girl*

jeunesse, *youth*

joie, *joy*

joindre, *to join*

joli, *pretty;* faire le — coeur, *to show off*

jongleur, *minstrel*

joue, *cheek*

jouer, *to play, to gamble;* — aux cartes, *to play cards;* — un tour, *to play a trick;* — de, *to play on* (an instrument); — quitte ou double, *to play all or nothing, to risk everything*

jouir (de), *to enjoy*

jour, *day, daylight;* huit —s, *a week;* quinze —s, *two weeks;* au lever du —, *at daybreak;* par —, *per day, a day*

journal, -ux, *newspaper(s)*

journée, *day, day long, whole day;* de la —, *all day long*

joyeux, -se, *joyous, carefree*

Juanito (Spanish), *Johnny*

juge, *judge*

juger, *to judge*

jupe, *skirt*

jupon, *petticoat*

jurer, *to swear*

jus (silent s), *juice*

jusqu'à, *to, up to, until*

juste, *just, accurate, right;* au —, *exactly*

justement, *precisely, exactly*

justice, *justice;* en —, *in court*

L

l' = le, la, *the, it, him, her*

la, *the, it, her*

là, *there, that;* — -dedans, *in all that;* — -dessus, *on that matter, thereupon, in that;* — -bas, *over there, yonder*

lac, *lake*

lâche, *coward, cowardly*

là-dessus, *thereupon, in that, on that matter*

laid, *ugly*

laisser, *to leave, to let, to allow, to let (leave) alone;* — faire, *to leave alone;* — tranquille, *to leave alone*

lait, *milk*

Laloro (Gypsy), *Portugal*

lancer, *to throw, to push, to utter*

lancier, *lancer* (cavalryman with lance)

langue, *tongue, language*

lapin, *rabbit*

laquais, *lackey*

laquelle, *which, that*

large, *wise*
larme, *tear*
laver, *to wash*
le, *the, him, it*
leçon, *lesson*
lecteur, *reader*
lecture, *reading*
léger, légère, *light, slight;* à la
  légère, *lightly*
lendemain, *next day*
lent, *slow*
les, *the, them*
leur, *their, to them, them*
lever, *to raise;* se —, *to get up,
  to arise;* — les bras au ciel,
  to throw up one's arms; au —
  du jour, *at daybreak*
lèvre, *lip*
libérer, *to free, to liberate*
libre, *free*
licol, *halter*
lien, *bond*
lier, *to bind, to tie;* — conversation; *to strike up a conversation*
lieu, *place;* au — et place, *instead of;* avoir —, *to take
  place;* au — de, *instead of*
lieue, *league* (two and a half
  miles)
lièvre, *hare, rabbit*
ligue, *league*
lillependi (Gypsy), *fools, imbe-
  ciles*
lime, *file*
limpide, *clear, limpid*

linge, *clothes*
liqueur, *liquor, solution*
lire, *to read*
lis (form of the pres. indic. of
  lire), *read*
lise (form of the pres. subjunc.
  of lire), *read*
lit, *bed*
livre, f., *pound;* m., *book*
livrer, *to deliver*
logement, *lodging, apartment,
  home*
logis, *dwellings;* maréchal des
  —, *sergeant* (cavalry)
loi, *law*
loin, *far, far away;* de —, *far
  off*
lointain, *distance, distant*
loisir, *leisure*
long, longue, *long;* chaise
  longue, *couch;* le long de,
  alongside
longer, *to go alongside*
longtemps, (a) *long time*
longuement, *for a long time*
lorsque, *when*
lot, *lot, prize;* gros —, *big prize,
  first prize*
loterie, *lottery*
louer, *to rent, to hire, to praise*
louis, *louis* (old coin worth 20
  francs); — d'or, *gold louis*
loup, *wolf*
lourd, *heavy, awkward*
lu (past part. of lire), *read*
Luc, *Luke*

lucide, *intelligent, perceptive, lucid*

lueur, *gleam, light*

lugubre, *gloomy, lugubrious*

lui, *he, him, to him, to her, from him, from her;* **hors de —,** *beside himself*

luisant, *shiny*

lumière, *light*

lundi, *Monday*

lune, *moon;* **au clair de la —,** *in the moonlight;* **il fait clair de —,** *it is moonlight;* **— de miel,** *honeymoon*

lutte, *struggle*

luxe, *luxury*

luxueux, -se, *luxurious*

M

M., abbreviation for **monsieur**

ma, *my*

mâcher, *to chew, to masticate*

machinalement, *mechanically*

mâchoire, *jaw*

madame, *madam, Mrs.*

mademoiselle, *mademoiselle, Miss*

magasin, *store;* **— de parfumerie,** *perfume shop*

magie, *magic*

magnifique, *magnificent*

main, *hand;* **se donner la —,** *to shake hands;* **à — armée,** *by armed robbery*

maintenant, *now*

maintient (third pers. sing. pres. indic. of **maintenir**), *keeps*

mairie, *town-hall*

mais, *but;* **— oui,** *why yes, of course*

maison, *house*

maître, *master, teacher;* **— d'armes,** *fencing master;* **de —,** *masterful*

maîtriser, *to master*

mal, (adv.), *badly;* (as a noun), *bad, evil, harm;* **que je vous veux de —,** *how put out I am at you;* **— à la tête, — de tête,** *headache*

malade, *sick, patient, sick person*

maladie, *sickness*

Malaga, port East of Gibraltar

malgré, *in spite of*

malheur, *misfortune*

malheureux, -se, *unhappy*

maltraiter, *to mistreat*

mandibule, *mandible*

manger, *to eat*

manier, *to handle*

manière, *manner;* **de — à,** *so as to*

manque, *lack*

manqué, *lacking, disappointing*

manquer, *to lack, to miss;* **— de parole,** *to go back on one's word*

mansarde, *attic*

mante, *mantle, cloak*

manteau, *coat, cloak*

mantille, *mantilla, shawl*

manufacture, *factory*

Manzanilla, a wine from the village of the same name west of Seville, Spain

maquila, (Spanish), *club* (with iron tip)

marc (silent **c**), *residue*

marchand, -de, *merchant*

marchander, *to bargain*

marchandise, *merchandise*

marche, *walking, stair-step;* **en —,** *moving;* **— du temps,** *the time elapsed;* **se remettre en —,** *to set out again*

marché, *market;* **par-dessus le —,** *into the bargain*

marcher, *to march, to walk*

marécage, *swamp*

maréchal des logis, *sergeant* (cavalry)

mari, *husband*

marin, *sailor*

marmite, *pot*

maroquin, *Morocco leather*

mars, *March*

marquise, *marquise, marchioness*

matelas, *mattress*

Mathilde, *Matilda*

matière, *matter*

matin, *morning;* **le —,** *in the morning;* **du —,** *in the morning*

maudissant (pres. part of **maudire**), *cursing*

matou, *tomcat*

maure, *Moor*

Mauresque, *Moorish*

mauvais, *bad, wrong*

maux (pl. of **mal**), *evils*

maxime, *maxim, teaching*

me, *me, to me*

mécanicien, *mechanic*

mécanique, *mechanical device, mechanical*

méchant, *wicked, bad tempered;* **faire le —,** *to be mean*

méconnu, *misunderstood*

médaille, *medal*

médecin, *doctor*

médecine, *medicine*

méfiance, *distrust, suspicion*

méfier, *to distrust*

meilleur, *better, best*

mélange, *mingling, mixture*

mêler, *to mix, to mingle*

même, *same, very, self, even;* **vous- —,** *yourself;* **cela —,** *very reason;* **tout de —,** *just the same;* **de —,** *likewise*

mémoire, f., *memory;* m., *memorandum*

menacer, *to threaten*

ménage, *household*

mener, *to take, to lead, to conduct*

mensonge, *lie*

mentir, *to lie*

menton, *chin*

menu, *thin*

mépris, *scorn*

mépriser, *to scorn*

mer, *sea*

mercenaire, *hired servant*

merci, *thanks;* Dieu —, *thank God*

mercredi, Wednesday; le —, *on Wednesdays*

mère, *mother*

merveilleux, -se, *marvellous*

messager, *messenger*

messe, *mass* (religious)

messieurs, *gentlemen, men*

mesure, *measure, restraint;* à — que, *as*

métamorphose, *metamorphosis, change of state*

métaux (pl. of métal), *metals*

métier, *craft, trade, profession*

mets (forms of the pres. indic. sing. of mettre), *put* (on)

mets, *dish, food*

mette (form of the pres. subjunc. of mettre), *put* (on)

mettre, *to put, to put on;* se — en colère, *to get angry;* se — à, *to begin;* se — à sa poursuite, *to set off after him;* se — en chemin, se — en route, *to set out, to start;* se — en devoir, *to set about;* se — à leur aise, *to make themselves comfortable;* — pied à terre, *to dismount;* — le feu, *to set fire*

meubler, *to furnish* (a room)

meunier, *miller*

meurs, meurs, meurent (forms of the pres. indic. of mourir), *die, am (are) dying*

meurtre, *murder*

meurtrier, *murderer*

mi, *half*

midi, *noon*

miel, *honey;* lune de —, *honeymoon*

mien(s) (le, les), mienne(s) (la, les), *mine*

mieux, *better, best;* faire de mon (son, notre) —, *to do my (etc.) best, to the best of my (etc.) ability;* valoir —, *to be of more value, to be better;* aimer —, *to prefer;* tant —, *so much the better*

mignon, -nne, *darling*

milieu, *middle, midst*

mille, (*a*) *thousand, mile*

millier, *thousand*

milord, *titled Englishman*

minet, *kitten*

mîmes (first pers. pl. past def. of mettre), *put;* nous nous — en chemin (route), *we set out, we started*

minchorrô (Gypsy), *lover*

minéraux, *minerals*

ministère, *ministry* (do not confuse with the next entry)

ministre, *minister* (governmental or Protestant religion)

minuit, *midnight*

mirent (third pers. pl. past def. of **mettre**) *put;* se — à, *began*

mis (past part. of **mettre**), *put*

mise, *putting*

misère, *poverty;* —s, *wretchedness, misfortunes*

mit (third pers. sing. past def. of **mettre**), *put;* se — à, *began;* se — en colère, *got angry*

miséricorde, *mercy*

Mme (abbreviation for **Madame**), *madam, Mrs.*

mode, *fashion, style;* à la —, *fashionably, in style*

modelliste, *dress designer*

modérer, *to moderate*

modiste, *modiste, milliner*

moi, *I, me, to me;* — -même, *myself*

moineau, *sparrow*

moindre, *least, slightest, less*

moins, *less, least;* au (du) —, *at least*

mois, *month*

moisson, *harvest*

moitié, *half;* à —, *half*

mon, *my*

monde, *world, people;* **tout le** —, *everybody*

monnaie, *change, coinage*

monsieur, *Mr. sir*

montagne, *mountain*

monter, *to climb, to mount, to get in, to come up, to go up;* —la garde, *to do guard duty*

montre, *watch;* — à répétition, *watch which strikes the hours*

montrer, *to show*

monture, *mount* (animal)

monument, *historic building, monument*

moquer: se — de, *to make fun of, not to care about*

morale, *morals, ethics*

morceau, *piece*

morne, *gloomy*

mort, *death;* **condamner** à —, *to condemn to death;* à la vie à la —, *come what may, until the death*

mort (past part. of **mourir**), *died, dead*

mortuaire, *mortuary, for the dead*

mot, *word, note*

mouchoir, *handkerchief*

mouiller: se —, *to get wet*

mourir, *to die;* se —, *to faint;* — de faim; *to starve to death*

mourr- (stem of the fut. and condit. of **mourir**), *will (would) die*

mousseux, *sparkling*

moût, *must* (technical term in making wine)

mouton, *sheep*

moyen, *means, way;* au — de, *by means of*

moyen, —nne, *average, middle-sized*

muet, -tte, *dumb, silent, quiet*

mulet, *mule*

muletier, *muleteer*

multiple, *multiple, varied*

munir, *to provide*

mur, *wall*

mûir, *to ripen*

musée, *museum*

N

naissance, *birth, high birth*

naissent (third pers. pl. pres. indic. of **naître**), *are born*

nappe, *tablecloth, sheet*

narine, *nostril*

natte, *braid*

naturel, (as a noun), *nature;* (adj.), *natural*

naufragé, *shipwrecked person*

Navarrais, inhabitant of the Spanish province of Navarre

navire, *boat, ship*

né (past part. of **naître**), *born*

ne (combines with various expressions as follows); pas, *not, no;* jamais, *never;* que, *only;* point, *not, not at all;* rien, *nothing, not anything;* plus, *no more, no longer;* personne, *no one, nobody;* ni . . . ni, *neither . . . nor;* plus que, *only;* aucun, *no, not any, none;* nul, *no, no* one; guère, *scarcely, hardly;* n'est- ce pas? (translates any question after a statement)

néanmoins, *nonetheless, nevertheless*

négliger, *to neglect*

neige, *snow*

neiger, *to snow*

nettoyer, *to clean, to wash*

neuf, *nine*

neuf, -ve, *new*

nevería (Spanish): *café,* (where drinks are served cool)

nez, *nose*

ni (combined with **ne**), *neither, nor*

Nicole, *girl's name*

niais, *stupid fool*

nier, *to deny*

noblesse, *nobility*

noir, *black*

noirâtre, *blackfish*

nom, *name*

nombre, *number*

nombreux, -se, *numerous*

nommer, *to name*

non, *no, not;* — plus, *either, neither*

nord, *north*

nos, *our*

notaire, *notary* (who by witnessing a signature gives it legal status)

noter, *to note;* mal noté, *with a bad reputation*

notre, *our;* Notre Dame, *Our Lady*

nourrir, *to feed, to rear, to nourish*

nourriture, *food*

nous, *we, us, to us*

nouveau, nouvelle, *new, newly;* nouveau riche, *newly rich;* de nouveau, *again*

nouvelle, *news*

nu, *bare, naked*

nuage, *cloud*

nuance, *shade*

nuit, *night;* la —, *the night, at night;* bonnet de —, *night cap;* cette —, *last night;* — close, *pitchdark;* de la —, *all night long*

nul (with ne), *no, no one;* — que, *no one but*

nullement (with ne), *not at all*

numéro, *number*

O

obéir, *to obey*

objet, *object*

obligeance, *obligingness, kindness*

obliger, *to oblige*

oblique, *slanting*

obscurci, *obscured, dim*

observer, *to observe;* faire —, *to point out*

obtenir, *to obtain*

obtenu (past part. of obtenir), *obtained*

occulte, *occult;* science —, *sorcery, witchcraft*

occuper, *to occupy;* s'— de, *to be concerned with, to be busy with*

oeil, *eye;* coup d'—, *glance*

oeuf, *egg*

oeuvre, *work*

offenser, *to offend;* s'—, *to take offense*

officer, *officer;* sous- —, *non-commissioned officer*

offrir, *to offer*

ognon, *onion*

oiseau, *bird*

oisif, *idler*

ombrage, *shade*

ombrager, *to shade*

ombre, *shadow, shade*

on, *one, people*

ongle, *nail* (finger)

opérer, *to operate*

or, *now*

or, *gold;* louis d'—, *gold louis* (old coin worth 20 francs)

ordinaire, *ordinary;* d' —, à l'—, *ordinarily*

ordonner, *to order, to arrange, to be orderly*

orage, *storm*

oreille, *ear*

oreiller, *pillow*

orifice, *opening*

ornement, *ornament, display*

orthographe, *spelling*

oser, *to dare*

ôter, *to take away, to deprive, to take off*

ou, *or;* — . . . —, *either . . . or;* — bien, *or else*

où, *where, on which, when;* par —?, *where, at what point?*

oublier, *to forget*

oui, *yes;* mais —, *why yes, of course*

ours (pronounce s), *bear*

outil, *tool*

outre, *beyond, on, in addition to*

ouvert, *open*

ouverture, *opening*

ouvrage, *work*

ouvrier, ouvrière, *worker, workman, workwoman*

ouvrir, *to open*

P

pacifique, *peaceful, peace loving*

paie, *pay*

pain, *bread, loaf of bread*

paisible, *peaceful*

paix, *peace*

palais, *palace, palate*

pâleur, *pallor, paleness*

pâlir, *to pale, to grow pale*

palmier, *palm tree*

panier, *basket*

panne, *breakdown, crash*

panser, *to dress* (a wound)

pantalon, *trousers*

pantoufle, *slipper*

papier, *paper*

papillon, *butterfly*

paquet, *package*

par, *by, over, for, through;* — conséquent, *consequently;* — où, *where? at what point?;* — ma foi, *upon my word;* — hasard, *by chance;* — jour, *per day;* — terre, *on the floor, on the ground*

parabole, *parable*

paraiss- (stem of pl. pres. indic., the imperfect indic., the pres. subjunc. of paraître)

paraître, *to appear*

parapet, *parapet, railing*

parcelle, *parcel, part, bit*

parce que, *because*

parcourir, *to go through, to travel;* — des yeux, *to glance through;* — à pied, *to walk*

par-dessus, *over, on top;* — le marché, *into the bargain*

pardessus, *overcoat*

paré, *well dressed, elegant*

pareil, -lle, *similar, such a (an)*

parer, *to parry, to ward off, to decorate*

parfait, *perfect*

parfois, *sometimes, at times*

parfum, *perfume*

parfumerie, *perfumery, perfume shop;* magasin de —, *perfume shop*

parfumeur, *perfumer*

pari, *bet*

parier, *to bet, to wager*

parler, *to speak;* **entendre —
de,** *to hear of;* **trompette
parlante,** *megaphone;* (as a
noun), *speech*

parleur, *fond of talking, talkative*

parmi, *among*

parole, *speech, word;* **perdre la
—,** *to lose one's speech;*
recouvrer la —, *to regain
one's speech;* **manquer de —,**
to go back on one's word

part, *part, share;* **à —,** *aside,
apart from;* **quelque —,** *somewhere;* **d'autre —,** *on the
other hand;* **de sa —,** *on
his (her) part, in his (her)
name*

partager, *to share, to divide*

parti, *party;* **prendre son —,** *to
make up one's mind;* **prendre
—,** *to take sides*

partie, *part, game*

particulier, *particular;* **en —,** *in
private*

partir, *to depart, to leave, to
come from;* **à — de,** *beginning*

partout, *everywhere;* **un peu —,**
almost everywhere

paru (past part. of **paraître**),
appeared, seemed

parut (third pers. sing. past def.
of **paraître**), *appeared*

parvenir, *to come, to arrive;* **—
à,** *to come to the point of, to
succeed*

parvenu (past part. of **parvenir**), *come*

parvint, parvinrent (forms of
the past def. of **parvenir**), *arrived, came*

pas (with **ne,** usually), *not;* **—
du tout,** *not at all;* **n'est-ce —?**
(asks any question after a
statement); (as a noun), *step,
pace;* **faux —,** *misstep*

passablement, *tolerably*

passager, *passenger*

passant, *passing, passerby*

passé, *past*

passer, *to pass, to spend;* **— leur
(votre) chemin,** *to go on
their (your) way;* **se —,** *to
occur, to pass by, to go on*

passion, *passion, enthusiasm*

Pater (= *Pater Noster* [Latin]),
Lord's Prayer

patiemment, *patiently*

patio, *paved courtyard*

pâtissier, *pastry cook*

patron, *captain* (of a boat),
skipper

patte, *foot*

paume, *pelota* (game)

paupière, *eyelid*

pauvre, *poor*

pauvreté, *poverty*

pavé, *pavement*

payer, *to pay*

payllo (Gypsy), *foreigner*

pays, *country, region, town, fellow-countryman*

paysage, *landscape*

paysan, —**nne,** *peasant*

payse, *fellow-countrywoman*

peau, *skin*

pécher, *to sin*

pécheur, *sinner*

peigne, *comb*

peigné, *combed*

peindre, *to paint*

peine, *difficulty, penalty, pain, trouble;* à —, *hardly, scarcely*

peint (past part. of **peindre**), *painted*

peintre, *painter*

peinture, *painting*

peler, *to peal*

peloton, *platoon*

pelouse, *plot of grass*

pencher, *to lean, to bend*

pendant, *during, for*

pendre, *to hang*

pénétrer, *to penetrate, to get into, to enter, to fill*

pénible, *painful*

pénitent, *penitent*

pensée, *thought*

penser, *to think*

pensif, *pensive, thoughtful*

pépin, *seed*

perche, *pole*

perdre, *to lose, to ruin;* — **la parole,** *to lose one's speech*

père, *father*

permettre, *to permit*

perroquet, *parrot*

personne (usually with **ne**), *nobody, no one, not any-one*

perte, *loss*

peser, *to weigh*

petit, *little, small, petty, insignificant*

petitesse, *smallness*

peu (**de**), *little, short, few, not many;* à — près, *nearly, almost;* avant —, *before long;* un — partout, *almost every-where*

peuple, *people, common people*

peur, *fear, fright;* avoir —, *to be afraid;* faire —, *to frighten*

peut (third pers. sing. pres. indic. of **pouvoir**), *can, is able*

peut-être, *perhaps*

peuvent (third pers. pl. pres. indic. of **pouvoir**), *can, are able*

peux (first pers. sing. pres. indic. of **pouvoir**), *can, am able*

philosophe, *philosopher;* en —, *like a philosopher*

philosophie, *philosophy*

phrase, *sentence*

physionomie, *look, appearance, face*

physique, *physics*

piastre, *piaster* (formerly about a dollar)

picador (Spanish), *picador* (horseman with lance in the bull ring)

pièce, *room*

pied, *foot;* à —, *on foot;* sur —s, *on his feet;* mettre — à terre, *to dismount*

pierre, *stone;* — d'aimant, *loadstone, magnetic stone*

Pierre, *Peter*

pieux, -se, *pious*

piétiner, *to trample*

pionnier, *pioneer*

piquant, *piquant, sharp*

piquet, *stake*

pire, *worst*

pistolet, *pistol*

pitié, *pity;* faire —, *to be pitiful*

pitoyable, *pitiful*

pivoine, *peony*

place, *square, place, room;* une auto à deux —s, *an auto with one seat* (room for two)

plaider, *to plead* (in court)

plaie, *wound, sore, sore spot*

plaira (third pers. sing. fut. of **plaire**), *will please;* comme il vous —, *as you like*

plaire, *to please*

plais- (stem of imperf. indic. of **plaire**)

plaisanter, *to joke*

plaisanterie, *joke*

plaise (third pers. sing. pres. subjunc. of **plaire**), *please*

plaisir, *pleasure*

plaît (third pers. sing. pres. indic. of **plaire**), *please;* s'il vous —, *please;* vous — -il? *do you want?*

planche, *plank*

plat (as a noun), *dish* (of food); (adj.), *flat*

plâtrier, *plasterer*

plein, *full*

pleur, *tear*

pleurer, *to weep, to cry*

pli, *fold*

plonger, *to plunge*

ployer, *to bend*

plu (past part. of **plaire**), *pleased*

pluie, *rain*

plupart, *majority*

plus, *more;* de —, *in addition, additional, furthermore;* de — en — fort, *louder and louder;* ne . . . —, *no more, no longer;* de — en —, *more and more;* — . . . —, *the more . . . the more;* non —, *either, neither;* ne . . . — que, *only*

plusieurs, *several*

plut (third pers. sing. past def. of **plaire**), *pleased*

plutôt, *rather;* — que, *rather than*

poche, *pocket*

poids, *weight*

poing, *fist, hand*

point (with **ne**), *not at all*; (as a noun), *point*

pointe, *point, tip*

pointu, *pointed*

poisson, *fish*

poitrine, *chest*

police, *police*; **salle de —**, *guardroom*

policier, *police officer, detective*

politesse, *politeness*

politique, *politics*

pommier, *apple tree*

pondre, *to lay* (an egg)

pont, *bridge*

port, *port, dock*

portant: **bien —**, *healthy*

porte, *door, gate*

portée, *reach*; **à —**, *within reach, within hailing distance*

porter, *to carry, to put, to bear, to wear*

porteur, *bearer*

portier, *doorkeeper*

portière, *door* (with glass window, as in an automobile)

poser, *to put, to ask*

posséder, *to possess*

pouce, *thumb*

poudre, *powder*

pouf! *boom!*

poulet, *chicken*

pouls (silent **l** and **s**), *pulse*

poumon, *lung*

pour, *for, in order to*

pourceau, *swine*

pourquoi? *why?*

pourr- (stem of the fut. and condit. of **pouvoir**), *will (would) be able*, etc.

poursuite, *pursuit*; **se mettre à sa —**, *to set off after him*

poursuivre, *to pursue, to continue, to follow*

pourtant, *however*

pousser, *to utter, to push*

pouvoir, *to be able, can*; (as a noun), *power*

pratique, *practice, practical*

pratiquer, *to practice*

prêcher, *to preach*

précipitamment, *hastily, hurriedly*

précipitation, *haste*

précipiter: **se —**, *to rush*

préconçu, *preconceived*

préfecture, *quarters, station* (police)

préjugé, *prejudice*

premier, première, *first*; **premier étage**, *second story, second floor*

premièrement, *firstly*

prenais, -t, -ent (forms of the imperf. indic. of **prendre**), *was (were) taking*

prenant (pres. part. of **prendre**), *taking*

prendre, *to take*; **— la tête**, *to take the lead*; **— garde**, *to take care*; **— son parti**, *to make up one's mind*; **— parti,** to *take sides;* **il m'en prend envie,** I *want*

prenez (second pers. indic. of **prendre**), *take*

prenne (first, third. pers. sing. pres. subjunc. of **prendre**), *take*

près (**de**), *near, nearby;* **à peu —,** *nearly, almost*

présenter, *to introduce, to present*

presidio (Spanish), *military prison*

presque, *almost, nearly*

pressé, *in a hurry*

presser, *to urge, to press*

prêt, *ready*

prétendu, *so-called, seeming*

prêter, *to lend, to give*

prêtre, *priest*

preuve, *proof*

prévenir, *to warn*

prévoit (third pers. sing. pres. indic. of **prévoir**), *foresees*

prévoyance, *foresight*

prévu (past part. of **prévoir**), *foreseen*

prier, *to beg, to pray, to request*

prière, *prayer*

principe, *principle, beginning*

printemps, *spring*

prirent (third pers. pl. past def. of **prendre**), *took*

pris (past part. of **prendre**), *taken;* **comment ça lui a-t-il —?** *How did it start?*

pris, prit (forms of the past def. of **prendre**), *took*

priver, *to deprive*

prix, *prize, price*

procès, *lawsuit, case* (legal), *trial*

prochain, *fellow man, neighbor*

prochainement, *at an early date*

proche, *close*

prodigue, *prodigal*

produit (past part. of **produire**), *produced*

produit, *product;* **— de beauté,** *beauty product, cosmetic*

profane, *secular*

proférer, *to utter*

profond, *deep, profound*

progressiste, *progressive*

proie, *prey*

projet, *plan, project*

projeter, *to plan, to project, to propose*

prolonger, *to prolong*

promener, *to walk, to cast;* **se —,** *to walk, to go walking, to take a walk*

promettre, *to promise*

promis (form of the past def., past part. of **promettre**), *promised*

promît (third pers. sing. imperf. subjunc. of **promettre**), *promised*

propice, *propitious, favorable*

propre, *own;* **qui leur soit —,** *which is their own*

proprement, *properly;* — **dite,** *properly speaking*

propriétaire, *proprietor, land-owner, owner*

propriété, *property*

propos: à —, *by the way*

proscrit, *banished (one)*

protéger, *to protect*

provenir, *to come, to arise, to come from*

provient, —**nnent** (pres. indic. forms of **provenir**), *come(s) from*

provisoire, *temporary, provisional*

provoquer, *to provoke, to cause*

prudemment, *prudently*

pu (past part. of **pouvoir**), *been able*

publier, *to publish*

puis (first pers. sing. pres. indic. of **pouvoir**), *can, may, am able*

puis, *then*

puiser, *to draw*

puisque, *since*

puissance, *power*

puissant, *powerful*

puisse, —**ent,** (forms of the pres. subjunc. of **pouvoir**), *can,* etc.

punaise, *bed-bug*

punir, *to punish*

punition, *punishment*

pur, *pure, clear*

purent (third pers. pl. past def. of **pouvoir**), *were able, could*

pus, put (sing. past def. forms of **pouvoir**), *was able, could*

pût (third pers. sing. imperf. subjunc. of **pouvoir**), *could, was able*

Q

qu', see **que**

quai, *street* (along a river), *quay*

qualité, *quality*

quand, *when*

quant à, *as for*

quarante, *forty*

quart, *quarter*

quartier, *quarter, district, lodging, quarters*

quatre, *four*

quatre-vingt, *eighty*

que, *which, what; that, whom, how;* **ne . . .** —, *only;* **c'est** —, *the fact (truth) is;* **ce** —, *what;* **à ce** —, *according to;* **qu'est-ce qui?** *what?;* **qu'est-ce que?** *what?;* **qu'est-ce que tu as?** *what is the matter with you?;* **qu'est-ce que c'est que?** *What?*

queue, *tail*

quel, -lle? *what? which? what a(n)*

quelconque, *whatsoever*

quelque, *some, a few;* — **part,** *somewhere*

quelque chose, *something*

quelquefois, *sometimes*

quelqu'un(e), *someone*

querelle, *quarrel;* **chercher —,** *to pick a quarrel*

quereller: se —, *to quarrel*

qui, *who, which, whom;* **ce —,** *what, that which*

quinze, *fifteen*

quipsa milus (nonsense phrase)

quitte ou double: jouer —, *to play all or nothing, to risk everything;* **être quitte,** *to be square*

quitter, *to leave, to put aside*

quoi, *what, which;* **ce je ne sais —,** *that certain something*

quoique, *although*

R

raccommoder, *to mend, to reconcile*

racine, *root*

raconter, *to tell, to recount, to relate*

radeau, *raft*

raide, *stiff*

railler, *to joke, to tease*

raisin, *grape;* **— sec,** *raisin*

raison, *reason;* **avoir —,** *to be right*

raisonnable, *reasonable*

raisonner, *to reason*

rajeunir, *to make young again*

ralentir, *to slow, to slacken*

rallumer, *to light again*

ramasser, *to pick up*

ramener, *to bring back*

ramolli, *softened*

rang, *row, rank*

ranimer, *to revive, to reanimate*

rappeler: se —, *to recall*

rapport, *relation, proportion;* **en — avec,** *in proportion to;* **par — à,** *in comparison with*

rapporter, *to bring back, to relate*

rapprocher, *to bring together, to approach*

raser, *to shave*

rassasier, *to fill, to sate*

rassemblement, *assembly* (military), *fall-in* (military)

rassembler, *to gather together*

rasseoir: se —, *to sit down again*

rassit: se — (third pers. sing. past def. of **rasseoir**), *sat down again*

rassurer, *to reassure*

rattraper, *to recover*

ravissant, *delightful, pleasing*

rayon, *ray*

recevoir, *to receive*

recherche, *refinement, research*

rechercher, *to seek*

récit, *tale*

réclamation, *protest, complaint*

réclamer, *to claim, to ask*

recluse, *recluse*

reçoit, reçoivent (forms of the pres. indic. of **recevoir**), *receives, receive* récompense, *reward*

reconnaissance, *gratitude*

reconaissant (pres. part. of reconnaître), *recognizing*

reconnaître, *to recognize, to distinguish*

reconnu (past part. of reconnaître), *recognized*

reconnus, -t, -rent (past def. forms of reconnaître), *recognized*

reconquis (past part. of reconquérir), *reconquered*

recoucher: se —, *to go to bed again*

recouvert, *covered*

recouvrer, *to recover, to cover;* — la parole, *to regain one's speech*

reçu (past part. of recevoir), *received*

reculer, *to draw back, to retreat*

reçus, -rent (forms of the past def. of recevoir), *received*

redevenir, *to become again*

réduire, *to reduce*

refaire, *to do again, to cover again*

refermer, *to close again*

refis, -t (forms of the past def. of refaire), *did (made) again*

réfléchir, *to reflect*

refroidi, *cooled*

refroidissement, *cooling*

réfugié, *refugee*

refus, *refusal*

regard, *look*

regarder, *to look at, to concern*

régicide, *regicide* (killer or executioner of a king)

régime, *government*

règle, *rule*

régler, *to govern, to rule, to settle*

réjouissance, *rejoicing*

régner, *to reign*

reins, *back, kidney*

rejoignent (third pers. pl. pres. indic. of rejoindre), *join*

réjouir: se —, *to rejoice*

relâcher, *to loosen*

relever, *to pick up, to raise;* se —, *to get up*

religieuse, *nun*

remarquer, *to notice, to remark*

remède, *remedy*

remercier, *to thank*

remerciment, *thanks*

remettre, *to restore, to hand over;* se —, *to start again, to go back to;* se — en bonne santé, *to recover her health;* se — en marche, *to set out again*

remîmes (first pers. pl. past def. of remettre): nous nous — en marche, *we set out again*

remonter, *to climb back up, to go up stream, to climb*

remords, *remorse*

rempart, *rampart, fortified walls*

remplacer, *to replace*

rempli, *filled*

rencontre, *meeting*

rencontrer, *to meet*

rendormir: se —, *to go to sleep again*

rendre, *to make, to give, to give back, to render, to do;* **se —,** *to go, to return;* **— visite,** *to pay a visit;* **— compte,** *to realize*

renfermer, *to enclose, to contain*

renouveler, *to renew*

renseignement(s), *information*

renseigner, *to inform*

rente, *income*

rentrer, *to return (home), to re-enter;* **— en lui-même,** *to examine his conscience*

renverse: à la —, *backwards*

renverser, *to upset, to knock over;* **se —,** *to fall back (wards)*

renvoyer, *to dismiss, to send away*

répondre, *to spread*

reparaître, *to reappear*

réparation, *repair, repair job*

réparer, *to repair*

repartir, *to leave again*

reparut (third pers. sing. past def. of **reparaître**), *reappeared*

repas, *meal, repast*

repasser, *to pass by again*

repentir: se —, *to repent*

répétition, *repetition;* **montre à —,** *watch which strikes the hours*

répliquer, *to reply, to retort*

répondre, *to answer, to respond;* **je vous en réponds,** *I assure you*

reporter, *to bring back*

reposer, *to rest*

repousser, *to push aside*

reprendre, *to regain, to pick up again, to take back, to continue, to resume*

repris (past part. of **reprendre**), *picked up again, continued, resumed, taken again*

repris, (from the past def. of **reprendre**), *picked up again, continued, resumed, took again*

reprocher, *to reproach, to rebuke, to taunt*

respirer, *to smell, to breathe*

ressembler, *to resemble*

reste, *rest;* **au —,** *besides*

rester, *to remain, to stay*

restituer, *to pay back*

résultat, *result*

résumer, *to sum up*

rétablir, *to re-establish;* **se —,** *to recover*

retarder, *to delay*

retenir, *to hold back, to keep*

retentir, *to resound, to ring out*

retiendraient (third pers. pl. condit. of **retenir**), *would hold back*

retirer, *to retire, to withdraw*

retour, *return*

retourner, *to return, to turn around, to turn over, to turn;* se —, *to turn around*

retraite, *retreat;* **battre la** —, *to sound the tattoo* (military)

rétrograder, *to draw back*

retrouver, *to find again*

réunir, *to join, to unite, to gather*

réussir, *to succeed*

revanche, *revenge;* **en** —, *on the other hand*

rêve, *dream*

réveiller, *to wake up, to re-awaken, to awaken*

revenir, *to return, to come back, to regain consciousness, to come*

revenu (past part. of **revenir**), *returned, come back*

rêver, *to dream*

reverr- (stem of the fut. and condit. of **revoir**, *to see again*)

revêtir, *to clothe, to clad*

rêveur, *dreamy, dreamer*

reviendr- (stem of the fut. and condit. of **revenir**, *to come back,* etc.)

reviens, -t, nent (forms of the pres. indic. of **revenir**), *return(s), come(s) back,* (etc.)

revint (third pers. sing. past def. of **revenir**), *came back*

revînt (third pers. sing. imperf. subjunc. of **revenir**), *come back*

revis (first pers. sing. past def. of **revoir**), *saw again*

revoir, *to see again;* **au** —, *good-bye*

rez-de-chaussée, *ground floor*

rhabiller, *to dress again*

riait (third. pers. sing. imperf. indic. of **rire**), *laughed*

richesse, *wealth, richness*

ride, *wrinkle*

rideau, *curtain*

ridicule, *ridicule, ridiculousness*

rien (usually with **ne**), *nothing, not anything;* — **de trop,** *nothing in excess;* **il n'y a** — **de fait,** *nothing is accomplished;* — **du tout,** *nothing at all;* **cela ne fait** —, *that makes no difference*

rire, *to laugh;* — **jaune,** *to laugh sheepishly, to give a hollow laugh;* (as a noun), *laugh, laughter;* **éclater de** —, *to break into laughter, to burst with laughter;* — **de crocodile,** *meaningless laughter, hollow laughter*

risquer, *to risk*

rive, *bank* (of a river)

rivière, *river*

riz (silent **z**), *rice*

robe, *dress, robe*

rocher, *rock*

rôder, *to prowl*

roi, *king*

Rollona (Spanish), *plump, short woman*

rom (Gypsy), *husband*

romalis (Gypsy), *romalis (a* Gypsy dance)

romain, *Gypsy, Roman*

roman, *novel*

romanni (Gypsy), *Romany, Gypsy dialect*

romi (Gypsy), *wife*

rond, *round, circle*

Ronda, town northeast of Gibraltar

ronde, *patrol*

ronfler, *to snore*

rose, *pink, rose*

rôti, *roast*

rôtir, *to roast*

rouge, *red*

rougir, *to blush*

roulement, *roll, rumble*

rouler, *to roll*

route, *way, road, trip;* faire —, *to go along, to journey;* se mettre en —, *to start out*

rouvrir, *to open again, to reopen*

ruban, *ribbon*

rude, *rough, steep*

rudement, *roughly*

rue, *street*

ruisseau, *brook, small stream*

ruse, *trick*

rupture, *fracture, breaking*

rusé, *crafty, clever*

rustre, *rustic*

S

S., abbreviation for saint

s', elided form of se or si, which see

sa, *his, her, its*

sac, *knapsack*

sachant (pres. part. of savoir), *knowing*

sach- (stem of the pres. subjunc. and imperative of savoir, *to know*)

sacré, *sacred, crowned*

sage, *wise*

sagesse, *wisdom*

sain, *healthy;* — et sauf, *safe and sound*

saint, *saint, holy*

sais (first pers. sing. pres. indic. of savoir), *know;* ce je ne — quoi, *that certain something*

saisir, *to seize*

saisissement, *start, shock*

saison, *season*

sait (third pers. sing. pres. indic. of savoir), *knows*

sale, *dirty*

salle, *hall, room;* — à manger, *dining room;* — de police, *guardroom*

salon, *reception room, living room, salon*

salubre, *healthful*

saluer, *to greet*

salut, *greeting, safety, salvation*

samedi, *Saturday;* le —, *on Saturdays*

sang, *blood*

sans, *without;* — cesse, *endlessly, ceaselessly;* — doute, *no doubt, of course, without doubt*

santé, *health*

satisfaire, *to satisfy*

satisfait, *satisfied*

sauce, *gravy*

saucisson, *large sausage*

sauf, *safe;* sain et —, *safe and sound*

saur- (stem of the fut. and condit. of savoir, *to know*)

sauter, *to leap, to blow up, to jump, to "pop"* (of a cork); faire — la cervelle, *to blow out one's brains;* — au cou, *to embrace*

sauterelle, *grasshopper*

sauvage, *savage*

sauvegarder, *to safeguard*

suave-qui-peut, *every man for himself*

sauver, *to save;* se —, *to run away, to save one's self*

savant, *wise, skillful, learned (one)*

saveur, *savor, taste*

savoir, *to know, to know how*

savoir-faire, *ability, knowledge*

scélérat, *rascal*

science, *science, knowledge*

se, *himself, herself, to (for) himself, to (for) herself; to each other*

sec, sèche, *dry*

sécher, *to dry*

secouer, *to shake*

secourir, *to aid*

section, *section, district*

séduisant, *charming*

seigneur, *lord*

seïl (no meaning)

seize, *sixteen*

séjour, *place, stay*

selon, *according to*

semaine, *week*

semblable, *similar*

semblant: faire — de, *to pretend*

sembler, *to seem*

s'en aller, *to go away*

sens, *sense*

sensé, *sensible*

sensuel, *sensuous*

senteur, *odor, savor, taste*

sentier, *path*

sentiment, *feeling, sentiment*

sentir, *to feel, to realize, to smell*

sept, *seven*

ser- (stem of the fut. and condit. of être)

série, *series*

sérieux, -se, *serious;* sérieux (as a noun), *seriousness;* au —, *seriously*

serrer, *to tighten, to shake*

sert (third pers. sing. pres. indic. of **servir**), *serves, is serving, does serve*

service, *service;* **de —,** *on duty*

servir, *to serve;* **ne — de rien,** *to be of no avail;* **se — de,** *to use*

serviteur, *servant*

seul, *only, sole, single, alone*

seulement, *only*

si, *so, if, yes* (when used after a negative); **s'il vous plaît,** *please*

siècle, *century*

sien(s) (**le, les**) **sienne(s)** (**la, les**), *his, hers, its*

sierra, *sierra* (mountain chain)

siffler, *to whistle, to hiss*

signaler, *to point out, to report*

signer, *to sign;* **se —,** *to make the sign of the cross*

silencieusement, *silently*

simple, *plain, simple, mere*

singulier, singulière, *strange, singular*

sinon, *if not*

sitôt, *immediately upon;* **— que,** *as soon as*

slave, *Slavic*

société, *society;* **—s,** *social gatherings*

soeur, *sister* (family or religious sense)

soi, *one's self;* **— -même,** *one's self*

soie, *silk*

soif, *thirst;* **avoir —,** *to be thirsty*

soigner, *to care for, to look after*

soigneusement, *carefully*

soin, *care;* **aie —,** *take care*

soir, *evening;* **le —,** (*in*) *the evening;* **du —,** *p.m., of the evening*

soirée, *evening, evening party*

sois (form of the pres. subjunc. of **être**), *be*

soit (third pers. sing. pres. subjunc. of **être**), *is, be, so be it, all right;* **— . . . —,** *either . . . or*

soixantaine, *about sixty*

soldat, *soldier, private* (military rank)

soleil, *sun;* **coucher du —,** *sunset*

solennellement, *solemnly*

solennité, *solemnity*

somme, *sum*

sommeil, *sleep*

sommes (first pers. pl. pres. indic. of **être**), *are*

son, *sound*

son, *his, her, its*

songer (**à**), *to dream* (*of*), *to think* (*about*)

sonner, *to strike, to ring*

sonnerie, *striking*

sont (third pers. pl. pres. indic. of **être**), *are*

sorcier, sorcière, *sorcerer, practiser of magic*

sort, *fate*

sorte, *sort, kind;* de la —, *in this way*

sortie, *departure, leaving*

sortilège, *spell, sorcery*

sortir, *to leave, to go out, to go outside, to get out, to come out, to come up, to take out;* au — de, *upon leaving*

sot, sotte, *fool, foolish*

sottise, *nonsense, stupidity*

sou, *sou, cent*

soudain, *suddenly*

souffler, *to breathe*

souffrir, *to suffer*

souhaiter, *to wish*

souiller, *to soil*

soulager, *to relieve*

soulier, *shoe*

soumettre, *to submit*

soumis (past part. of soumettre), *submitted*

soupçon, *suspicion*

soupçonner, *to suspect*

souper, *supper;* (as a verb), *to take supper*

soupir, *sight*

source, *spring*

sourcil, *eyebrow*

sourd, *deaf*

souriant, *smiling*

sourire, *to smile;* (as a noun), *smile*

souris, *mouse*

sous, *under;* — officier, *non-commissioned officer*

soutenir, *to sustain, to support, to maintain*

soutenu (past part. of soutenir), *maintained,* etc.

soutien, *support*

soutirer, *to draw off*

souvenir: se — de, *to remember;* (as a noun), *memory, remembrance*

souvent, *often*

souverain, *sovereign*

souviennent; se —, (third pers. pl. pres. indic. of se souvenir), *remember*

souvins: me — (first pers. sing. past def. of se souvenir), *remembered*

soyez (sec. pers. pl. pres. subjunc. and imperative of être), *be, are*

spécialement, *specially, especially*

spirituel, -lle, *clever, witty*

stylographe, *fountain pen*

stupéfait, *amazed, dazed*

stylet, *dagger, styletto*

subir, *to undergo, to submit to*

subit, *sudden*

subtilité, *subtleness, rarefaction*

succéder, *to follow, to succeed*

sucre, *sugar*

sucré, *sweet, sugary, sweetened*

sud, *south*

suédois, *Swedish*

sueur, *sweat, perspiration*

suffire, *to suffice*

suis (first pers. sing. pres. indic. of **être**), *am*

suit (third pers. sing. pres. indic. of **suivre**), *follows*

suite: tout de —, *immediately, at once;* **de —,** *in succession, in a row*

suivant, *following;* **— que,** *according as*

suivi (past part. of **suivre**), *followed*

suivis, -t (forms of the past def. of **suivre**), *followed*

suivre, *to follow*

sujet, *subject*

superbe, *wonderful*

sur, *on, on to, out* (*of*); **— -pieds,** *on his feet*

sûr, *sure;* **— de mon fait,** *sure of my suspicions*

sûreté, *safety*

surnaturel, *supernatural*

surnommer, *to surname*

surprendre, *to surprise*

surpris, -t, -rent (forms of the past def. of **surprendre**), *surprised*

surtout, *especially*

surveiller, *to take charge of*

survins, -t, -rent (forms of the past def. of **survenir**), *came, came about*

sus, -t, -rent (forms of the past def. of **savoir**), *knew, found out*

T

ta, *your*

tabac (silent **c**), *tobacco*

tableau, *picture*

tabouret, *stool*

tache, *stain*

tacher, *to stain*

tâcher, *to try*

taille, *build, stature*

taire: se —, *to keep quiet*

taisez (sec. pers. pl. pres. indic. and imperative of **taire**), *are quiet, keep quiet;* **— -vous!** *be quiet!*

talon, *heel*

tambour, *drum;* **— de basque,** *tambourine*

tandis que, *while, whereas*

tant, *so much, as much, so many;* **— mieux,** *so much the better;* **— que,** *as long as*

tantôt, *soon;* **— . . . —,** *now . . . then*

tapis, *rug, carpet*

tard, *late*

tarder, *to delay, to be late, to be long*

Tarifa, port and fort west of Gibraltar

tas, *pile, heap*

tâtonner, *to grope, to feel one's way*

taureau, *bull;* **course de —x,** *bullfight*

te, *you, to you*

teint, *complexion*

teinte, *tint, color*

tel, —lle, *such, certain;* **un(e) tel(le),** *such a(n), so and so;* **— que,** *such as*

tellement, *so much*

témoigner, *to testify, to show*

témoins, *witness*

temps, *time, weather;* **marche du —,** *time elapsed;* **de — en —,** *from time to time*

tenaille, *pincer*

tendre, *to hold out, to extend*

tendresse, *tenderness*

tenèbres, *darkness*

tenez (exclamation), *look here! here!*

tenir, *to hold, to keep*

tentative, *attempt*

tenter, *to attempt, to tempt;* **— la chance,** *to try one's luck*

tenture, *hangings, wallpaper*

tenu (past part. of **tenir**), *held, kept*

terminer, *to end, to terminate, to finish*

terrain, *earth, terrain, ground, land*

terre, *earth, land, ground;* **à (par) —,** *on the floor, on the ground;* **mettre pied à —,** *to dismount*

terrestre, *terrestrial, earthly*

tes, *your*

tête, *head;* **mal de (à la) —,** *headache;* **acquiescer de la —,** *to nod agreement;* **prendre la —,** *to take the lead*

texte, *text, article*

tiens, -t (forms of the pres. indic. of **tenir**), *hold(s);* **on tient sur ses jambes,** *they can stand*

tiens (as an exclamation), *well! see here! why!*

timbre, *stamp*

tins, -t, -rent (forms of the past def. of **tenir**), *held*

tirade, *tirade, long speech*

tirage, *drawing*

tirer, *to draw, to take out, to shoot, to pull;* **— sur,** *to shoot (fire) at;* **se faire — la bonne aventure,** *to have one's fortune told*

tiroir, *drawer*

titre, *title*

toi, *you, to you*

toilette, *dress, clothes*

toit, *roof*

tomber, *to fall, to happen*

ton, *your*

ton, *tone*

tonnerre, *thunder*

tort, *wrong;* **avoir —,** *to be wrong*

tortueux, -se, *winding*

tôt, *soon*; plus —, *sooner*

toucher, *to touch, to concern*

toujours, *always, still*

tour, m., *trick, turn*; faire le — de, *to circle, to go around*; faire un —, *to take a walk*; f., *tower*; — de Babel, *tower of Babel* (where many tongues are spoken)

tourbillon, *whirlwind*

tourner, *to turn, to walk around*

tournure, *appearance*

tout (pl. tous), adj., *all, every, whole*; tout le monde, *everyone, everybody*; tous les deux, *both*; à toutes jambes, *as fast as he could*; pro., *everyone, anyone*; rien du tout, *nothing at all*; adv., *completely, entirely, very*; tout entier, *completely*; tout à fait, *completely*; tout en . . . , *while . . .*; tout à coup, *suddenly*; tout d'un coup, *suddenly*; tout de suite, *immediately*; tout d'abord, *right at first*; tout de même, *just the same*; tout à la fois, *at one and the same time*; tout de bon, *completely*

toutefois, *however*

traduction, *translation*

traduire, *to translate*

trahir, *to betray*

traîner, *to drag*

trait, *feature, trait, characteristic mark, gulp, flash, arrow*; vider d'un —, *to empty with one swallow*

traiter (de), *to treat (of), to call*

traîtresse, *traitoress*

trajet, distance

tranche, *slice*

tranquille, *tranquil, peaceful, calm*; laisser —, *to leave alone, to leave*

transmettre, *to transmit, to broadcast*

transpirer, *to transpire*

travail, *work*

travailler, *to work*

travailliste, *Labor* (political party)

travers: à —, *through*; en —, *crosswise*; au — de, *across*

traverser, *to cross*

treize, *thirteen*

tremper, *to dip*

trente, *thirty*

très, *very*

trésor, *treasure*

tressaillir, *to give a start, to be startled, to tremble*

tribunal (pl. tribunaux), *court* (of law)

tricher, *to cheat*

tricherie, *trickery, cheating*

triste, *sad*

tristesse, *sadness*

trois, *three*

troisième, *third*

tromper, *to deceive;* **se —**, *to be mistaken, to be wrong*

trompette, *trumpet;* **— parlante**, *megaphone*

trop, *too, too much;* **rien de —**, *nothing in excess*

trot, *trot;* **au grand —**, *at a full trot*

trotter, *to trot, to run about*

trou, *hole, humble home*

trouble (as a noun), *trouble;* (as an adj.), *dim, troubled, dull*

trouer, *to fill with holes*

trouver, *to find;* **se —**, *to be, to happen to be*

truc (c *is sounded*), *trick*

tu, *you;* **qu'as- —?** *What is the matter with you?*

tuer, *to kill*

tus, -t, -rent (forms of the past def. of **taire**), *was* (*were*) *silent*

U

un, *a, an, one*

une, *a, an, one*

unique, *sole*

unir, *to unite, to join*

usage, *use, custom;* **d'—**, *customary*

user, *to wear out*

usurier, *usurer, money-lender*

utile, *useful*

V

va (third pers. sing. pres. indic. of **aller**), *goes, is going;* (imperative sec. pers. sing.), *go;* **ça — bien**, *all right*

vaincre, *to win, to overcome*

vais (first pers. sing. pres. indic. of **aller**), *go, am going, do go*

vaisseau, *vessel*

vaisselle, *dishes*

valeur, *value*

vallée, *valley*

valoir, *to be worth;* **— mieux**, *to be better, to be of more value*

vanter, *to boast*

vapeur, *vapor, steam, fumes*

vas (sec. pers. sing. pres. indic. of **aller**), *go*

vase, *receptacle*

vaut (third pers. sing. pres. indic. of **valoir**), *is worth;* **— mieux**, *is better*

veau, *calf*

vécu (past part. of **vivre**), *lived*

Véger, village southeast of Cadiz, Spain

veiller, *to watch over, to watch out for*

vendange, *harvest* (of grapes)

vendre, *to sell*

vendredi, *Friday;* **le —**, *on Fridays*

venger, *to avenge*

venir, *to come;* faire —, *to send for;* — en aide, *to help;* — chercher, *to come and get;* — de, *to have just*

vent, *wind*

venta (Spanish), *inn*

ventre, *stomach, belly*

venu (past part. of venir), *come*

ver, *worm*

vérité, *truth*

vermisseau, *(earth) worm*

verr- (stem of the fut. and condit. of voir, *to see*)

verre, *glass*

vers, *towards, about*

vers, *verse*

verser, *to shed, to pour*

vert, *green*

vertu, *power, virtue*

veste, *coat, jacket*

veston, *suit coat, jacket*

vêtement, *clothes, clothing*

vêtu, *dressed*

veut (third pers. sing. pres. indic. of vouloir), *wishes, wants*

veuve, *widow*

veux (first pers. sing. pres. indic. of vouloir), *wish, want;* que je vous — de mal, *how put out I am with you*

viande, *meat*

vide, *empty*

vider, *to empty;* — d'un trait, *to empty with one swallow*

vie, *life;* à la — à la mort, *come what may, until the death;* gagner la —, *to earn one's living*

vieillard, *old man, old person*

vieil, vieille, *old*

vieilli, *aged*

vieillir, *to grow old*

viendr- (stem of the fut. and condit. of venir, *to come*)

viens, -t, -nent (forms of the pres. indic. of venir), *come(s), is (are) coming*

vierge, *virgin*

vieux, *old, old man*

vif, *keen, sharp, deep, alive*

vigne, *vine*

vilain, *ugly, evil*

ville, *city*

vin, *wine*

vinaigre, *vinegar*

vineux, -se, *winey, wine-flavored*

vingt, *twenty*

vingtaine, *about twenty, a score*

vins, -t, -rent (forms of the past def. of venir), *came*

visage, *face*

vision, *vision, sight*

visite, *visit;* rendre —, *to pay a visit*

vis (first pers. sing. pres. indic. of vivre), *live*

vis, -t, -rent (forms of the past def. of voir), *saw*

vît (third pers. sing. imperf. subjunc. of **voir**), *might see, saw*

vite, *quickly*

vitesse, *speed;* **avec —,** *quickly*

vitrage, *window*

vitrine, *display window*

vivant (pres. part. of **vivre**), *living;* **bon —,** *playboy*

vive (form of the pres. subjunc. of **vivre**), *will live;* (as an imperative) *long live*

vive, *deep, lively*

vivement, *quickly, sharply, intensely*

vivre, *to live;* (as a noun), *food*

vli vlan! *bang!*

voeux, *best wishes, wishes*

voici, *here is* (*are*); **— que,** *behold*

voie, *way*

voilà, *there is* (*are*); (as an exclamation), *listen!*

voile, *veil*

voir, *to see;* **voyait son affaire,** *saw what he was looking for*

voisin, -ne, *neighbor, neighboring*

voisinage, *neighborliness*

voiture, *carriage, car*

voix, *voice;* **à haute —,** *out loud*

vol, *flight*

voler, *to rob, to steal, to fly*

voleur, *thief*

volonté, *will*

volontiers, *gladly, readily, without thinking*

vont (third pers. pl. pres. indic. of **aller**), *go, are going*

vorace, *voracious, greedy*

vos, *your*

votre, *your*

voudr- (stem of the fut. and condit. of **vouloir**)

vouloir, *to wish, to want;* **— dire,** *to mean;* **— bien,** *to be willing to;* **en — à,** *to hold* (*something*) *against* (*someone*)

voulu (past part. of **vouloir**), *wished, liked*

voulus, -t, -rent (past def. forms of **vouloir**), *wished, wanted, liked*

vous, *you, to you*

voyage, *trip, voyage, travel;* **en —,** *travelling*

voyageur, *traveller*

voy- (stem of the first and sec. pers. pl. pres. indic., of the imperfect and the pres. part. of **voir**, *to see*)

voyelle, *vowel*

voyons (as an exclamation), *let's see, you see, you hear,* etc.

vrai, *true;* **—ment,** *truly, really;* **à — dire,** *to tell the truth*

vu (past part. of **voir**), *seen*

vue, *sight, vision, view*

W

wesleyen, *Wesleyan, Methodist*

Y

y, *there, of it, to it, it;* **il —
avait,** *there was, once upon a
time;* **il — a,** *there is* (*are*),
ago; **qu'— a-t-il pour votre
service,** *what can I do for
you?* **ça — est,** *you did it!*

yeux (pl. of **oeil**), *eyes;* **parcourir des —,** *to glance
through;* **faire les — en coulisse,** *to look out of the corner
of one's eyes*